Les Rois
qui ont fait
la France

DU MEME AUTEUR

ROMANS

La Caste, (Prix du Renouveau français 1952 (Editions R. Julliard et Club du Livre sélectionné).

Pavane pour un enfant (Julliard).

Les Armes à la main, Prix Eve-Delacroix 1956 (Julliard).

Le Bûcher (Julliard, et Club des Editeurs).

Deux Cents Chevaux dorés, Grand Prix littéraire des Librairies de France 1959 (Julliard et Club international du Livre).

L'Enterrement du Comte d'Orgaz (Julliard et Cercle du Livre de France).

Les Tentations (Julliard.)

Requiem pour Gilles de Rais (Julliard et Club des Editeurs).

Les Quatre Cavaliers, ouvrage couronné par l'Académie française (Julliard et Club des Editeurs).

Chien de Feu, Prix Bretagne 1964 (Julliard, Club du Livre Sélectionné, Cercle du Nouveau Livre, Editions G.-P., Editions « J'ai Lu »).

Les Atlantes (Editions R. Laffont et Livre de Poche).

Les Lances de Jérusalem, Prix de l'Académie de Bretagne 1967 (Laffont).

La Toccata (Laffont).

Guillaume le Conquérant (Laffont).

Le Chevalier du Landreau (Laffont).

Le Dernier Chouan (Pygmalion).

ETUDES HISTORIQUES

Les Templiers (Fayard et Club du Livre sélectionné).

La Guerre de Vendée (Julliard et Cercle du Bibliophile).

Les Rois fous de Bavière (Laffont).

Le Roman du Mont Saint-Michel (Laffont).

Prestiges de la Vendée (Editions France-Empire).

Mandrin (Hachette-Littérature).

La Guerre de Six Cents Ans (Laffont).

Richelieu (Hachette-Réalités. En collaboration).

Voltaire (Hachette-Réalités. En collaboration).

Histoire du Poitou (Hachette-Littérature).

Le Naufrage de « La Méduse », Bourse Goncourt du récit historique 1974 (Laffont).

Les Marins de l'An II ; Prix de la Cité 1975, ouvrage couronné par l'Académie française (Laffont).

La Vie quotidienne en Vendée pendant la Révolution (Hachette-Littérature).

Grands Mystères et Drames de la Mer (Pygmalion).

Foucquet, coupable ou victime? (Pygmalion).

Jacques Cœur (Pygmalion).

La Vie quotidienne de Napoléon en route vers Sainte-Hélène (Hachette).

Vercingétorix (Pygmalion).

Napoléon (Pygmalion).

Histoire secrète de Paris (Albin Michel).

Jean le Bon (Ramsay).

Les rois qui ont fait la France (Pygmalion).
  Tome I : Henri IV. Tome II : Louis XIII.
  Tome III : Louis XIV. Tome IV : Louis XV. Tome V : Louis XVI.

ESSAIS

Montherlant (Editions Universitaires).

Molière génial et familier, Prix Dagneau 1967 (Laffont).

Molière (Hachette-Réalités. En collaboration).

GEORGES BORDONOVE

Les Rois
qui ont fait
la France

LOUIS XIV
Roi-Soleil

LE GRAND LIVRE DU MOIS

Sur simple demande aux
Editions Pygmalion/Gérard Watelet,
70 avenue de Breteuil, 75007 Paris,
vous recevrez gratuitement notre catalogue
qui vous tiendra au courant de nos dernières publications.

© 1983, Editions Pygmalion/Gérard Watelet, Paris.

ISBN 2-85704-124-1.

QUATRE PORTRAITS
DE LOUIS XIV

Une naissance auguste, un air d'empire et d'autorité, un visage qui remplisse la curiosité des peuples empressés de voir le prince, et qui conserve le respect dans le courtisan; une parfaite égalité d'humeur; un grand éloignement pour la raillerie piquante, ou assez de raison pour ne la permettre point; ne faire jamais ni menaces ni reproches; ne point céder à la colère, et être toujours obéi; l'esprit facile, insinuant; le cœur ouvert, sincère et dont on croit voir le fond, et ainsi très propre à se faire des amis, des créatures et des alliés; être secret toutefois, profond et impénétrable dans ses motifs et dans ses projets; du sérieux et de la gravité dans le public; de la brièveté, jointe à beaucoup de justesse et de dignité, soit dans les réponses aux ambassadeurs des princes, soit dans les conseils; une manière de faire des grâces qui est comme un second bienfait; le choix des personnes que l'on gratifie; le discernement des esprits, des talents et des complexions pour la distribution des postes et des emplois; le choix des généraux et des ministres; un jugement ferme, solide, décisif dans les affaires, qui fait que l'on connaît le meilleur parti et le plus juste; un esprit de droiture et d'équité

*qui fait qu'on le suit jusques à prononcer quelquefois contre
soi-même en faveur du peuple, des alliés, des ennemis ; une
mémoire heureuse et très présente, qui rappelle les besoins des
sujets, leurs visages, leurs noms, leurs requêtes ; une vaste
capacité, qui s'étende non seulement aux affaires de dehors,
au commerce, aux maximes d'Etat, aux vues de la politique, au
reculement des frontières par la conquête de nouvelles provinces,
et à leur sûreté par un grand nombre de forteresses inaccessi-
bles ; mais qui sache aussi se renfermer au-dedans, et comme
dans les détails de tout un royaume...*

LA BRUYÈRE (Caractères)

*Il eut de grandes qualités qui brillèrent d'autant plus qu'un
extérieur incomparable et unique donnait un prix infini aux
moindres choses. Une taille de héros, toute sa figure si naturellement imprégnée de la plus imposante majesté qu'elle se portait
également dans les moindres gestes et dans les actions les plus
communes, sans aucun air de fierté, mais de simple gravité ;
proportionné et fait à peindre, et tels que sont les modèles que
se proposent les sculpteurs ; un visage parfait, avec la plus
grande mine et le plus grand air qu'homme ait jamais eus. Tant
d'avantages relevés par les grâces les plus naturelles incrustées
sur toutes ses actions, avec une adresse à tout singulière ; et,
ce qui n'a peut-être été donné à nul autre, il paraissait avec ce
même air de grandeur et de majesté en robe de chambre jusqu'à
n'en pouvoir soutenir les regards, comme dans la parure des
fêtes et des cérémonies, ou à cheval à la tête de ses troupes.
Il avait excellé en tous les exercices, et il aimait qu'on les fît
bien. Nulle fatigue, nulle injure du temps ne lui coûtait ni ne
faisait d'impression à cet air et à cette figure héroïque ; percé
de pluie, de neige, de froid, de sueur, couvert de poussière,
toujours le même. J'en ai souvent été témoin avec admiration,
parce qu'excepté des temps tout à fait extrêmes et rares, rien
ne le retenait d'aller tous les jours dehors et d'y être fort longtemps. Une voix dont le son répondait à tout le reste, une facilité
de bien parler et d'écouter courtement et mieux qu'homme du
monde, beaucoup de réserve, une mesure exacte suivant la*

qualité des personnes, une politesse toujours grave, toujours majestueuse, toujours distinguée suivant l'âge, l'état, le sexe, et pour celui-ci toujours un air de cette galanterie naturelle. Voilà pour l'extérieur, qui n'eut jamais son pareil ni rien qui en ait approché.

SAINT-SIMON
(Parallèle des trois premiers rois Bourbons)

Quoiqu'on lui ait reproché des petitesses, des duretés dans son zèle contre le jansénisme, trop de hauteur avec les étrangers dans ses succès, de la faiblesse pour plusieurs femmes, de trop grandes sévérités dans les choses personnelles, des guerres légèrement entreprises, l'embrasement du Palatinat, les persécutions contre les Réformés : cependant ses grandes qualités et ses actions, mises enfin dans la balance, l'ont emporté sur ses fautes. Le temps, qui mûrit les opinions des hommes, a mis le sceau à sa réputation ; et malgré tout ce qu'on a écrit contre lui, on ne prononcera point son nom sans respect, et sans concevoir à ce nom l'idée d'un siècle éternellement mémorable. Si l'on considère ce prince dans sa vie privée, on le voit, à la vérité, trop plein de sa grandeur, mais affable ; ne donnant point à sa mère de part au gouvernement, mais remplissant envers elle tous les devoirs d'un fils et observant avec son épouse tous les dehors de la bienséance ; bon père, bon maître, toujours décent en public, laborieux dans son cabinet, exact dans les affaires, pensant juste, parlant bien, et aimable avec dignité.

VOLTAIRE (Le siècle de Louis XIV)

Louis XIV fut un grand roi : c'est lui qui a élevé la France au premier rang des nations de l'Europe ; c'est lui qui, le premier, a eu 400 000 hommes sur pied et cent vaisseaux en mer ; il accrut la France de la Franche-Comté, du Roussillon, de la Flandre ; il a mis un de ses enfants sur le trône d'Espagne ; mais la révocation de l'Edit de Nantes, mais les dragonnades, mais la bulle Unigenitus, mais les 200 millions de dettes, mais Versailles, mais Marly, ce favori sans mérite ! Mais Mme de Maintenon, Villeroi, Tallard, Marsin, etc., etc. ?... Eh ! le soleil n'a-t-il pas lui-même ses taches ? Depuis Charlemagne quel est le roi de France qu'on puisse comparer à Louis XIV sous toutes les faces ?

NAPOLÉON (Dictées de Sainte-Hélène)

PREMIÈRE PARTIE

LES ÉPINES DE LA ROYAUTÉ
1638-1660

I

LOUIS-DIEUDONNÉ

« Dieu, par une grâce particulière, écrit le médecin Vallot, nous a donné un roi si accompli et si plein de bénédictions, en un temps où toute la France avait presque perdu toutes les espérances d'un si heureux successeur, et lorsque le roi son père, d'heureuse mémoire, commençait à se ressentir d'une faiblesse extraordinaire, causée avant l'âge par ses longues fatigues et l'opiniâtreté d'une longue maladie qui l'avait réduit en état de ne pouvoir pas espérer une plus longue vie, ni une parfaite guérison ; de sorte que l'on avait sujet, durant la grossesse de la reine mère, d'appréhender que ce royal enfant ne se ressentît de la faiblesse du roi son père ; ce qui serait indubitablement arrivé, si la bonté du tempérament de la reine et sa santé héroïque n'avaient rectifié les mauvaises impressions de ses premiers principes. »

Et, certes, l'état de santé de Louis XIII rongé par la tuberculose, le fait que la grossesse de la reine survenait après plusieurs fausses couches et au terme de vingt-deux ans de mariage, justifiaient assez les craintes de la Faculté. Cependant ni le roi ni la reine ne semblent avoir, quant à eux, douté d'une issue heureuse. Un quasi-miracle les avait charnellement rapprochés ; un autre miracle présiderait à la naissance de cet enfant sur qui reposait l'avenir de la dynastie : ils avaient, l'un comme l'autre, cette sorte de foi alors commune aux princes et aux charbonniers. Mais combien étrange le destin de l'enfant à naître, fruit d'une rencontre fortuite entre deux êtres qui n'étaient jamais parvenus à s'aimer, ni même à s'estimer, mais qui au contraire nourrissaient l'un envers l'autre des pensées presque ennemies : Louis XIII, plein d'aigreur et de défiance, voire d'une haine méprisante ; Anne d'Autriche, par trop fidèle à sa parenté espagnole, aux intérêts de sa terre natale ! Rien ne les rapprochait, hormis ce commun désir d'avoir un dauphin : le roi pour se perpétuer et se décharger un jour du pesant fardeau du pouvoir ; la reine, pour faire pièce à Richelieu et à sa coterie, rétablir sa situation dans le royaume, peut-être échapper à la répudiation et à l'exil. Mme de Motteville indique, dans ses Mémoires, qu'au début de la grossesse, Louis XIII s'essaya à la tendresse envers la reine. Mais le désaccord, qui était la règle de vie du malheureux couple, reprit vite le dessus. La désignation de la gouvernante du futur dauphin donna lieu à d'âpres intrigues de Cour, à des luttes d'influences entre le roi et Richelieu et le parti de la reine. Ce fut la marquise douairière de Lansac, Françoise de Souvré, fille de l'ancien gouverneur de Louis XIII, que choisit ce dernier, écartant les candidates de la reine et de Mlle de Hautefort. Il ne voulait point que le dauphin fût « nourri » par une créature de son épouse ou de la pseudo-favorite. Le choix de la nourrice fut confié à sept médecins des plus réputés dans leur art, à charge pour eux de vérifier la parfaite santé, la bonne mine, les bonnes mœurs et manières de l'élue. Ils proposèrent Elisabeth Ancel, épouse de Jean Longuet de La Giraudière, procureur au bureau des finances d'Orléans ; Louis XIII voulut bien donner son agrément.

Neuf mois, jour pour jour, après la nuit du Louvre, le dimanche 5 septembre 1638, la reine ressentit les premières douleurs. On fut prévenir Louis XIII. La chambre du château Vieux de Saint-Germain était déjà pleine de dignitaires et de grandes dames, puisque, selon l'usage, un enfant de France, et surtout un dauphin, ne pouvait naître sans témoins. Au premier rang des princes du sang on se montrait Gaston d'Orléans qui, sans être au fond un méchant homme en dépit de sa félonie viscérale, escomptait peut-être un accident : l'enfant sur le point de naître ne lui enlevait-il pas ses droits d'héritier présomptif, ne détruisait-il pas une convoitise entretenue depuis vingt ans et, s'il était possible, accrue par l'incurable maladie de Louis XIII ? Parmi les grandes dames, on reconnaissait la princesse de Condé, la comtesse de Soissons, la duchesse de Vendôme, la connétable de Montmorency, Mme de Sénécé et la belle Marie de Hautefort. L'altière Marie ne pouvait retenir ses larmes, parce que son amie la reine semblait en danger. Louis XIII a-t-il vraiment eu ce mot, dont la cruauté dépassait probablement sa pensée : « Qu'on sauve l'enfant. Vous aurez lieu de vous consoler de la mère » ? Quoi qu'il en soit à midi moins le quart, la reine fut délivrée et la sage-femme, nommée Péronne, montra à tous un enfant de sexe mâle, parfaitement constitué, pesant quarante-huit marcs et déjà pourvu de dents : le futur Roi-Soleil !

Il fallut que l'on suggérât à Louis XIII d'embrasser sa femme. Il s'exécuta, par devoir. Par contre, ce fut de toute son âme mystique, de tout son cœur de roi qu'il remercia le Seigneur de lui avoir donné un dauphin et, sans doute, cet être si secret savoura-t-il la gloire de ce bref instant.

Cependant la gouvernante, Mme de Lansac, recevait le précieux enfant. Louis-Dieudonné (ainsi nommé parce qu'il paraissait être un véritable don de Dieu) fut conduit à la chapelle et ondoyé par l'évêque de Meaux, premier aumônier, en présence du roi et de son frère Gaston. Il fut ensuite porté solennellement à l'appartement qu'on lui avait préparé. Sur son passage, les mousquetaires faisaient la haie, l'épée haute : première revue d'armes de celui qui se fera peindre parfois sous le casque empanaché et avec la cuirasse du dieu Mars ! La dame de La Giraudière prit enfin possession de lui et lui donna sa première tétée. Telles furent les premières heures en ce monde du plus grand des Bourbons.

La nouvelle de cette naissance tant attendue, tant désirée et par un peuple entier, éclata comme un coup de tonnerre. Elle suscita une allégresse, un délire même, dont ces quelques lignes extraites de la *Gazette* rendent un faible compte :

« Des gens défonçaient des tonneaux de vin dans les rues et conviaient tous les passants qui ne payaient pour leur écot qu'un cri de « Vive le roi ! » Un riche traitant, M. de La Rallière, fit ouvrir la cour de son hôtel, où une fontaine à quatre canaux laissa couler vingt-six muids de vin exquis, lesquels furent mis à sec jusqu'au dernier, accompagnés d'une distribution de jambons, cervelas, pâtés, gorges de porc et autres aiguillons à boire. Toutefois, non content de ces largesses, l'hôte se promena une partie de la nuit avec deux carrosses pleins de violons et de hautbois, suivis d'un chariot chargé de vins en bouteilles et de viandes et pâtisseries dont tout un chacun pouvait se régaler. »

Toutes les places de Paris se couvrirent de chandelles. Partout on alluma des feux de joie, on but, on dansa, pour célébrer

15

la venue au monde de l'enfant-roi. Cette liesse n'était point de commande, mais au contraire générale et spontanée. C'est qu'elle exprimait une opinion commune, un besoin instinctif, une aspiration très forte, un choix délibéré, l'adoption d'un système politique hors duquel on croyait qu'il n'y avait point de salut pour le peuple : mais nous reviendrons là-dessus. Les grandes villes renchérirent sur Paris, bientôt imitées par les villages et par les hameaux : à mesure que les cloches sonnant à toute volée annonçaient au fond des campagnes les plus reculées la venue au monde de celui que Michelet qualifie de « Messie de la monarchie ».

L'étranger ne fut pas en reste. Rome pria et festoya pendant trois jours. Les princes dépêchèrent leurs ambassadeurs : l'éloquence fleurie de leurs compliments dissimulait assez mal la déception de voir assurée la succession d'un roi que l'on savait condamné. Il fallait renoncer aux projets que l'accession au trône de Gaston d'Orléans eût rendus possibles ! Ce serait donc d'une France partout victorieuse et inentamée, d'un pouvoir affermi et d'un prestige grandissant qu'hériterait cet enfant !

Le 7 septembre, le Parlement se présenta à Saint-Germain. Mme de Lansac exhiba son dauphin. Les rudes magistrats plièrent qui le genou, qui la nuque, selon leur âge, devant le nourrisson royal. Lequel d'entre eux pouvait penser que, dans peu d'années, le même Parlement mettrait en péril l'avenir de la monarchie ? Louis-Dieudonné leur fit la grâce de sourire, ce qui fit dire à la gouvernante que « Monseigneur le dauphin ouvrait les yeux pour voir ses plus fidèles serviteurs ». L'Histoire a de ces traits d'humour !

Louis-Dieudonné entre ensuite dans une sorte d'anonymat, celui des nourrissons, fussent-ils royaux. Ce n'était rien de plus qu'un enfantelet rose et joufflu, robuste et vorace. La dame de La Giraudière ne put remplir sa fonction de nourrice. Au bout de trois mois, elle n'avait plus assez de lait pour apaiser le glouton, et dut se démettre, fort tristement, car c'était renoncer à des avantages non seulement honorifiques, mais considérables ! On la remplaça par des paysannes : Jeanne Potier, Marguerite Garnier, Marie Mesnil, Anne Perrier, et d'autres, car Louis-Dieudonné était insatiable ; pis encore, il mordait de ses deux dents les mamelles épuisées, et cela jusqu'au sang ! D'où ce pronostic bizarre de l'ambassadeur de Suède, Grotius : « Le dauphin ne se contente pas de tarir ses nourrices, il les déchire par ses morsures. C'est aux voisins de la France de se défier d'une aussi précoce voracité. » On découvrit enfin une robuste campagnarde capable de rassasier pareil appétit (Perette Dufour, femme du voiturier Ancelin, de Poissy) ; encore

16

lui adjoignit-on deux nourrices suppléantes ! Désormais le petit prince a sa Maison : une « remueuse » pour le bercer ; six femmes pour le veiller sous les ordres de la première femme de chambre, deux garçons de chambre, deux porteurs, une blanchisseuse, une cuisinière, tout ce personnel relevant de la gouvernante et de Mme de La Chesnaye, sous-gouvernante. Cependant, à cette époque de sa vie, le dauphin n'était point encore abandonné à des mains étrangères. A la différence de la mère de Louis XIII, Anne d'Autriche aimait tendrement son fils, et même passionnément. Elle reportait sur cet enfant son arriéré d'amour, et l'orgueil le disputait en elle à l'instinct maternel. Rêvant pour lui d'un grand destin, elle voulut l'élever, du moins participer directement à son éducation. « La reine, écrivait Mlle Andrieu à Mme de Sénécé, le 9 avril 1639, n'abandonne guère (le petit prince) ; elle prend grand plaisir à le faire jouer et à le mener promener dans son carrosse quand il fait beau. C'est tout son divertissement ; aussi n'y en a-t-il point d'autre dans sa cour. »

Le 21 septembre 1640, la reine eut un second fils : Philippe, duc d'Anjou. Et Mme de Motteville, à la vérité hostile à Louis XIII, déclare qu'il manifesta plus de joie qu'à la naissance du dauphin « parce qu'il ne s'attendait pas à un si grand bonheur que de se voir père de deux enfants, lui qui avait craint de n'en avoir point du tout ».

Une gravure de l'époque montre l'image d'un couple heureux : Louis XIII en costume de chasse et Anne d'Autriche contemplant en souriant Mme de Lansac guidant les premiers pas du dauphin, flanqué d'un singe et d'un chien. La réalité était bien différente ! « Monseigneur le petit dauphin n'eut pas trois ans, écrit Mme de Motteville, qu'il semblait déjà qu'il donnât au roi du chagrin et de l'ombrage. La reine me dit qu'un jour, le petit prince voyant le roi avec un bonnet de nuit, se mit à pleurer à cause qu'il en eut peur. Sur quoi Sa Majesté se fâcha comme d'une chose de grande conséquence et s'en plaignit vivement à la reine, lui reprochant que c'était elle qui nourrissait son fils dans l'aversion de sa personne, et il la menaça avec beaucoup de rudesse de lui ôter ses deux enfants. »

Incident banal, mais qui prit dans l'instant des proportions extraordinaires et servit de prétexte à Louis XIII pour faire peser sa tyrannie, pratiquer une sorte de chantage sans grandeur. Mais les trahisons de la reine, du moins sa collusion avec tous les fauteurs de complots, et les progrès effrayants de la maladie, expliquent largement cette attitude singulière de « l'heureux père » du dauphin. En outre il redoutait que son fils fût par trop élevé « à l'espagnole » et que les gâteries féminines anémiassent son caractère. A vrai dire, le pauvre roi martyr de l'Etat souffrait de tout, de tous et de lui-même, regrettant peut-être de ne savoir pas se faire aimer de cet enfant. Les billets à Richelieu — que l'on a cités ailleurs [1] — témoignent de son angoisse et de sa déception. « Dès qu'il me voit, il crie comme s'il voyait le diable, écrit-il, et crie toujours à maman. » Mais la gouvernante, dûment chapitrée, sut persuader l'enfant de faire bonne figure à ce triste père et de lui donner une illusion d'amour filial : première leçon de dissimulation.

1. Cf. tome II : *Louis XIII*, chez le même éditeur.

II

L'AVÈNEMENT

Du vivant de Louis XIII, en dépit de la défiance maladive de ce dernier, Anne d'Autriche avait demandé à un ecclésiastique de sa suite d'effectuer de « saintes et curieuses recherches » en vue d'élever ce fils dont elle désirait qu'il devînt « un panthéon de perfections et de vertus ». L'auteur — resté anonyme — présenta à la reine un travail jugé trop abscons. Elle lui demanda donc de le recommencer en simplifiant. Il s'exécuta et livra bientôt « le témoignage de son obéissance », qu'il qualifiait servilement d'aussi « nu et plat » que son esprit. L'ouvrage, resté manuscrit, s'intitulait : « Maximes d'éducation et Direction puérile des dévotions, mœurs, actions, occupations, jeux et petite étude de Monseigneur le Dauphin jusqu'à l'âge de sept ans... »

Les premiers chapitres concernaient la vie matérielle de l'enfant. Il y était conseillé de réserver huit heures de sommeil nocturne et une heure diurne, et cela sur l'autorité d'Aristote, Avicenne, Galien, Platon, Homère, saint Bernard et Plutarque, pas moins ! Le lit devait être de crin et de laine, non de plume. Il était indispensable de tenir une lumière allumée dans la

19

chambre, afin de décourager les entreprises des spectres, fantômes et fantasmes, qui ne peuvent agir qu'à la faveur de l'obscurité ! L'anonyme veut que les habits du dauphin soient blancs, larges et flottants, et les souliers, aisés. Il préconise d'imiter les Turcs qui, selon lui, s'entendent parfaitement à vêtir et à chausser leurs rejetons. Et il ajoute, non sans une pointe d'humour : « Si quelque esprit s'égaie à dire que je veux faire un dauphin turc, je lui répondrait que, quand Son Altesse aurait le corps aussi robuste qu'un Turc, il n'en serait que mieux. » Sans craindre d'entrer dans le détail, il consacre un autre chapitre aux bonnets et chapeaux. Il recommande vivement « de peigner et de nettoyer la tête » et marque son hostilité envers les perruques, dont plus tard Louis XIV fera un si grand usage ! Mais, pour l'heure, « la chevelure de Son Altesse Royale est plus belle que celle d'Absalon, c'est pourquoi il n'a pas besoin de calotte ni perruque, invention en vérité « sale et mauvaise !... » Les conseils touchant à l'hygiène du jeune prince donnent à rêver : on lui donnera à laver les mains « avec une serviette mouillée d'eau de fontaine ». Cependant, l'anonyme a tout prévu ; il a des idées sur tout : la prière du matin, le déjeuner (du pain et du bouillon, peu de viande, point de beurre ni d'œufs), la promenade, la Messe, la visite protocolaire à Leurs Majestés, les premières lectures, le dîner (« la vraie et meilleure manne pour les jeunes gens est le bouilli et le rôti »), l'emploi du temps de l'après-midi et de la fin de la journée. Au sujet des amusements de l'enfant, l'anonyme interdit les dés ; il permet le jeu de dames (« le jeu des dames poussées, écrit-il, n'est pas à mépriser, quoique ce soit l'exercice des Barbares ») ; mais ses préférences vont aux jeux de plein air : la paume, le ballon, la chasse, la pêche, le cheval, les armes, la voltige, la natation. Il n'interdit ni la musique, ni la danse, ni le théâtre, mais à condition que le dauphin s'abstienne « de représenter » lui-même, car ce serait imiter les Néron, les Galba et les Catilina. Au sujet de l'éducation religieuse, l'auteur n'entend point que le dauphin devienne grand théologien : il suffit de lui inculquer une foi solide et de lui rendre agréables les principes moraux essentiels. Touchant aux bouquets de fleurs, aux cadeaux de friandises et de fruits, il recommande la plus grande attention de la part des domestiques, cela pour déjouer d'éventuelles tentatives d'empoisonnement. Il n'est point partisan des châtiments corporels alors tellement en vogue qu'on les considérait comme inséparables d'une bonne éducation . « Laissons les verges et les coups pour les animaux ou leurs semblables, écrit-il, et gouvernons (les enfants) par la raison, leur vrai guide. »

Les Maximes d'éducation furent rédigées après la naissance

de Philippe d'Anjou, frère cadet du dauphin, et avant la mort de Louis XIII, soit entre les années 1640 et 1643. On ignore dans quelle mesure la reine et la gouvernante, Mme de Lansac, mirent en application, les préceptes du bon religieux. Car, à la vérité, l'indigence des documents est extrême quant à la petite enfance du futur Roi-Soleil. Cousinot, son médecin, n'imita point Jean Héroard qui nota, comme l'on sait, avec une méticulosité extrême, les faits, gestes, paroles et maladies de Louis XIII enfant. Sur la prime jeunesse de Louis XIV, sur son adolescence même, il n'existe que des témoignages épars ou des relations de cérémonies officielles. Et ce ne sont certes pas les gravures du temps (le dauphin à la promenade, le dauphin recevant le cordon du Saint-Esprit des mains de son père) qui peuvent nous renseigner sur le caractère de l'enfant. Quant aux billets du roi à Richelieu, déjà cités, leurs indications psychologiques sont de faible valeur : tout ce que l'on en peut tirer est l'aversion de l'enfant pour un père mélancolique et malade ; et, peut-être, cette « opiniâtreté » héritée des Bourbons.

Le premier événement important de la vie du dauphin fut, précisément, la mort de ce père redouté, mais non aimé, survenant après celle du cardinal de Richelieu. L'enfant ne pouvait comprendre le drame de conscience dans lequel se débattait le mourant : abandonner le royaume aux factions rivales, c'est-à-dire à l'anarchie alors qu'on était en pleine guerre, ou nommer régente l'épouse qui n'avait cessé de le trahir et, lieutenant général, un frère qui avait été de tous les complots. Par la suite, Louis XIV comprit-il jamais la grandeur et le martyre de son père ! Pour lui, l'agonie de Louis-le-Juste, ç'avait été d'abord une belle cérémonie de baptême. Le 21 avril (1643) on l'habilla d'une longue robe de taffetas d'argent et on le mena en grande pompe à la chapelle du château de Saint-Germain. Les courtisans — qui étaient venus voir mourir le roi — se pressaient dans la nef et dans les tribunes. L'évêque de Meaux officiait. Mme de Lansac éleva l'enfant sur l'accoudoir de la reine, les parrain et marraine ayant pris place de part et d'autre du prie-Dieu : c'étaient le cardinal Mazarin et la princesse de Condé. L'évêque demanda les prénoms de l'enfant. On répondit : « Louis-Dieu-donné ». A la question rituelle : « Louis, renonces-tu à Satan, à ses œuvres et à ses pompes ? », le dauphin répondit d'une voix claire et ferme : « Abrenuncio ». On admira son assurance et son humilité déjà toute chrétienne. L'assistance, émue, le trouva « beau comme un ange », si l'on en croit la *Gazette*.

Le lendemain, Louis XIII se sentit si mal qu'il voulut revoir ses enfants. La reine mena le dauphin et son frère au chevet du moribond. Il leur donna sa bénédiction. Le 12 mai, le pauvre roi qui, selon le mot assez atroce de Mme de Motteville « mourait tous les jours sans pouvoir achever de mourir », demanda à nouveau ses fils. — Mes enfants, leur dit-il, je prie le Seigneur qu'il vous bénisse et vous ait en sa sainte garde.

Le dauphin éclata en sanglots, Le lendemain, le valet de chambre, Dubois, croyant bien faire, lui montra le roi qui reposait, exsangue, sur le grand lit d'apparat, et auquel il ne restait plus guère qu'un souffle de vie : — Regardez le roi qui dort, chuchota Dubois, afin qu'il vous en souvienne quand vous serez grand.

L'enfant regarda en silence ce cadavre vivant. On l'emmena hors de la chambre.

— Monseigneur, demanda sottement l'huissier de service, si Dieu disposait de votre bon papa, voudriez-vous bien être roi à sa place ?

— Non, répondit le dauphin les yeux pleins de larmes, je ne veux pas être roi. S'il meurt, je me jetterai dans le fossé du château.

Ce n'était qu'un mot d'enfant prononcé sous le coup d'une émotion trop forte. Cependant la gouvernante crut devoir le surveiller pendant tout le reste de la journée.

Le 14 mai, Louis XIII était enfin délivré de la vie, de ses souffrances morales et physiques... Qui, dans l'entourage du défunt, hormis sans doute quelques religieux, sentait la grandeur héroïque, prenait l'exacte mesure du prince qui venait de s'éteindre ? Au contraire cette mort fut ressentie comme un soulagement par la cour. Les larmes mêmes de la reine, sécrétées par une émotion tout humaine, cachaient des appétits immédiats et la joie secrète, inavouée, inavouable, d'être enfin libre de ses actes ! La disparition de son mari ouvrait pour elle les portes d'une geôle. On peut néanmoins penser que, femme, elle ne fut pas insensible à l'effacement de cet époux dont elle percevait confusément les vertus. Mais peut-être pleurait-elle aussi le bonheur perdu, on veut dire le bonheur qu'ils n'avaient pas su construire ensemble, faute d'un peu de compréhension réciproque.

Le corps de Louis XIII était à peine refroidi que, le laissant à la garde de M. de Souvré et de quelques officiers, elle quitta Saint-Germain, en compagnie de l'enfant-roi et de son frère et, bien entendu, suivie de toute la cour. Le 15 mai, le petit Louis XIV, fit son entrée à Paris, solennité qui fut son premier acte de roi. Il avait pris place, avec sa mère, son oncle, son frère et le prince de Condé, dans un carrosse attelé à six chevaux, escorté par les princes, les dignitaires, les mousquetaires et les gardes du corps en grande tenue. Le peuple de Paris s'était porté en foule au-devant du cortège royal. Mme de Motteville : « Depuis

LES ÉPINES DE LA ROYAUTÉ

Nanterre jusqu'aux portes, ce n'étaient qu'applaudissements et bénédictions. Tous ces peuples regardaient leur roi-enfant comme un présent du ciel donné à leurs vœux, ce qui augmentait en eux l'amour et la fidélité que les Français ont naturellement pour leur prince. » Certainement, le petit roi fut un peu grisé par le spectacle de ce peuple enamouré, étourdi par les cris sans cesse répétés de « Vive le roi ! ». Peu d'années après, il apprendra à connaître la versatilité des Parisiens et comment l'amour et la fidélité « naturels » des Français pour leur prince peuvent se métamorphoser en haine furieuse, inoubliable leçon.

L'ambassadeur de Venise écrivait alors : « Bien qu'il n'ait pas cinq ans, Sa Majesté est un prince de noble aspect avec un air de grandeur : il promet à ce royaume — tous les augures s'accordent sur ce point — une ère de bonheur et de prospérité. » Ce qui distinguait en effet Louis de son frère et des autres enfants, c'étaient un sérieux imperturbable, une étonnante gravité, attestant la conscience qu'il avait de son rôle hors de pair. Il souriait parfois, du bout des lèvres, mais ne riait jamais, comme s'il eût été enfermé dans sa puérile dignité.

A peine installée au Louvre, Anne d'Autriche reçut une députation du Parlement ayant à sa tête le Premier président Mathieu Molé. Ce dernier assura la reine de son entier dévouement et la pria de conduire « Sa Majesté » au Parlement pour y tenir son premier lit de justice. Cette démarche était-elle spontanée ? Il est permis d'en douter, et de penser que l'illustre compagnie entendait bien tirer profit de l'inexpérience de la régente. Le 18 mai, le petit roi fut donc hissé sur un trône surélevé pour la circonstance. Il arborait une robe de velours violet, couleur des deuils royaux. Sa mère et sa gouvernante étaient près de lui. Il ne fut nullement déconcerté par cet aréopage de magistrats vêtus d'écarlate et d'hermine. Avec une parfaite bonne grâce il se leva et récita d'une voix bien distincte :

— Messieurs, je suis venu vous voir pour témoigner à mon parlement, mon affection et ma bonne volonté. Mon chancelier vous dira le reste.

L'un après l'autre, Gaston d'Orléans, désigné par Louis XIII comme lieutenant-général du royaume, et le prince de Condé, qui devait présider le conseil de régence, requirent l'assemblée de conférer la régence, avec les pleins pouvoirs, à la reine mère. Le chancelier Séguier prit à son tour la parole. Il rendit hommage à la mémoire du feu roi, mais plus encore aux éminentes capacités d'Anne d'Autriche : « En mettant tous ses soins à élever dignement le jeune roi cette grande princesse saura cultiver la semence des vertus que la nature a mises en lui pour que ce règne, inauguré par l'innocence de son âge, soit une ère de piété, de justice et de paix. Nous avons donc tout sujet de désirer que Sa Majesté la reine prenne la régence en mains pour la conduite et le gouvernement de cette monarchie avec puissance et liberté entière. »

L'avocat général Omer Tolon n'avait pas usurpé sa réputation d'incoercible phraseur ; il se surpassa : — Sire, s'écria-t-il, le siège de Votre Majesté nous représente le trône du Dieu vivant. Les ordres du royaume vous rendent honneur et respect comme à une divinité visible !

Il poursuivit, dans une envolée superbe :

— ... Nous souhaitons, sire, à Votre Majesté, la couronne de ses ancêtres, l'héritage de leurs vertus, la clémence et la débonnaireté du roi Henri le Grand, votre illustre aïeul, avec la piété, la justice et la religion du défunt roi votre auguste père. Nous souhaitons que vos armes étant victorieuses et invincibles, vous méritiez le nom de conquérant. Mais nonobstant ce titre magnifique, soyez, sire, dans vos jeunes années, le père de vos peuples. Qu'ils trouvent par vous quelque soulagement dans l'extrémité de leur misère et, donnant à la France ce qui vaut mieux que des victoires, puissiez-vous être le prince de la paix. »

Mais enfin, après ces nobles périodes passablement contradictoires — car il est difficile d'être à la fois conquérant et prince de la paix, de faire la guerre et de diminuer les impôts — le procureur général entra dans le vif du sujet. Il demanda lui aussi la régence pleine et entière pour la reine. Le vote fut unanime. Il ne resta plus au chancelier qu'à donner lecture de l'arrêt rédigé à l'avance, et qui mérite d'être connu :

« Le roi, séant dans son lit de justice, a déclaré et déclare la reine sa mère régente en France conformément à la volonté du défunt roi, son très honoré seigneur et père, pour avoir soin de l'éducation et de la nourriture de sa personne, et l'administration libre, absolue et entière des affaires de son royaume pendant sa minorité. Veut et entend Sa Majesté que Monseigneur le duc d'Orléans son oncle soit lieutenant-général en toutes ses provinces et chef de ses conseils sous l'autorité de la dite dame, demeurant au pouvoir d'icelle de faire choix de personnes de probité et d'expérience en tel nombre qu'elle jugera à propos pour délibérer aux dits conseils à donner leur avis sans qu'elle soit néanmoins tenue de le suivre si bon ne lui semble. »

Quelle était la portée réelle de cet arrêt ? En apparence il confirmait les dernières volontés de Louis XIII, mais, en même temps il les annulait, car, si le défunt roi avait bien désigné la reine comme régente du royaume, il avait singulièrement restreint ses initiatives en la dotant d'un conseil de régence au sein duquel elle ne détenait qu'une voix. L'arrêt du Parlement la débarrassait de cet obstacle et, par là même, faisait d'une étrangère la maîtresse absolue du royaume. Ce pouvoir exorbitant qu'elle recevait de la complaisance du Parlement, était une arme à double tranchant. Il tombe sous le sens que le Parlement comptait, comme on l'a dit, en retirer des avantages substantiels, et pour commencer, un regain de prestige. Abolir les ultimes volontés de Louis XIII, c'était amorcer la destruction de l'œuvre de Richelieu. Aucun de ces magistrats n'avait oublié les brimades et les humiliations de « l'homme rouge », ni l'exécution du malheureux de Thou, compagnon de Cinq-Mars. D'ailleurs cette journée prenait des allures de revanche, non seulement pour les parlementaires, mais pour tous ceux qui avaient été peu ou prou les victimes de Richelieu, conspirateurs invétérés, amis de Gaston d'Orléans et de la reine. Tous les espoirs étaient donc permis ! Les plus intelligents faisaient fond sur l'indolence et la médiocrité intellectuelle de la reine, sur le manque d'esprit de suite et de volonté de Gaston d'Orléans, sur l'insignifiance des autres princes du sang et sur la cupidité du prince de Condé. Nul ne s'avisait qu'en toute cette affaire un autre cardinal avait tiré les ficelles, manœuvré supérieurement, tout en affirmant qu'il ne voulait rien pour lui-même, qu'il n'avait d'autre ambition que de servir. Les courtisans se disaient que la régente ne pourrait gouverner par elle-même. Certains avançaient le nom du duc de Beaufort. Ce fut Mazarin que la reine désigna comme Premier ministre. On ne s'émut pas trop de cette promotion. Comme l'écrit le cardinal de Retz : « L'on voyait sur les degrés du trône, d'où l'âpre et redoutable Richelieu avait foudroyé plutôt que gouverné les humains, un successeur doux, bénin, qui ne voulait rien, qui était au désespoir que sa dignité de cardinal ne lui permettait pas de s'humilier autant qu'il l'eût souhaité devant tout le monde, qui marchait dans les rues avec deux petits laquais derrière son carrosse. » On comprit un peu tard, que l'avènement du jeune roi se doublait de celui de cet étrange prélat ; bref, que le royaume se trouvait aux mains d'une Espagnole et d'un Italien.

III

GIULIO MAZZARINI

Extravagante fortune que celle de Jules Mazarin devenu à
quarante ans maître du plus beau royaume de l'Europe, par
la grâce de Richelieu et de Louis XIII, et par la faiblesse d'une
femme ; mais aussi, faut-il le dire, par une habileté hors de pair
jointe à la mentalité d'un joueur ! Un aventurier ? Certes, mais,
doué de talents exceptionnels et, surtout, d'une espèce de génie
de la diplomatie. Sans scrupules, sans moralité hormis dans
les apparences qu'exigeait sa robe cardinalice, animé d'une
cupidité confinant à la manie, il sut être aussi la plus forte
tête politique de son temps, en cela le digne successeur de Richelieu ; mettant le Trésor en coupe réglée, mais capable de défendre
un trône plus que menacé, de faire prévaloir les intérêts français, d'apprendre son métier au jeune roi. Insinuant et souple,
il paraissait être le contraire de « l'homme rouge ». Mais, s'il
n'avait ni l'autorité impatiente ni la cruauté de Richelieu, il
n'était pas moins obstiné dans ses desseins, ni moins efficace.
Sa nature ondoyante ne le portait pas à affronter l'adversaire,
à soutenir âprement une position, mais à biaiser, à contourner,
à désarmer peu à peu, à convaincre. C'était un comédien né ;

il usait de son charme personnel ; il séduisait son interlocuteur par sa courtoisie souriante et par la supériorité de son intelligence, puis contre-attaquait brusquement...

Son ascension vertigineuse, fruit du hasard et d'une ambition bien conduite, mérite d'être brièvement retracée. Elle aide à comprendre le caractère du personnage.

Il n'avait point comme Concini, son devancier, ses racines dans une vague noblesse. Il semble exact que son grand-père ait été un pauvre pêcheur sicilien (ce qui lui vaudra d'ailleurs l'aimable surnom de « Gredin de Sicile » !) Son père, Pietro Mazzarini, remplissait l'emploi de majordome chez le connétable de Naples, Philippe Colonna. Le brave homme rêvait de faire de son fils Giulio un père jésuite, ce qui était pour lui une véritable promotion. Mais l'aimable Giulio se sentait surtout la vocation de vivre ; il avait pris au contact des Colonna des goûts de luxe et de grandeur sans rapport avec sa naissance et sa pauvreté. On notera — ce détail a son importance ! — que les Colonna ne le traitaient point comme fils de leur majordome, mais comme un des leurs : déjà son charme jouait, avec une aptitude merveilleuse à s'identifier au milieu dans lequel il vivait ! Manquant d'argent et désireux de briller à l'égal des jeunes patriciens qu'il fréquentait, il s'adonna au jeu, acquit dans les tripots une réputation dont s'alarma le pauvre majordome. Il eut peur que son trop beau garçon de fils tournât mal. Le connétable Colonna accepta d'envoyer Giulio en Espagne, pour y accompagner l'un de ses fils, Girolamo, en qualité de « cameriere ». Giulio renonça aisément à la vie brillante et dangereuse qu'il menait à Naples : cette faculté de laisser faire le destin est l'un des traits dominants de son caractère. Au cours du voyage, il manœuvra si bien que Girolamo lui voua une amitié passionnée, amitié qui persistera pendant des années et servira grandement la carrière du futur cardinal. En Espagne, il préféra les plaisirs aux études de droit qu'il aurait pu faire, et devint amoureux de la fille d'un notaire. Par jalousie, Girolamo renvoya son ami à Rome. Embarras du pauvre père ! Que faire de cet écervelé qui ne voulait être ni religieux ni juriste, mais prétendait vivre comme un seigneur ? Giulio ne le savait pas lui-même. Fataliste, comme tant d'Italiens, il attendait sa chance. Elle vint, et c'est le cas de dire que les desseins de la Providence sont impénétrables. Giulio fut nommé capitaine dans l'armée pontificale et tint garnison à Ancône. Sans qu'il y parût, il avait le pied à l'étrier, encore que sa vocation militaire fût aussi peu solide que sa vocation religieuse. Il faillit d'ailleurs tout remettre en question, car, sa mère étant tombée malade, il quitta le service sans permission pour accourir à son chevet.

27

La faute était extrêmement grave, mais Giulio, prenant les devants, vint se jeter aux pieds du pape Urbain VIII, avoua pathétiquement sa faute et implora un pardon qui lui fut aussitôt accordé. Bien plus, ayant gagné la protection du Saint-Père, il s'insinua dans les bonnes grâces du cardinal Sachetti, commissaire apostolique aux armées. Lorsque celui-ci fut nommé nonce à Milan, il prit le capitaine Giulio Mazzarino comme secrétaire. Et c'est ici le coup de dés majeur, car il permit à Giulio de découvrir ses talents de diplomate. L'Espagne et la France se disputaient alors la succession de Mantoue, le pape s'efforçant d'éviter la généralisation du conflit. Mazzarino fit merveille, par ses initiatives hardies, par son adresse et sa séduction personnelle. En 1630, le cardinal Barberini l'emmena à Lyon. Il s'agissait alors d'empêcher l'invasion de l'Italie par les armées françaises. La mission échoua, mais Richelieu ne fut pas sans remarquer la valeur de Mazzarino, ni sans apercevoir que le véritable ambassadeur n'était point l'aimable Barberini, mais ce jeune capitaine de l'armée pontificale ! Une seconde ambassade envoyée à Grenoble après la prise de Pignerol et de Casal connut un nouvel échec, en dépit des efforts de Mazzarino : il y gagna pourtant l'estime de l'ombrageux Louis XIII. Un peu plus tard, payant de sa personne, il s'interposa entre deux armées rivales et, par ce coup d'audace, obtint une trêve. Le pape le gratifia d'un canonicat. Il ne comprit pas, non plus que son entourage, que Mazzarino, tout en se donnant les apparences d'un loyal serviteur, trahissait la cause espagnole ; que, d'ores et déjà, il avait fait son choix et servait secrètement les intérêts de la France. Le zèle qu'il manifesta à conclure la paix entre notre pays et la Savoie ne laissait pourtant pas de doutes sur ses préférences. Mais, à la vérité, le pape hésitait entre son devoir de rétablir la paix dans la chrétienté et son inclination pour l'Espagne. Mazzarino, quant à lui, travaillait exclusivement pour la paix. On peut même dire que le pacifisme était l'unique ligne de force de son caractère, comme il le sera plus tard de sa politique : en quoi ce chanoine-capitaine, doublé d'un diplomate, était peut-être plus authentiquement prêtre que le pape. Ses amis, fidèles et agissants, travaillaient pour lui ; ils le poussaient doucement vers la mitre. En 1633, voici notre Mazzarino devenu Monsignor, sans être ordonné. En 1634, il est à Paris, en qualité de nonce extraordinaire... S'il ne put empêcher la guerre entre l'Espagne et la France, du moins travailla-t-il pour lui, se fit-il apprécier par le roi et le cardinal-ministre, se familiarisa-t-il avec les gens de cour, étudia-t-il les situations respectives des belligérants et perçut-il avec netteté que l'avenir était du côté de la France. Olivarès le fit rappeler

à Rome. Mazzarino offrit alors ses services à Richelieu qui
l'employa d'abord comme agent secret et négociateur officieux,
et finit, en 1639, par le faire venir près de lui. Invitation que
Giulio accepta sans hésiter, en dépit du risque qu'il y avait à
servir un homme constamment menacé de disgrâce ou d'assas-
sinat, par surcroît d'une santé déclinante. Mais, on le répète,
Giulio était un joueur ! Il fit mieux que de charmer Richelieu
et de le servir brillamment, il comprit admirablement les desseins de « l'homme rouge », et les articulations secrètes de sa
politique visant à l'abaissement définitif des Habsbourgs d'Autriche et d'Espagne, bref il devint en peu de temps son meilleur
disciple. Richelieu se persuada de la sorte d'avoir trouvé un
continuateur ; il obtint pour Mazzarino, devenu Mazarin, la
barrette de cardinal ; il ne lui fut pas difficile de décider
Louis XIII à le prendre à son service. Il convient cependant de souligner que ce fut ce dernier qui appela Mazarin dans son conseil. Richelieu étant mort, il avait toute
latitude d'employer, ou de n'employer pas, le nouveau cardinal,
et d'autant que celui-ci n'était point naturalisé Français. Au
milieu des intrigues qui traversèrent la dernière maladie du roi,
Mazarin fut comme un poisson dans l'eau. Sans prendre de
front le roi qui sentait sa fin prochaine, il sut adoucir ses pré-
ventions, proposer des solutions de rechange. Il est fort probable
que ce fut lui qui suggéra à Louis XIII de doter la reine d'un
conseil de régence, tout en sachant qu'il ne serait pas tenu
compte de cette précaution. Le rôle qu'il joua dans ces circonstances est si obscur que l'on ne saurait rien affirmer. On ne
peut davantage déterminer la date à laquelle s'établit sa collu-
sion avec la reine, non plus que définir la nature exacte de leurs
rapports sentimentaux après la mort de Louis XIII. Certes, sa
ressemblance avec Buckingham — le seul homme qu'Anne
d'Autriche eût aimé jusque-là — est assez frappante pour que
celle-ci ait pu en être touchée. De même certaines lettres maladroitement cryptées laissant apercevoir un tendre amour ; pour
autant on ignore, et on ignorera toujours, la part qui revient
aux sens et celle qui revient à l'esprit. Quoi qu'il en soit, rien
n'obligeait la régente, dotée d'un pouvoir absolu, à promouvoir
Mazarin Premier ministre, et l'on ne saurait prétendre qu'elle
fit ce choix par souci du bien public. Elle n'avait pas encore
pris conscience de son rôle, malgré les ambitions qu'elle nourrissait pour son fils. Il n'en reste pas moins qu'abdiquant
l'administration du royaume entre les mains de Mazarin, elle
faisait de lui un maître plus puissant que Richelieu, sans cesse
contrôlé par Louis XIII, ne l'avait jamais été.

« L'on se croyait bien obligé, écrit le cardinal de Retz traduisant l'opinion de la cour, de ce que, toutes les semaines, il ne faisait pas mettre quelqu'un en prison, et l'on attribuait à la douceur de son naturel les occasions qu'il n'avait pas de mal faire. Il faut avouer qu'il seconda fort habilement son bonheur. Il donna toutes les apparences nécessaires pour faire croire que l'on l'avait forcé à cette résolution ; que les conseils de Monsieur [1] et de Monsieur le Prince l'avaient emporté dans l'esprit de la Reine sur son avis. Il parut encore plus modéré, plus civil et plus ouvert le lendemain de l'action. L'accès était tout à fait libre, les audiences étaient aisées, l'on dînait avec lui comme avec un particulier ; il relâcha même beaucoup de la morgue des cardinaux les plus ordinaires. Enfin il fit si bien, qu'il se trouva sur la tête de tout le monde, dans le temps que tout le monde croyait l'avoir encore à ses côtés. Ce qui me surprend, est que les princes et les grands du royaume, qui pour leurs propres intérêts devaient être plus clairvoyants que le vulgaire, furent les plus aveuglés. »

S'ensuivit une brève période d'euphorie, qui vit le retour des courtisans exilés par Louis XIII et Richelieu, la libération des prisonniers, la distribution rituelle des places et prébendes de toute sorte. Tout ce que l'on demandait, cette bonne reine, qui ne savait rien refuser, l'accordait sans se faire prier et, comme le dit encore Retz, le Parlement « délivré du cardinal de Richelieu qui l'avait tenu fort bas, s'imaginait que le siècle d'or serait celui d'un ministre qui leur disait tous les jours que la reine ne se voulait conduire que par leurs conseils ».

Peut-être la régence d'Anne d'Autriche eût-elle ressemblé à celle de Marie de Médicis, si elle n'avait eu auprès d'elle un conseiller tel que Mazarin sut être. Il ne faut pas oublier — on nous pardonnera d'insister — qu'elle avait été la complice et l'amie de conspirateurs qui, sous prétexte d'abattre Richelieu, n'hésitaient point à trahir la nation. Ces conspirateurs formaient à la cour un parti dont le double objectif visait à signer la paix avec les Hasbourgs à n'importe quel prix et à restaurer les privilèges féodaux. L'intérêt de l'Espagne était évidemment de faciliter l'accès de cette faction aux affaires ; l'on pouvait penser que la régente ne s'y opposerait pas. L'honneur de Mazarin fut de métamorphoser l'ex-infante d'Espagne en reine toute française, comptable de son royaume envers son fils. Il sut, avec un art merveilleux, lui montrer les conséquences d'une paix prématurée, le danger du parti « espagnol », attiser son orgueil de mère désireuse de transmettre au petit roi un royaume et un pouvoir

---

1. Titre porté par Gaston d'Orléans, frère du défunt roi.

intacts, user, abuser de son influence, de son magnétisme ! S'il avait échoué dans son entreprise, il est peu de dire que le cours de l'Histoire eût été changé...

Ce qui n'empêche point le cardinal de Retz de le comparer à Trevelin, personnage de la comédie italienne incarnant, sous le masque et l'habit d'Arlequin, un intrigant de bas étage, tantôt valet, tantôt aventurier. S'ensuit cette diatribe : « Il s'érigea et on l'érigea en Richelieu ; mais il n'en eut que l'impudence de l'imitation. Il se fit de la honte de tout ce que l'autre s'était fait de l'honneur. Il se moqua de la religion. Il promit tout, parce qu'il ne voulut rien tenir. Il ne fut ni doux ni cruel, parce qu'il ne se ressouvenait ni des bienfaits ni des injures. Il s'aimait trop, ce qui est le naturel des âmes lâches ; il se craignait trop peu, ce qui est le caractère de ceux qui n'ont pas de soin de leur réputation. Il prévoyait assez bien le mal, parce qu'il avait souvent peur ; mais il n'y remédiait pas à proportion, parce qu'il n'avait pas tant de prudence que de cœur. Il avait de l'esprit, de l'insinuation, de l'enjouement, des manières ; mais le vilain cœur paraissait toujours au travers, et au point que ces qualités eurent, dans l'adversité, tout l'air du ridicule, et ne perdirent pas, dans la plus grande prospérité, celui de fourberie. Il porta le filoutage dans le ministère, ce qui n'est jamais arrivé qu'à lui ; et ce filoutage faisait que le ministère, même heureux et absolu, ne lui séiait pas bien, et que le mépris s'y glissa, qui est la maladie la plus dangereuse d'un Etat. »

Cependant le cardinal de Retz [1] trop heureux d'avoir décroché la coadjutorerie de l'archevêché de Paris, commença par faire sa cour au nouveau Premier ministre. Il opposa même un refus catégorique aux invites des Importants. C'était un ramassis de nobles oisifs qui, groupés autour des ducs de Vendôme et de ses fils, les ducs de Mercœur et de Beaufort, tentaient de battre en brèche le gouvernement de Mazarin, afin de le supplanter. Une ballade de l'époque décrit assez bien leurs activités et leur manque de sérieux :

> *Courir jour et nuit par la rue*
> *Sans affaires et sans dessein,*
> *Faire aux portes le pied de grue,*
> *Trancher du petit souverain...*
> *Parler en politique grave,*
> *Ayant à peine atteint vingt ans ;*
> *En sa maison faire le brave,*
> *C'est ce que font les Importants.*

---

1. Retz n'obtint le cardinalat que plus tard.

LES ROIS QUI ONT FAIT LA FRANCE

Néanmoins ces songe-creux formaient un parti à la cour. Mazarin convainquit la régente de faire un exemple. On arrêta Beaufort, le plus insupportable et le plus populaire des Importants : on le surnommait, à cause de son langage de crocheteur, « roi des halles », ou encore « l'amiral du port au foin ». C'était à ce Beaufort qu'Anne d'Autriche avait confié la garde du dauphin et de son frère, lors de la mort de Louis XIII et le commandement de l'escorte lors de l'entrée du petit roi dans la capitale. Devant l'audace de Mazarin la cour fut saisie d'un étonnement respectueux. Nul ne plaignit le prisonnier, non plus que ses amis qui furent exilés dans leurs maisons de campagne.

IV

L'ÉDUCATION DE LOUIS

L'heure était à l'héroïsme. Les victoires de Condé et de Turenne exaltaient les esprits. On avait formé une petite garde royale, dont le comte Loménie de Brienne fit partie ; il raconte : « Mme de Lasalle, femme de chambre de la reine-régente, et placée par Sa Majesté auprès du roi son fils, nous reçut une pique à la main et tambour battant, à la tête de la compagnie des enfants d'honneur, qui était déjà nombreuse et qu'elle avait sous ses ordres. Un hausse-col retombait sur son mouchoir [1] — bien empesé et bien tiré ; elle avait sur la tête un chapeau couvert de plumes noires et portait l'épée. Mme de Lasalle nous mit le mousquet sur l'épaule, et cela de fort bonne grâce ; après quoi, nous la saluâmes, sans nous découvrir toutefois, parce que ce n'est pas l'ordre ; elle nous baisa l'un après l'autre au front, et nous donna sa bénédiction d'une manière tout à fait cavalière. »

Singulier tableau que cette femme-soldat portant le hausse-col d'acier, le feutre noir et l'épée des mousquetaires et faisant

---

1. Le mouchoir qui, selon la mode du temps, masquait le décolleté.

manœuvrer cette compagnie de marmousets ! Mais voici le petit roi :

« Ensuite elle nous fit faire l'exercice, et je remarquai que le prince, encore à la bavette (il avait cinq ans à peine), y prenait un plaisir extrême ; ses divertissements ne respiraient que la guerre ; ses doigts battaient toujours du tambour, et dès que ses petites mains purent tenir des baguettes, il avait devant lui une grosse caisse toute pareille à celle des Cent-Suisses et frappait dessus continuellement ; c'était son plus grand plaisir. »

On reconnaît ici un trait de caractère de Louis XIII enfant, jouant avec ses gardes dans la cour de Saint-Germain. Plus tard, dans ses jeux guerriers, le jeune Louis XIV prendra le sobriquet de « soldat Lafleur ». Mais il était alors, dans l'intimité, timide et modeste. Il préférait même à la compagnie des enfants d'honneur celle de la fillette d'une chambrière. Il l'appelait « la reine Marie », lui donnant le rôle de reine, lui servant de page ou de valet de pied, portant la queue de sa robe, la roulant dans une chaise ou lui tenant le flambeau. Il avait même une propension curieuse à jouer les personnages de valet. Pour autant aimait-il les humbles et savait-il comme son père et son grand-père, s'en faire aimer ? Rien ne l'atteste. D'ailleurs si l'enfant tenait sa bonne constitution des d'Albret, il avait le teint et la blondeur des Habsbourgs et, sous-jacent, leur immense orgueil. Au surplus rien ne compensait alors l'influence d'Anne d'Autriche, chez laquelle il se rendait dès le matin avec son frère Philippe et passait fréquemment des journées entières. Il avait pour sa mère un amour très tendre, teinté de respect. Il chérissait de même son cadet. Bref, rien ne le distinguait des enfants de son âge, hormis le sérieux et cette aptitude singulière à la dignité quand on l'emmenait au spectacle, quand il participait à quelque cérémonie officielle, ou « recevait » les ambassadeurs qui scrutaient passionnément cette frimousse de cinq ans pour en tirer des pronostics.

Après la mort de Louis XIII, la régente s'était fait un devoir de congédier — fort courtoisement il est vrai — Mme de Lansac, la gouvernante, et de confier cet emploi à Mme de Sénécé, naguère chassée de la Cour. Il ne semble pas que Mme de Sénécé, surtout préoccupée de servir la reine, ait apporté beaucoup de soin à élever les enfants royaux, sans toutefois que ceux-ci eussent été aussi négligés que le prétend Mme de Maintenon. L'anecdote fameuse, selon laquelle on eût trouvé Louis XIV barbotant dans un bassin du Palais-Royal, ne prouve que la turbulence de l'enfant-roi. D'ailleurs, passionnée de son fils comme elle l'était, Anne d'Autriche eût-elle toléré qu'on le laissât à l'abandon ? N'eût-elle pas tancé la gouvernante et ses femmes ? Mais les confidences de Louis XIV à Mme de Maintenon ont passablement contribué à fausser la vérité sur son éducation : le grand roi était assez vain de sa personne pour donner à croire qu'il s'était fait lui-même, qu'il ne devait rien à ses maîtres, mais était l'auteur exclusif de sa propre grandeur.

En 1644, la régente décida de lui donner un précepteur. On hésita entre plusieurs candidats : La Mothe Le Vayer, qui était l'auteur d'un livre d'éducation du dauphin, et qui avait eu la confiance de Richelieu, le principal du collège de Laon, helléniste distingué, Rigaud que l'on surnommait « le coryphée de nos humanistes », l'illustre astronome Gassendi, le jésuite Claude de Lingendes, prédicateur connu, le non moins célèbre Arnaud d'Andilly et l'abbé Hardouin de Beaumont de Péréfixe, docteur en Sorbonne. Nul ne contestait le mérite supérieur d'Arnaud d'Andilly, lequel avait d'ailleurs rédigé un mémoire sur l'éducation politique du prince. Mais il était l'ami des Jansénistes, de l'abbé de Saint-Cyran, et son frère venait précisément de publier son traité *De la fréquente communion*. On lui préféra Péréfixe, dont les seuls titres étaient un doctorat en Sorbonne et la bienveillance de Mazarin. On peut se demander pourquoi ce dernier écarta l'ami des Jansénistes. Non certes pour complaire à leurs adversaires les Jésuites, ni même parce que Péréfixe était d'une pâte plus malléable qu'Arnaud, mais, bien évidemment, parce que le subtil politique avait discerné dans le comportement janséniste des tendances fâcheusement raisonneuses et contestataires, et surtout des ferments de républicanisme. Il se moquait des propositions de l'évêque Jansénius et des états d'âme de ses adeptes, non du pouvoir absolu qu'il exerçait par délégation. On peut voir aussi dans l'éviction d'Arnaud d'Andilly les racines les plus lointaines de l'hostilité de Louis XIV à l'encontre des Solitaires et des Sœurs de Port-Royal.

En 1645 (il avait donc sept ans), il fut retiré « des mains des femmes » et passa de l'autorité de Mme de Sénécé à celle de Villeroy, son gouverneur. La Porte, le fidèle serviteur de la reine, rappelé d'exil par celle-ci, devint valet de chambre de l'enfant-roi. « Je fus le premier qui couchai dans la chambre de Sa Majesté, note-t-il dans ses Mémoires, ce qui l'étonna d'abord, ne voyant plus de femmes auprès de lui ; mais ce qui lui fit le plus de peine était que je ne pouvais lui fournir des contes de Peau d'Ane, avec lesquelles les femmes avaient coutume de l'endormir. »

Ne sachant que faire et désireux de plaire à son jeune maître dont l'âge tendre et les regrets l'attendrissaient, La Porte proposa à la reine mère de lui lire quelque bon livre, pour l'endormir et, sinon, lui offrir quelques bons exemples à retenir. Le précepteur, Beaumont de Péréfixe, lui donna l'Histoire de Mézeray. La Porte lut l'ouvrage « sur un ton de conte, en sorte que le roi y prenait plaisir, et promettait bien de ressembler aux plus généreux de ses ancêtres, se mettant fort en colère lorsqu'on lui disait qu'il serait un second Louis-le-Fainéant ; car bien souvent je lui faisais la guerre sur ses défauts, ainsi que la Reine me l'avait commandé ».

Ces lectures déplurent à Mazarin qui, selon les dires de La Porte, lui reprocha de vouloir gouverner le petit roi. Car, si la régente s'était réservé la surintendance « naturelle » de son fils, elle avait officiellement chargé Mazarin de veiller à son éducation. « J'ai estimé, déclara la reine, que je ne pouvais apporter trop de circonspection à bien choisir une personne qui eût la direction de ses mœurs et l'intendance de sa conduite. » En désignant Mazarin, elle prétendait se ranger aux avis des princes du sang et se conformer aux volontés du défunt roi, lequel avait effectivement choisi Mazarin comme parrain de son fils. On s'en doute, la désignation de cet étranger comme maître à penser de l'enfant-roi fit jaser et crier, et ne manqua pas de rallumer les médisances à la fois sur la paternité de feu Louis XIII et sur les rapports entre la régente et son ministre. La Porte, alors en pleine faveur et faisant un peu trop sonner les services qu'il avait rendus naguère à la reine, ne se gênait pas pour critiquer le cardinal. Il osait parfois reprocher à la reine sa faiblesse envers son fils, du moins l'affirme-t-il. Il était en tout cas lui-même assez illogique. Regrettant que, dans l'entourage de la reine, on flattât par trop la vanité du roi et qu'on ne lui enseignât pas « qu'il n'était justement le maître qu'autant qu'il s'en rendrait digne », il déplorait en même temps que Louis aimât jouer au valet. Pour le guérir de « ce mauvais préjugé », il imagina de s'asseoir dans son fauteuil et de rester couvert devant lui. Colère de l'enfant qui alla se plaindre à sa mère, laquelle lui répondit qu'il était judicieux que, si le roi faisait le métier de La Porte, celui-ci fît le métier de roi.

« Il arriva plusieurs fois, poursuit La Porte, qu'étant seul avec M. de Villeroy, voyant le roi faire des badineries, après avoir bien attendu que le gouverneur fît sa charge, voyant qu'il ne disait mot, je disais tout ce que je pouvais à cet enfant-roi pour le faire penser à ce qu'il était et à ce qu'il devait faire ; et après que j'avais bien prôné, le gouverneur disait : La Porte vous dit vrai, Sire ; La Porte vous dit vrai. » C'étaient là toutes ses instructions ; et jamais de lui-même, ni en général, ni en particulier, il ne lui disait rien qui lui pût déplaire, ayant une telle complaisance que le roi même s'en apercevait quelquefois et s'en moquait, particulièrement lorsque Sa Majesté l'appelait et lui disait: « Monsieur le Maréchal », il répondait : « Oui, Sire » avant de savoir ce qu'on lui voulait, tant il avait peur de lui refuser quelque chose. » Pour sa part Saint-Simon le qualifiait « d'esprit le plus souple de la cour et à qui la bassesse et la dépendance coûtaient le moins », habile à pousser sa fortune, d'autant plus inapte à apprendre au roi les vertus nécessaires au gouvernement. Il est vrai que Saint-Simon ne donne pas plus cher de Péréfixe, « homme de fort peu de chose et par là plus agréable au cardinal Mazarin ». Et qu'il ne craint pas d'affirmer : «A peine lui apprit-on à lire et à écrire (à Louis XIV), et il demeura tellement ignorant que les choses les plus communes d'histoires, d'événements, de fortunes, de conduites, de naissance, de lois, il n'en sut jamais un mot. Il tomba, par ce défaut et quelquefois en public, dans les absurdités les plus grossières. » Que Louis XIV ait été assez peu versé dans les généalogies constituait un crime aux yeux de Saint-Simon et de ses pareils, mais cela ne signifiait nullement qu'il ignorât l'Histoire. Au surplus Saint-Simon naquit en 1675 ; le moins que l'on puisse dire est qu'au sujet de l'éducation de Louis XIV il détenait des informations de seconde main ! A la vérité, Péréfixe fut un bon précepteur et qui fit ce qu'il put pour former un « honnête homme » selon l'acception de l'époque. Aidé de plusieurs professeurs, il lui apprit un peu de latin et d'italien, de mathématiques et de géographie, un peu plus d'histoire. Péréfixe avait écrit lui-même une Histoire d'Henri-le-Grand, car, si l'on ne parlait jamais de Louis XIII à cet enfant, on lui proposait sans cesse l'exemple de son grand-père Henri IV, comme si l'on avait voulu effacer le roi défunt de sa mémoire. Par la suite, Louis XIV ne parla quasi jamais de ce père qu'il semblait n'avoir pas connu, ou complètement oublié. Ainsi, même en la personne de son fils, le pauvre roi ne laissait pas un regret, n'éveillait pas la moindre curiosité. Cette conspiration du silence autour d'un mort ne laisse pas d'être troublante et paraît, avec le recul du temps, quasi monstrueuse, en tout cas inexcusable ; la reine en porte l'entière responsabilité.

Elle ne se souciait que fort peu des progrès intellectuels de son fils, étant elle-même peu instruite, mais fort attentive à la bienséance et à la religion. Le gouverneur de Villeroy songeait surtout à sa carrière, laquelle, supérieurement conduite devait aboutir à la duché-pairie. Quant à Mazarin, il n'entendait pas que son filleul devînt un puits de science, mais eût la tête politique, et il se réservait de lui enseigner un jour l'art difficile de gouverner. Il est à peine besoin d'ajouter qu'en de telles conditions Louis XIV ne put acquérir une culture livresque. Il avait d'ailleurs peu de goût pour l'étude et pour la lecture. A cet égard les Mémoires de Dubois, autre valet de chambre, sont probants : il y est surtout question de ballets, de promenades, d'exercices physiques et de jeux guerriers. A mesure qu'il grandira, le jeune roi saura changer en conversations quasi mondaines les fastidieuses leçons de naguère. Mais n'avait-il pas commencé ses études en recopiant cette phrase de sa grosse et maladroite écriture d'enfant : « L'hommage est dû aux rois, ils font ce qu'il leur plaît Louis » ?

Bientôt, ce sera le monde qu'il aura pour livre, et il saura ce qu'il en coûte de régner selon son bon plaisir.

V

AVANT LA FRONDE

A la veille du conflit intérieur qui menace d'ébranler le trône, le cardinal de Retz analyse ainsi la situation : « Le dernier point de l'illusion, en matière d'Etat, est une espèce de léthargie, qui n'arrive jamais qu'après de grands symptômes. Le renversement des anciennes lois, l'anéantissement de ce milieu qu'elles ont posé entre les peuples et les rois, l'établissement de l'autorité purement et absolument despotique, sont ceux qui ont jeté originairement la France dans les convulsions dans lesquelles nos pères l'ont vue. Le cardinal de Richelieu la vint traiter comme empirique, avec des remèdes violents, qui firent paraître de la force, mais une force d'agitations qui en épuisa le corps et les parties. Le cardinal Mazarin, comme un médecin très inexpérimenté, ne connut point son abattement. Il ne le soutint point par les secrets chimiques de son prédécesseur, il continua de l'affaiblir par des saignées : elle tomba en léthargie, et il fut assez malhabile pour prendre ce faux repos pour une véritable santé. Les provinces, abandonnées à la rapine des surintendants, demeuraient abattues et assoupies sous la pesanteur de leurs maux, que les secousses qu'elles s'étaient données de temps en temps, sous le cardinal de Richelieu n'avaient fait qu'augmenter et qu'aigrir. Les Parlements, qui avaient tout fraîchement gémi sous sa tyrannie, étaient comme insensibles aux mesures présentes, par la mémoire encore trop vive et trop récente des passées. Les grands, qui pour la plupart avaient été chassés du royaume, s'endormaient paresseusement dans leurs lits, qu'ils avaient été ravis de retrouver. Si cette indolence générale eût été ménagée, l'assoupissement eût peut-être duré plus longtemps ; mais comme le médecin ne le prenait que pour un doux sommeil, il n'y fit aucun remède. Le mal s'aigrit ; la tête s'éveilla ; Paris se sentit, il poussa des soupirs ; l'on n'en fit point de cas, il tomba en frénésie. »

C'est ici l'une des rares pages où l'esprit partisan et la méchanceté n'altèrent pas essentiellement la pensée de Retz et reflètent la réalité des choses, quoique incomplètement. Disciple de Richelieu, Mazarin se devait de continuer la politique de prestige de son devancier, c'est-à-dire de consommer, par un ultime effort, l'abaissement des Habsbourgs. Obsédé par ce dessein grandiose, Richelieu avait négligé la misère publique qui en était l'inéluctable conséquence, et comprimé d'une main de fer rébellions et complots, avec l'accord et l'appui de Louis XIII sans lequel « l'homme rouge » n'eût rien pu faire. Mazarin poursuivit cette politique audacieuse, en négligeant pareillement l'économie du royaume, mais la bénignité de son caractère — peut-être due à un scepticisme foncier — le portait davantage à l'indulgence qu'à la rigueur. Jugeant par lui-même, il ne pouvait avoir grande illusion sur les hommes, ce qui l'inclinait à l'indulgence. On a vu que le châtiment du duc de Beaufort et des Importants n'avait pas été bien sévère, bien que la cabale fût exclusivement dirigée contre lui.

Au surplus Mazarin n'excellait que dans le domaine de « l'extérieur » ; pour le reste il manquait de connaissances précises et appréciait fort mal le caractère des Français. A cet égard, la régente ne pouvait guère l'éclairer. Il est en outre probable que la toute-puissance conquise en moins d'une année l'illusionnait dangereusement, sur lui-même et sur le royaume. Il croyait, dans une conjoncture particulièrement difficile, désarmer un adversaire dont il ne mesurait ni la force ni le but, par la séduction et la douceur, comme il avait fait de la reine et des princes du sang. D'ailleurs l'autorité sans faille de Louis XIII et de Richelieu eût-elle suffi à juguler la crise qui s'amorçait ? On ne peut oublier que le défunt roi et son ministre avaient, quasi jusqu'à leurs derniers jours, pourchassé les cabaleurs de tout poil. Le peuple était las d'une guerre qui n'en finissait pas, semblait même être sans issue. Il était aisé au parti de la paix, soutenu par les agents espagnols, d'exploiter le mécontentement général. Après la retentissante victoire de Rocroy, prophétisée par Louis XIII sur son lit de mort, les Habsbourgs, sentant la partie perdue, jetèrent leur dernier argent et leurs dernières réserves dans la bataille. Mais Turenne et Condé étaient des généraux incomparables. Partout, nos armées marquaient des progrès, principalement dans les Flandres et sur le Rhin. Nous prîmes successivement Thionville, Gravelines, Philippsbourg, Spire, Worms, Mayence, Landau, Mardyck, Cassel, La Mothe-en-Argonne, dernière place restant au duc de Lorraine. Nous remportâmes aussi les victoires de Fribourg et de Nordlingen. Cependant nous avions quatre armées à solder et à approvisionner, énorme dépense pour un Trésor obéré ! endetté

En matière de finances, Mazarin était à peu près nul ; il n'avait de talents que pour s'enrichir et gérer sa fortune personnelle. Il appela à la rescousse l'un de ses compatriotes, Particelli, et le nomma hardiment contrôleur général. Le choix était malencontreux. Ce Particelli, seigneur d'Emery, que Retz qualifie d' « esprit le plus corrompu de son siècle », était fils d'un banquier lyonnais condamné pour banqueroute frauduleuse. Retz ajoute qu'il « ne cherchait que des noms pour trouver des édits... Je ne vous puis mieux exprimer le fond de l'âme du personnage, qui disait en plein conseil (je l'ai ouï), que la foi n'était que pour les marchands ». Mazarin avait sans doute misé sur les capacités et l'expérience de son protégé. Or Particelli n'avait aucun plan directeur, aucun système ; il ne savait qu'imaginer des expédients, c'est-à-dire aggraver le déficit au lieu de le résorber afin de rendre confiance aux épargnants. Qu'on en juge : il empruntait au taux de vingt-cinq pour cent, affermait les tailles à des traitants en leur consentant des bénéfices extravagants qui, certainement, lui valaient de confortables pots-de-vin, créait de nouvelles taxes pour les retirer presque immédiatement, retranchait sur les rentes de l'hôtel de ville, déjà irrégulièrement payées, par suite des difficultés du Trésor, mécontentait les fonctionnaires en rognant sur leur traitement, inventait de nouvelles charges qu'il vendait au plus offrant et qui ne répondaient à aucun besoin. Par la taxe dite du toisé qui frappait les terrains bâtis hors les murs de Paris, il essaya de se procurer de nouvelles ressources ; mais les assujettis élevèrent de telles protestations que l'on dut faire machine arrière. Il changea alors de tactique et résolut de faire payer les riches par la taxe des aisés, dont il escomptait vingt millions de livres ; il crut que le peuple approuverait cette mesure. Le Parlement n'osa pas s'y opposer, mais à condition que ses membres en fussent exemptés. Pour briser ce début de résistance, Mazarin eut l'idée d'exhiber le petit roi et sa mère.

Le jour de son huitième anniversaire (7 septembre 1645), l'enfant tint son deuxième lit de justice. L'auguste assemblée, chapitrée par le chancelier et le procureur Talon, reconnut volontiers que, pour terminer la guerre, il fallait de l'argent. Avec une unanimité touchante, on remplaça les taxes du toisé et des aisés par une taxe sur les métiers : c'était le moyen assuré de mécontenter les artisans, c'est-à-dire le menu peuple de Paris, celui qui fait les révolutions.

Cependant la guerre continuait. Condé avait enlevé Courtray et Dunkerque. Paris l'accueillit en héros. Au cours d'un bal donné en son honneur, le roi de huit ans, vêtu d'un habit de satin noir brodé d'or et décoré de rubans incarnats, dansa pour la première fois en public. Mme de Motteville écrit que : « Les beaux traits de son visage, la douceur de ses yeux jointe à leur gravité, la blancheur et la vivacité de son teint, avec ses cheveux qui étaient alors fort blonds et frisés, le paraient encore davantage que son vêtement. »

Les réjouissances tournèrent court. Trente mille Espagnols assiégèrent Armentières. Pour décider les jeunes nobles à quitter leurs plaisirs et à rejoindre l'armée, on décida de produire le petit Louis XIV sur la frontière de Picardie. Ce fut une belle cavalcade, dans le goût de l'époque, et chacun de s'émerveiller sur la mâle contenance du roitelet sur son cheval blanc. Toutefois les vieux soldats notèrent le sérieux avec lequel il les passa en revue. La situation militaire étant rétablie, la cour regagna Saint-Germain.

Quelle étrange vie menait alors l'enfant-roi, dont le moins que l'on puisse dire est qu'elle était faite de contrastes ! Il ne mettait ses habits de parade que pour paraître dans les cérémonies. Les ambassadeurs, les dignitaires, les courtisans l'accablaient de flatteries, le traitaient en demi-dieu. Mais, reconduit dans son appartement, il dépouillait sa divinité avec ses beaux habits, et mangeait parfois ce qu'il attrapait. Sur ce point, le témoignage de La Porte est significatif :

« On le laissait manquer des choses nécessaires. La coutume est qu'on donne au roi tous les ans douze paires de draps et deux robes de chambre, l'une d'été, l'autre d'hiver. Néanmoins, je lui ai vu servir six paires de draps trois ans entiers et une robe de chambre de velours vert, doublé de petit gris, servir été et hiver pendant le même temps, en sorte que, la deuxième année, Sa Majesté ayant beaucoup grandi, elle ne lui venait qu'à la moitié des jambes. Et pour les draps, ils étaient si usés, que je l'ai trouvé en plusieurs fois les jambes passées au travers, à cru sur le matelas. »

Autre observation de La Porte : « Un jour, à la veille d'un

départ de la cour en voyage, examinant le carrosse de Sa Majesté, je m'aperçus que le cuir des portières était emporté, et tout le reste tellement usé qu'il aurait de la peine à faire le voyage... Je n'en finirais point, si je voulais rapporter toutes les mesquineries que j'ai vues dans les choses qui regardaient le service du roi, tant les esprits de ceux qui devaient en avoir soin étaient principalement occupés de leurs affaires et de leurs plaisirs. »

La dernière phrase est un coup direct à Mazarin qui avait acquis un magnifique hôtel et dont la fortune croissait rapidement. Pourtant la vraie raison des négligences et pénuries relevées par La Porte, c'était le manque d'argent. Sa jeune Majesté n'avait pas un sou vaillant ! Pour payer les mercenaires et les fournisseurs, Particelli multipliait les assignations d'avance (sur les rentrées futures et théoriques) et, par ce procédé, les recettes de l'année suivante étaient réduites à rien. Le désordre des finances paraissait sans remède, mais il profitait à trop de gens, à commencer par Mazarin, pour que l'on songeât à établir un bilan sincère et à prendre des mesures draconiennes.

Le 11 novembre 1647, le petit roi ressentit une violente douleur aux reins et dans « toute la partie inférieure de l'épine du dos ». Le premier médecin était alors Vaultier. C'était un partisan convaincu de l'émétique et de tous les remèdes chimiques abhorrés par la Faculté de Paris qui restait résolument « galénique », c'est-à-dire classique, se réclamant d'Hippocrate et de Galien. Au contraire la Faculté de Montpellier, influencée par la médecine juive et arabe, prônait les remèdes chimiques le plus souvent découverts au cours des recherches pratiquées par les alchimistes. D'où querelles véhémentes, procédures héroï-comiques, luttes d'influences au sein de la cour, au chevet même du patient ! Guy Patin détestait Vaultier, dont il écrivait : « Il se pique de trois choses qui ne firent jamais un homme plus sage : de savoir de la chimie, de l'astrologie et de la pierre philosophale ; mais on ne guérit point de malades par tous ces beaux secrets. L'Hippocrate et le Galien sont les plus beaux secrets de notre métier, qu'il n'a peut-être jamais lus. » Il n'empêche que Vaultier guérit le roi en appliquant ses méthodes. Mandé en hâte, il diagnostiqua aussitôt la petite vérole. Le lendemain, qui était un mardi, il prescrivit une première saignée. Le visage, le corps du malade se couvrirent de pustules, à la suite d'une seconde saignée. Mais la fièvre redoublant en dépit de cette éruption qui confirmait son diagnostic, Vaultier appela en consultation quatre des meilleurs praticiens de Paris, à savoir Guénault, Vallot, et les deux Séguin, oncle et neveu. Ils examinèrent gravement le patient et opinèrent, pour, finalement, « proposer la continuation des remèdes cordiaux, disant qu'il fallait voir et observer les mouvements et les forces de la nature ». Le vendredi, l'aggravation de la fièvre amena une nouvelle consultation. Vallot proposa une troisième saignée, soutenant qu'elle modérerait infailliblement la fièvre et faciliterait en même temps l'éruption. Guénault approuva son confrère. Les deux Seguin rejetèrent véhémentement la proposition de celui-ci. O Molière ! On pratiqua la saignée, dont l'effet fut « admirable », les pustules redoublant selon la prédiction de Vallot. L'émoi de la reine, qui ne quittait pas le chevet de son fils, l'inquiétude de Mazarin, ajoutaient à l'embarras des médecins. La petite vérole était une maladie fort commune, cependant elle tuait un grand nombre d'enfants. On pouvait donc redouter une issue fatale. Déjà certains courtisans, les amis de Gaston d'Orléans, se réjouissaient fort laidement. Mme de Motteville signale que Gaston ne quittait pas la chambre de l'enfant, lorsque celui-ci fut au plus mal, et que l'insistance du bon oncle redoublait la douleur de la reine. Cependant la nature « reprenant ses forces », les pustules s'asséchèrent, formant une sorte d'érysipèle. On pratiqua une quatrième saignée et la fièvre enfin tomba. Survint alors un premier accident, à savoir « un amas d'une matière maligne, corrosive et sanieuse, qui s'est jetée sur les doigts de pied, qui pouvait gâter et faire tomber les os... » et que les médecins prirent pour de la gangrène ! Ils incisèrent et appliquèrent des pommades qui triomphèrent promptement de ce mal. Ensuite le malade souffrit d'une soif extraordinaire et les médecins délibérèrent longtemps « sur la cause de cette extrême altération, et sur les moyens de l'apaiser ». Ils prônaient la saignée, estimant que cette soif était la conséquence de la fièvre. Vallot préconisait la purgation, jugeant qu'il s'agissait « d'un amas de bile pourrie qui s'était jetée dans l'estomac ». Son éloquence l'emporta et le petit roi avala, de grand matin, un verre de calomel et de séné. Deux heures après, il était soulagé. Dix-huit jours après le début de sa maladie, il entra en convalescence.

Ce n'est point seulement pour divertir le lecteur que je me suis étendu — un peu trop complaisamment peut-être — sur les disputes des médecins, mais pour montrer le réel danger auquel une maladie de moyenne gravité exposait les patients. Il ressort de tout cela que l'on soignait une maladie infectieuse à coups de saignées, sans comprendre que la fièvre tombait en proportion de l'affaiblissement du malade. Et Vaultier, tout « chimiste » qu'il fût, n'osait en cela contredire ses confrères « galéniques » ; sa responsabilité l'effrayait. Mais que dire de ses ordonnances où entraient la pierre d'écrevisse, la craie, la perle et le diaphorétique !...

Pendant cette maladie, le jeune roi fut exemplaire de patience et de courage, parlant avec douceur à ceux qui l'entouraient, consolant sa mère, ne refusant aucun remède. Les médecins louèrent sa fermeté, un peu surpris de ce qu'un enfant de neuf ans offrît lui-même son bras à la saignée et dominât si constamment la douleur. La *Gazette* de Renaudot tint à proclamer « la grande patience » du jeune monarque, en insistant sur le fait que la vue de son propre sang ne l'avait même pas ému. La reine était folle de joie : une nuit, l'enfant avait eu une syncope et elle l'avait cru perdu ! Seul le bon oncle d'Orléans était un peu déçu. On disait qu'au cours d'un banquet récent, ses amis avaient porté un toast à Gaston Iᵉʳ.

VI

L'ESCALADE

Quand a réellement commencé ce que l'on appelé la Fronde, et qui fut une véritable révolution aux racines beaucoup plus solides et profondes qu'on ne le croit ? Cette crise assez grave pour mettre la monarchie en péril, couva pendant quatre années (de 1644 à 1648), au cours desquelles la situation ne cessa de se dégrader, en dépit du succès de nos armes et d'une soumission de façade. A plus d'une reprise le carrosse de la reine et du jeune roi fut arrêté, malgré l'escorte, entouré par des femmes du peuple criant misère et réclamant justice, les plaintes et les larmes se changeant peu à peu en vociférations et en menaces. Qu'il fût nécessaire de créer de nouvelles taxes pour financer la guerre, et pallier momentanément la mauvaise rentrée des impôts, nul ne pouvait le contester. Mais le cardinal Mazarin se montrait d'une rare maladresse en épargnant finalement la classe aisée pour faire supporter la charge fiscale par les petites gens. En augmentant les droits d'octroi sur les denrées entrant dans Paris (par l'édit du Tarif, en septembre 1646), il provoqua une hausse du coût de la vie, dont les riches ne souffrirent que très peu, mais qui accrut une misère déjà sensible dans les

46

milieux les plus modestes. Misère résultant, pour une large part, de la continuation du conflit qui gelait les transactions et réduisait à un quasi-chômage nombre d'ateliers, artisanaux. Le Parlement prit fait et cause pour les malheureux et, soudain, menaça d'interdire l'Edit du Tarif, qu'il avait cependant accepté d'enregistrer. Un levain de révolution travaillait l'austère assemblée, du moins son aile gauche composée de jeunes maîtres des requêtes. L'erreur capitale de Mazarin fut alors de toucher aux privilèges des magistrats. En même temps qu'il instituait plusieurs édits fiscaux, il créa douze charges nouvelles de maîtres des requêtes, ce qui dévalorisait d'autant les charges existantes. Colère du Parlement ! Parade habituelle de Mazarin : le 15 janvier 1648, le jeune roi tint son troisième lit de justice ! Les parlementaires, cette fois encore, se résignèrent. Cependant, tout en proposant l'enregistrement des édits, le procureur Omer Talon avait osé tenir ce langage :

« Vous êtes, Sire, notre souverain seigneur. La puissance de Votre Majesté vient d'En Haut, laquelle ne doit compte de ses actions, après Dieu, qu'à sa conscience, mais il importe à sa gloire que nous soyons des hommes libres, et non pas des esclaves... Il y a, Sire, dix ans que la campagne est ruinée, les paysans réduits à coucher sur la paille, leurs meubles vendus pour le paiement des impositions auxquelles ils ne peuvent satisfaire... L'on a mis l'imposition et fait des levées sur toutes les choses dont on s'est pu imaginer ; il ne reste plus, Sire, à vos sujets que leurs âmes, lesquelles, si elles eussent été vénales, il y a longtemps qu'on les aurait mises à l'encan. »

Ce langage démagogique ne pouvait que plaire et, surtout, créditer la fable selon laquelle le seul véritable défenseur du peuple était, non plus le roi, mais le Parlement. Il y avait là, on le perçoit bien, une perche à saisir, un grand rôle à jouer. Mais, si l'on apprécie les faits avec réalisme, on comprend aussi qu'une assemblée composée de privilégiés, par surcroît propriétaires de charges devenues héréditaires, la plupart fort riches, ne pouvait répondre aux aspirations populaires.

Le lendemain de cette journée mémorable, les parlementaires, travaillés par les jeunes maîtres des requêtes, se ressaisirent ; ils estimèrent que l'enregistrement des édits leur avait été extorqué ; qu'il était de ce fait entaché de nullité. D'où tractations avec la régente et Mazarin, délibérations verbeuses et de nul effet. Dans le même temps, Condé s'apprêtait à livrer une bataille décisive. Mazarin n'avait donc qu'un objectif : gagner du temps, mais il ne sut pas mesurer la température, comme on dirait aujourd'hui, ni comprendre que les parlementaires n'étaient pas de simples fonctionnaires.

47

LES ROIS QUI ONT FAIT LA FRANCE

Le 6 avril, une délégation du Parlement fut convoquée par la régente. En présence du petit roi, le premier président Mathieu Molé porta la parole. Ce dignitaire avait une position inconfortable : choisi parmi ses pairs, il avait été nommé par le roi, sa fonction l'appelant à servir d'intermédiaire entre ses confrères et le gouvernement. Or, contre toute attente, Molé réitéra à peu de chose près les déclarations d'Omer Talon, parla en termes éloquents des souffrances du peuple écrasé par une fiscalité galopante, mais n'oublia point de déplorer la multiplication des offices de judicature, soulignant combien le zèle des anciens « officiers » s'en trouvait refroidi. L'avertissement était net : il ne fallait pas toucher aux privilèges de la judicature. Mazarin, d'accord avec Anne d'Autriche, qui méprisait les robins, n'en tint aucun compte. Les magistrats versaient un droit annuel, appelé *la Paulette*, consacrant l'hérédité de leurs charges. Mazarin confirma *la Paulette* pour neuf ans, mais en retranchant quatre années de gages pour les membres des cours souveraines, à savoir : le Grand Conseil, la Cour des Comptes et la Cour des Aides. En exceptant le Parlement, le maître fourbe espérait l'isoler et le discréditer. Le Parlement ne se laissa pas prendre à cette glu ; il se déclara solidaire des trois autres Cours. L'arrêt d'Union (13 mai 1648) regroupa donc l'ensemble des magistrats, dont les députés se réunirent dans une salle du Palais, dite Chambre de Saint-Louis. En réponse, la régente révoqua le droit annuel et interdit l'union des quatre cours. Le Parlement passa outre, mais ce qui montre suffisamment son incertitude, c'est que, tout en confirmant l'arrêt d'Union, il négociait avec la régente par l'intermédiaire de Gaston d'Orléans, ravi comme toujours de pêcher en eau trouble. Ainsi l'auguste assemblée franchissait-elle le Rubicon, mais comme on danse une pavane : un pas en avant, deux pas en arrière !...

Le 30 juin, après avoir entendu Mathieu Molé prêcher en faveur du pouvoir judiciaire, Anne d'Autriche autorisa les réunions de la Chambre de Saint-Louis. Les magistrats, libérés d'un grand poids, se mirent incontinent au travail. Ils élaborèrent un plan de réforme qui fit couler beaucoup d'encre et, notamment, en lequel on a voulu voir une ébauche de monarchie parlementaire. Il faut en rabattre beaucoup ! Les intentions des députés étaient plus modestes : elles visaient à supprimer l'arbitraire en matière fiscale en contrôlant le surintendant des finances et les traitants, à diminuer la taille, à rétablir le versement régulier et intégral des rentes et des rémunérations, à abolir les commissions délivrées aux intendants (dont les décisions échappaient à l'appel du Parlement !), à protéger le commerce en interdisant les importations de dentelles, de laines et de soieries. Un des articles prévoyait une sorte d'habeas corpus limitant les détentions arbitraires, mais assurant davantage l'immunité des magistrats ! Le point essentiel était que, dorénavant, aucun impôt ne pourrait être établi sans l'assentiment des cours souveraines : une telle disposition portait un coup redoutable au pouvoir royal.

La régente accepta, contrainte et forcée, la plupart de ces propositions. Il ne coûtait rien à Mazarin de céder et de promettre ; pareil au roseau, il savait plier sous la bourrasque. Il sacrifia les intendants, tout en obtenant le maintien provisoire de bon nombre d'entre eux. Il sacrifia de même son ami Particelli, qui fut remplacé par le maréchal de La Meilleraye, flanqué d'un conseil de techniciens, piètre solution ! La Chambre de Saint-Louis s'occupa alors du remboursement des « prêts » consentis au roi : ce n'étaient rien d'autre que les avances faites par les financiers sur les rentrées d'impôts et dont les bénéfices atteignaient en général cent pour cent de la mise, au détriment des contribuables ! La discussion fut d'autant plus vive que plusieurs parlementaires, non des moindres, faisaient fructifier ainsi leurs petites économies, bien entendu par personnes interposées : mais les noms et les sommes étaient connues... Le bon M. Broussel, intègre conseiller, se distingua par son âpreté et se fit rappeler à l'ordre par Mathieu Molé qui soutint que la Chambre ne pouvait s'arroger le droit d'administrer les finances. Mazarin s'alarma tout de bon : le contrôle des remboursements demandé par Broussel tarirait à coup sûr les rentrées d'argent. Le 31 juillet 1648, le petit roi s'en fut donc gentiment tenir un nouveau lit de justice. Ce fut, comme à l'habitude, une cérémonie splendide et qui se déroula le mieux du monde. Toutefois, dès le lendemain, Broussel réclama la nomination de quatre commissaires pour vérifier la déclaration royale, croyant — sans doute de bonne foi — servir les intérêts du petit roi et ne se rendant nullement compte qu'il était « manipulé ».

L'orgueilleuse reine n'avait point la souplesse de Mazarin ; elle ne pouvait tolérer que le principe même de la monarchie fût mis en cause par de misérables robins, fussent-ils habillés d'écarlate. Il est probable qu'elle prit sa décision contre l'avis de Mazarin toujours prêt à atermoyer et dont il faut dire qu'il supportait sans réagir les injures et les calomnies, souvent ignobles, des « mazarinades » : tout autre que lui n'eût pas supporté d'être pareillement submergé de pamphlets et de chansons grotesques !

Le 20 août 1648, Condé remporta l'éclatante victoire de Lens. Paris illumina. La reine estima que l'on pouvait profiter de l'allégresse générale pour mettre les récalcitrants hors d'état de nuire. Elle donna l'ordre d'arrêter Broussel, les présidents Charton et Blancmesnil, à l'issue du *Te Deum* qui serait célébré à Notre-Dame le 26 août.

Comminges, lieutenant aux gardes, chargé de l'arrestation de Broussel, manqua se faire écharper. Son carrosse se rompit et peu s'en fallut que la foule ne délivrât le bonhomme. L'émotion dans Paris fut immédiate et considérable, si l'on en croit le cardinal de Retz :

« Je ne puis vous exprimer la consternation qui parut dans Paris le premier quart d'heure de l'enlèvement de Broussel, et le mouvement qui se fit dès le second. La tristesse, ou plutôt l'abattement, saisit jusqu'aux enfants ; l'on se regardait et l'on ne disait rien.

« L'on éclata tout d'un coup ; l'on s'émut, l'on courut, l'on cria, l'on ferma les boutiques.

« Je sortis en rochet et camail, et je ne fus pas au Marché-Neuf que je fus accablé d'une foule de peuple, qui hurlait plutôt qu'il ne criait. Je m'en démêlai en leur disant que la reine leur ferait justice. Je trouvai sur le Pont-Neuf le maréchal de La Meilleraye à la tête des gardes, qui, bien qu'il n'eût encore à la tête que quelques enfants qui disaient des injures et qui jetaient des pierres aux soldats, ne laissait pas d'être fort embarrassé, parce qu'il voyait que les nuages commençaient à se grossir de tous côtés. Il fut très aise de me voir ; il m'exhorta à dire à la Reine la vérité. Il s'offrit d'en venir lui-même rendre témoignage. J'en fus très aise à mon tour, et nous allâmes ensemble au Palais-Royal, suivis d'un nombre infini de peuple qui criait : « Broussel ! Broussel ! »

Ce dont ce diable en camail était le plus aise, ce n'était point la rencontre du maréchal de La Meilleraye, mais la perspective de jouer enfin un rôle quitte à semer le désordre et à faire s'entretuer ses ouailles ! Il allait pouvoir souffler sur le feu, attiser les haines en prêchant la concorde, miser sur les deux tableaux, opposer les Grands au Parlement, tromper les princes, humilier la reine, contraindre le Mazarin à l'exil, tout cela sans autre raison que sa malfaisance, sans programme, sans vrai dessein. Il avoue lui-même dans ses Mémoires qu'il avait délibérément choisi de faire le mal. C'était un spectacle qu'il s'offrait à lui-même, car il se connaissait au bout du compte assez bien pour admettre qu'il était incapable d'esprit de suite.

Il vint donc trouver la reine avec La Meilleraye. Ce dernier réclama la liberté de Broussel. Retz prit la parole. La reine ne ressentait aucune crainte ; elle parvenait mal à dissimuler sa colère. Mazarin feignait de croire à la sincérité du coadjuteur et tergiversait. « Il y a de la révolte, s'écria la reine, à s'imaginer que l'on se puisse révolter ! L'autorité du roi y mettra bon ordre. »

Arriva le chancelier Séguier, qui, malmené par les émeutiers, prêcha l'accommodement. Guitaut, le capitaine des gardes, déclara :

— Mon avis est qu'on rende ce vieux coquin de Broussel, mort ou vif.

— Plutôt vif, corrigea Retz, ce serait faire cesser ce tumulte.

— Je vous entends, monsieur le coadjuteur, dit la reine, vous voudriez que je donnasse la liberté à Broussel ; je l'étranglerais plutôt avec ces deux mains...

Mazarin l'apaisa. Il suggéra malicieusement au coadjuteur d'aller dire aux émeutiers qu'on rendrait Broussel à condition que chacun rentrât chez soi. C'était le compromettre auprès de ses amis, peut-être exposer sa vie. Mais Retz avait trop joué les bons apôtres pour se dérober. On lui donna La Meilleraye pour compagnon. Ce fut miracle s'ils échappèrent au lynchage. L'émeute gagnait tout Paris, dont les rues se barraient de chaînes et se couvraient de barricades. Aux cris de « M. Broussel ! Il nous faut M. Broussel ! », on sortit Mathieu Molé de son lit et on le traîna au Palais-Royal. La régente fut inébranlable.

Le lendemain, recevant une délégation du Parlement, elle gronda :

— Je sais bien qu'il y a du bruit dans la ville, mais vous m'en répondrez, Messieurs du Parlement, vous, vos femmes et vos enfants !

Lorsque les parlementaires sortirent du Palais-Royal, après deux heures de palabres, la foule les couvrit d'injures. Un rôtisseur mit son pistolet sous le nez du président Molé : « C'est toi, bougre, hurlait-il, qui es cause de tout le mal ! Tu trahis la Compagnie ! Je devrais te tuer ! Retourne, traître ! » Molé revint au Palais-Royal et la discussion reprit, chacun s'efforçant de masquer son inquiétude. La reine finit par signer l'ordre d'élargissement de Broussel. Mais les émeutiers restèrent en armes, en attendant l'exécution d'un ordre auquel on refusait de croire ; certains parlaient de saccager le Palais-Royal, car les filous de toute espèce se mêlaient aux honnêtes gens. Le lendemain, « notre père Broussel » fit son entrée à Paris et la foule exigea qu'un *Te Deum* fût chanté à Notre-Dame pour honorer le héros du jour. Le bonhomme s'en fut dans sa maison de la rue Saint-Landry coiffer son bonnet et enfiler sa robe d'écarlate. Il ne partageait point l'enthousiasme général et, tout de suite, prêcha la modération. Une telle attitude était symptomatique. Avec l'appui du peuple, les parlementaires avaient pu défier la régente et Mazarin et, finalement, triompher de leur résistance. Ils n'avaient à la bouche que les mots de peuple, de république et de liberté, mais c'étaient pour eux des mots sans contenu réel, des hochets démagogiques. Qu'avaient de commun ces riches magistrats, somptueusement vêtus, avec les boutiquiers, les artisans, les crocheteurs du port-au-foin, leurs compagnons éphémères ? Les plus intelligents d'entre eux commençaient à se demander s'ils n'avaient pas joué les apprentis sorciers, à se dire qu'en détruisant la monarchie on risquait fort d'abolir du même coup l'illustre compagnie et de perdre ces privilèges que l'on avait si impétueusement défendus. De lui-même le Parlement ordonna d'enlever les barricades et de rouvrir les boutiques. Le 29 août, le calme était rétabli. En quelque sorte ce fut là une nouvelle humiliation pour la régente, car, désormais, le maître de Paris paraissait être le Parlement, non plus le roi !

Le 13 septembre, au matin, Paris eut la stupeur d'apprendre le départ de la cour. Préparée en grand secret par Mazarin, cette « fuite à Varennes » réussie s'arrêta au château de Rueil. On sut que le prince de Condé n'attendait plus qu'une armée pour intervenir : il avait repoussé avec une hauteur méprisante les offres des Frondeurs, ou plutôt celles du coadjuteur. La populace en profita pour saccager quelques carrosses et piller quelques maisons. Affolé, le Parlement organisa la défense de Paris. A la suite de quoi, on entra en pourparlers. La régente, sous l'influence de Condé, accepta de transiger. Elle signa une fausse paix et la cour regagna le Palais-Royal. La Fronde semblait finie, mais les deux factions en présence s'observaient sans la moindre indulgence.

Le petit roi comprenait parfaitement que les parlementaires avaient essayé de lui enlever sa couronne, tout en affirmant la main sur le cœur leur attachement à la monarchie. Pendant les trois journées des barricades, alors que le Palais-Royal était cerné par les émeutiers, le sang-froid de cet enfant de dix ans fut remarqué. Son jeune frère, Philippe d'Anjou, tremblait de peur et pleurait. Il le rassurait de son mieux, sa petite épée à la main.

VII

LA FUITE A SAINT-GERMAIN

Le 22 octobre 1648, Anne d'Autriche, en larmes, se résigna, sur les conseils de Mazarin, à signer la fameuse Déclaration portant réforme de l'Etat. Cette Déclaration — qui était en fait l'acte de capitulation du pouvoir — officialisait la plupart des propositions de la Chambre de Saint-Louis, y compris l'article sur la liberté individuelle. Elle faisait du jeune Louis XIV, selon l'expression même de sa mère, « un beau roi de cartes » ! Or, deux jours après, nos diplomates signaient les traités de Münster, plus connus sous le nom de traité de Westphalie. Triomphe de la politique de Mazarin, succédant à celle de Richelieu, ils consacraient la prédominance française, en Europe. Non seulement la possession des trois Evêchés nous était reconnue, mais l'Alsace nous était cédée en grande partie et subordonnée pour le reste. Les traités restreignaient en outre les pouvoirs de l'Empereur, en mettant calvinistes et catholiques sur un plan d'égalité et en reconnaissant aux princes allemands le droit de se fédérer et de s'allier avec des princes étrangers. Ce chef-d'œuvre de diplomatie plaçait évidemment l'Allemagne dans l'orbite de la France, ce dont les Habsbourgs autrichiens ne se relèveraient jamais.

Cependant les négociateurs espagnols avaient quitté Münster avant la signature de la paix. L'Espagne restait donc en guerre avec nous, mais réduite à ses seuls moyens, alors que sa redoutable infanterie avait perdu tout prestige après les victoires de Rocroi et de Lens. Mais la cour de Madrid entretenait assez d'agents, elle avait gardé assez d'amis pour ne pas ignorer les troubles de la régence.

Le traité de Westphalie, la proclamation de la paix avec l'Allemagne ne produisirent aucun effet sur l'opinion. Nul n'en conçut la moindre admiration pour Mazarin. Il restait la cible préférée des pamphlétaires. On lui reprochait d'être un étranger, de trahir l'Etat et de piller le Trésor. On osait publier que, depuis six ans, il avait fait au royaume plus de mal, de dégâts et de ravages que nos plus cruels ennemis s'ils avaient été vainqueurs. Bref, la réponse du Parlement à la Déclaration d'octobre fut une insolente invitation à chasser le cardinal.

L'arbitre de la situation était désormais le prince de Condé. La reine et le petit roi était rentrés à Paris, mais les mercenaires allemands de Condé campaient autour de la capitale, prêts à intervenir, et commençant un pillage qui devait durer plusieurs années : ils se payaient sur l'habitant. En ne versant pas la solde des mercenaires, Mazarin savait parfaitement qu'il provoquerait ces ravages ; il se disait que les riches Parisiens se lasseraient de voir leurs belles maisons de campagne mises à sac et incendiées ; il tablait sur la lassitude. Mais, le 16 décembre, le prince de Condé provoqua, par son attitude menaçante, un tumulte au Parlement. Sous couleur de se protéger, le Parlement prit des mesures de sécurité fort semblables à l'état de siège. Depuis les journées des barricades, le peuple de Paris descendait volontiers dans la rue, il était prêt à défendre les armes à la main ceux qu'il appelait encore « les pères de la patrie ». La reine estima qu'elle n'était plus en sécurité. Pour sa part le prince de Condé jugeait qu'il serait plus facile de mater la révolte du dehors. On prépara donc secrètement un nouvel exode de la cour.

Nous connaissons, par Mme de Motteville, le détail de la soirée du 5 janvier 1649. Lorsque Mme de Motteville entra dans le Cabinet de la reine, elle la trouva parfaitement tranquille qui regardait jouer le petit roi. Les princes du sang et les ministres vinrent, selon l'étiquette, lui faire leur cour. La reine montrait « cette égalité d'esprit dont elle accompagnait toutes les actions de sa vie ». Et, même, Mme de Motteville nota-t-elle qu'elle paraissait plus gaie qu'à l'ordinaire. Un peu plus tard, Anne déclara qu'elle se rendrait au Val-de-Grâce le lendemain et qu'elle y passerait la journée. Philippe d'Anjou vint lui souhaiter le bonsoir et lui fit promettre d'aller dans sa chambre. Ensuite, comme c'était la veille des Rois, on mangea le gâteau traditionnel et l'on but une bouteille d'hippocras. Ce fut la reine qui tira la fève et l'on but à sa santé. On parla ensuite de l'organisation d'un banquet, après quoi les dames se retirèrent pour la nuit. Anne d'Autriche n'avait dévoilé son projet à aucune d'entre elles, pas même à Mme de Motteville qui était de ses confidentes. A trois heures du matin, le maréchal de Villeroy fit lever le jeune roi et son frère et les conduisit par un escalier dérobé dans le jardin du palais. La famille royale attendait rue de Richelieu. On monta dans les carrosses qui roulèrent vers le Cours-la-Reine. Là, on attendit ceux et celles de la Cour que l'on avait prévenus au dernier moment. Vers six heures, le cortège s'ébranla vers Saint-Germain. Rien n'avait été préparé dans le château, afin de ne pas donner l'éveil. Il n'y avait ni meubles, ni linge, ni vaisselle, ni tentures, ni provisions : on ne trouva que trois méchants lits (envoyés par Mazarin), que se partagèrent la reine et ses fils. Les princes, Mazarin, les ministres, les Grands, couchèrent à la paillée, comme des soldats. Il fallut par la suite engager une partie des diamants de la couronne pour se nourrir et conserver quelques domestiques. Cette fuite nocturne, ce campement improvisé, cette disette, bref le romantisme de la situation, eussent pu divertir un roi de cet âge. Le jeune Louis XIV en fut très gravement, et durablement, traumatisé ! En dépit de la bonne humeur de son intrépide mère — dont la Grande Mademoiselle disait ironiquement qu'elle était aussi heureuse que si elle avait pris Paris et fait pendre ses ennemis ! —, il était conscient de son impuissance, de son abaissement, submergé d'humiliation et de honte. Jamais il n'oubliera les entreprises du Parlement, ni les brusques colères du peuple de Paris, ni la perfidie des Grands. Roi de droit divin, mais à la merci d'une émeute ! Pourtant il lui restait encore à apprendre sur les hommes, à perdre encore quelques illusions. Mais, d'ores et déjà, il savait qu'un roi ne pouvait se fier à personne, pas même à ses proches parents. Ce pain de solitude, la nourriture des Chefs d'Etat, il en mangea les premières bouchées à onze ans. Il y a là le germe de son comportement futur, de sa défiance envers les princes et les magistrats, de son esprit de dissimulation.

La Fronde reprit, mais sous une autre forme. Les nobles s'en mêlèrent, ne voulant point laisser la première place aux robins : le prince de Conti (frère cadet de Condé), les ducs de Bouillon, d'Elbeuf, d'Harcourt et le prince de Marsillac (futur duc de La Rochefoucauld) qui était l'amant de Mme de Longueville (sœur de Condé). Le duc de Beaufort accourut bientôt. Chacun prétendait être généralissime. Le coadjuteur emmêlait les fils ; il rêvait alors d'être le Cromwell de la Fronde. On venait d'apprendre l'exécution du malheureux roi d'Angleterre, Charles Ier. La nouvelle de cette mort frappa de stupeur les cours d'Europe ; elle autorisait toutes les audaces. Cependant ce fut le prince de Conti qui fut choisi comme généralissime et ce choix était significatif : le sang royal gardait encore un tel attrait magique que les révolutionnaires de 1649 préféraient un prince incapable à des chefs expérimentés et entreprenants. Car nul ne doutait que la Régente ne fît attaquer Paris par l'armée de Condé. On fortifia donc promptement la capitale. Le peuple reprit les armes, parce que, de toute manière, il escomptait une amélioration de son sort. Toutefois, pour un observateur attentif, il était clair que cette révolution n'aboutirait à rien. Le Parlement refusait par avance toute réforme de l'Etat qui eût restreint ses privilèges. La noblesse ne cherchait qu'à recouvrer son indépendance et à reprendre le rôle qu'elle assumait naguère. Ni les uns ni les autres n'aspiraient sincèrement à la fin de la monarchie.

Condé commença le blocus de Paris. Son armée n'était pas assez nombreuse pour tenter un véritable siège, mais suffisante pour gêner l'approvisionnement. Les Parisiens tentèrent une sortie et se firent écraser à Charenton. Le pain manqua et les ateliers fermèrent leurs portes. Le coadjuteur ne perdait pas espoir : il entamait des négociations avec les Espagnols (comme au temps de la Ligue !) et avec le maréchal de Turenne. La Fronde s'étendait à plusieurs régions : la Normandie, la Provence, la Guyenne. Cependant les éléments modérés du Parlement de Paris l'emportèrent. On signa une nouvelle paix. Le 18 août, la reine et ses fils regagnèrent le Palais-Royal sous les acclamations de la foule : mais le petit roi connaissait le prix des vivats et des cris d'amour.

Condé avait un prodigieux génie militaire, malheureusement gâté par un orgueil insupportable et par l'ambition. Ayant restauré l'autorité de la régente, il manifesta des exigences inacceptables et se comporta en maître absolu, traitant Mazarin en domestique. Le rusé cardinal ne pouvait pardonner certaines injures. Il entra en contact avec le coadjuteur et ses amis. Ce lui fut un jeu de discréditer le prince, à la suite de quoi, la poire étant mûre, il le fît arrêter, ainsi que le prince de Conti et le duc de Longueville. Le Parlement, qui redoutait le prince, enregistra aisément les lettres de la régente déclarant les prisonniers criminels de lèse-majesté.

Mais Retz ne pouvait accepter le triomphe de Mazarin. Aidé de ses belles amies (la Chevreuse et la Longueville), il joua Gaston d'Orléans contre le cardinal. Gaston se souvint alors qu'il était lieutenant-général du royaume. Il patronna la nouvelle perfidie de Retz, et sans doute la plus dangereuse : l'union des deux Frondes, celle des parlementaires et celle des princes ! Un véritable traité fut signé par les deux factions le 30 janvier 1651. On notera cependant que l'entreprise ne visait qu'à destituer Mazarin ; qu'elle n'avait point réellement d'autre programme ! Les Frondeurs s'imaginaient gouverner le royaume par l'entremise de Gaston d'Orléans. A nouveau plein de zèle, le Parlement prononça le bannissement de Mazarin. Ce dernier s'enfuit du Palais-Royal sous un déguisement, mais pour s'arrêter à Saint-Germain. Les meneurs firent alors courir le bruit que la reine rejoindrait son favori, en emmenant le petit roi. Les émeutiers reparurent, à l'appel du coadjuteur. Dans la nuit du 9 au 10 février, ils envahirent le Palais-Royal, se ruèrent dans la chambre du roi qui feignit le sommeil. A la vue de ce bel enfant qui reposait, les cœurs furent retournés ; les rudes hommes tombèrent à genoux. La reine, surmontant son trouble, eut la présence d'esprit de se montrer aimable. La foule se retira, silencieuse et satisfaite. Mais le coadjuteur veillait. Sur ses instances, le palais fut étroitement surveillé.

Mazarin s'en fut au Havre, où l'on avait transféré Condé et ses compagnons. Il ordonna l'élargissement des illustres captifs, non qu'il attendît la moindre gratitude de leur part, mais parce que leur libération ajouterait à la confusion. Le calcul s'avéra juste car une large fraction des Frondeurs haïssait le prince : son retour embarrassait certains meneurs, par exemple le coadjuteur. Mazarin se retira ensuite au château de Brühl, sous la protection de l'Electeur de Cologne. Il avait chargé un nommé Colbert de gérer et de défendre, au besoin, sa fortune. De Brühl, il continua, sinon à gouverner la France comme on l'a dit parfois, du moins à conseiller Anne d'Autriche. Ce qu'apprenant, les Frondeurs accusèrent la reine de s'être laissé ensorceler par le cardinal, et même de l'avoir épousé secrètement... Elle feignit alors de s'effacer, de résilier le pouvoir entre les mains de Gaston d'Orléans. Le risque était évidemment que Gaston se fît proclamer régent, mais Mazarin faisait fond sur le caractère velléitaire et la couardise du personnage. Paris fit un triomphe au prince de Condé. En France, les révolutionnaires ont toujours aimé les héros d'un jour, et leur enthousiasme est à la mesure de leur versatilité. Puis la lutte reprit entre les factions, compliquée d'intrigues sentimentales. Quelques trublions de la noblesse, chagrins de voir l'importance des robins, demandèrent la réunion des Etats-Généraux : ce n'était rien moins que rejeter les robins au rang du Tiers-Etat. Dès lors, une méfiance réciproque opposa les deux Frondes, dont la rupture était pratiquement consommée. Condé se retira dans son château de Saint-Maur, avec sa coterie.

A vrai dire, cet étonnant homme de guerre redoutait les mouvements populaires. Il rentra cependant à Paris, le 31 juillet 1651, mais avec une escorte ressemblant à une armée. Traitant le petit roi, la reine, Gaston d'Orléans, de façon quasi outrageante, il tenta de dicter sa loi. Le Parlement, travaillé par Retz dont, sur les conseils de Mazarin, la reine s'était rapprochée, fit des remontrances à Condé. S'ensuivit un tumulte honteux, où Retz, pris à partie par les officiers du prince, faillit périr. Mais Louis XIV allait avoir treize ans, l'âge de sa majorité.

VIII

LA MAJORITÉ

Elle fut proclamée le 7 septembre 1651, et célébrée, malgré les malheurs et les incertitudes du temps, par une cérémonie grandiose. Pour se rendre du Palais-Royal au Parlement, le jeune roi montait un cheval barbe, de couleur isabelle, couvert d'une housse fleurdelisée. Les broderies d'or de son habit resplendissaient Toujours friands de ces spectacles, les Parisiens ne ménagèrent pas les acclamations : c'étaient bien entendu les émeutiers de la veille et ceux de demain. Dans l'escorte des princes et des ducs, lequel pouvait se vanter d'être resté fidèle au jeune monarque, de n'avoir pas travaillé à le perdre ? Quant aux parlementaires, dans leurs belles robes rouges, ils semblaient avoir oublié les mots de liberté et de république qui avaient émaillé tant de leurs discours. Il est vrai que, parmi les irréductibles eux-mêmes ou se disant tels, le vieil attachement dynastique se réveillait à la vue de cet adolescent plein de charme et de décision. Car, face à ces robins qui contestaient son pouvoir et prétendaient le contrôler, il ne manifesta aucune crainte et sut admirablement dissimuler sa haine. Il déclara, d'une voix claire :

— Messieurs, je suis venu vous dire que, selon la loi de mon

Etat, j'en veux prendre moi-même le gouvernement et j'espère de la bonté de Dieu que ce sera avec piété et justice.

Puis se tournant vers sa mère :

— Madame, je vous remercie du soin qu'il vous a plu de prendre de mon éducation et de l'administration de mon royaume. Je vous prie de continuer à me donner vos bons avis et je désire qu'après moi vous soyez le chef de mon Conseil.

Déjà l'on percevait en lui de la majesté. Cependant on se dit que sa déclaration n'apportait aucun changement. Sa mère cessait officiellement d'être régente, mais elle continuerait à gouverner. Il est vrai que, pour rassurer l'opinion, elle avait tenu, en résiliant le pouvoir, à confirmer le bannissement de Mazarin qualifié de perturbateur du repos public. Mais ce n'était là qu'opportunisme ! Au surplus l'opinion avait un autre sujet d'inquiétude. Brouillé avec tout le monde, le prince de Condé avait eu l'insolence de ne paraître pas à la cérémonie. On apprit qu'il avait quitté Paris et se mettait au service du roi d'Espagne.

Les provinces du Sud-Ouest se soulevèrent (Anjou, Poitou, Saintonge, Aunis et Guyenne) ainsi que le Berry. Philippe IV d'Espagne exultait. La décomposition du pouvoir et de l'armée de son neveu autorisait tous les espoirs, mais plus encore l'adhésion du prince de Condé. Mais la Fronde était un tel vent de folie que nul n'était assuré d'une alliance, que le loyalisme se vendait à l'encan. Turenne, après avoir été Frondeur, retournait sa veste et s'instituait défenseur du jeune roi. La guerre qui allait s'ouvrir verrait donc s'opposer nos deux meilleurs stratèges. La reine leva une petite armée et partit avec son fils. De même qu'on avait de la sorte maintenu la Picardie dans l'obéissance et pacifié la Normandie, on comptait, par la seule présence de Louis, mettre fin à la révolte et aux entreprises de Condé. Soulignons à ce propos que Louis XIV dut, comme Henri IV, parcourir une partie de son royaume pour le reconquérir, bien que les circonstances fussent différentes et que les rebelles eussent moins d'âpreté que les Ligueurs et les Réformés. Il n'en restait pas moins que le trône était en péril. On ignorait quelles initiatives prendrait le Parlement en l'absence du roi. Le début de cette promenade militaire fut favorable aux royaux et l'on pouvait penser que le prince de Condé ne tarderait pas à se soumettre. Mais la reine, qui oscillait bizarrement entre Retz et Mazarin, crut trop tôt la partie gagnée ; elle eut le tort de rappeler le cardinal. Ce dernier s'avança avec huit mille mercenaires soldés de « ses deniers » ! C'était fournir un beau prétexte aux Frondeurs ! Ils oublièrent leurs rivalités, provisoirement, et firent front contre le Mazarin. On peut s'étonner que le subtil Italien ait commis cette erreur : il faut cependant admettre que le seul motif de ce retour en force tenait à l'attachement que le cardinal avait pour la reine et son fils. Sa tête fut mise à prix par le Parlement outré de colère. La guerre civile se déchaîna, cependant que les Espagnols réoccupaient la Catalogne et qu'une de leurs armées se joignait aux Frondeurs parisiens. Simultanément la fille de Gaston d'Oréans (la Grande Mademoiselle) jouant les soudards occupait Orléans et tenait le jeune roi en échec. Deux maréchaux (Hocquincourt et Turenne) se partageaient alors le commandement des royaux. Condé surprit Hocquincourt à Bléneau, dans la nuit du 6 au 7 avril 1652. Il ne restait que quatre mille hommes à Turenne campant aux environs de Briare. Condé en avait douze mille. Le sort de la royauté allait se jouer dans les heures à venir. Déjà l'entourage du roi bouclait ses bagages et le cardinal n'en menait pas large. Mais Turenne, parfaitement compris par Louis, sut empêcher la panique. Il disposa si bien sa petite armée qu'en dépit de sa supériorité numérique Condé dut se retirer sans avoir entamé son adversaire. Mince victoire, certes, mais capitale dans ses effets, car elle annonçait la fin de la Fronde.

Condé regagna Paris. Il s'y croyait encore populaire : son sens politique était à peu près nul. Or plus d'un Frondeur impénitent ne pouvait admettre que le premier prince du sang ait osé combattre le roi. Comprenant enfin qu'il s'était discrédité, il joua son va-tout. Ses officiers, ses soldats, ses agents, travestis en émeutiers, réduisirent au silence Retz et ses amis, firent régner la plus insolente des tyrannies. Les bourgeois de Paris, tout ce qui gardait un peu de mesure et de clairvoyance, condamnaient ces excès et souhaitaient ardemment le retour du roi, c'est-à-dire la paix. Par surcroît, les meneurs appelèrent à la rescousse le duc de Lorraine et ses mercenaires. Cette soldatesque jointe à l'armée de Condé incendiait, pillait et saccageait les villages d'Ile-de-France ; elle ravageait même les moissons.

Cependant Turenne se rapprochait avec les royaux. Ceux-ci pour des raisons faciles à saisir, croissaient en nombre alors que les condéens s'amenuisaient. Le prince ne pouvait soutenir le combat que lui offrait son rival. Il se fortifia dans le faubourg Saint-Antoine sous la protection des canons de la Bastille, prise par les Frondeurs : ô 1789 ! A Saint-Denis, la reine priait pour les armes de son fils. Louis et Mazarin étaient sur la colline de Charonne, afin d'observer le combat.

Nous sommes à l'aube du 2 juillet. Turenne attend l'arrivée de ses canons pour ordonner l'assaut ; il veut d'abord écraser les barricades. Le jeune Louis ne comprend pas cette inaction ; il craint d'être trahi. Prévenu par son frère, le duc de Bouillon, Turenne renonce à la préparation d'artillerie. S'ensuit une mêlée corps à corps, ou plutôt une succession de combats singuliers où chacun s'efforce de se distinguer. La chaleur est si forte qu'à midi les combattants épuisés rompent le combat, d'un commun accord. Ce n'est pas une vraie bataille, mais une rencontre de chevaliers d'ancienne race. L'époque du combat des Trente et de Jean le Bon semble revenue. C'est bien le même esprit d'individualisme forcené qui détermine ces défis et ces duels, non la volonté de servir une cause ; mais rien n'est décidé, après cette cohue hurlante et sanglante. Au début de l'après-midi la cavalerie de Condé charge les royaux avec un emportement incroyable. Les canons de Turenne, enfin arrivés, aussitôt mis en batterie, fauchent les sabreurs, acculent le prince à la porte Saint-Antoine. C'est alors que la Grande Mademoiselle fait ouvrir la porte et sauve le vaincu. Bien plus, cette folle se rue dans la Bastille et fait tirer sur les soldats de Turenne, couvrant ainsi la retraite des Frondeurs. Elle-même pointe le canon, se prenant pour une héroïne. Elle ose tirer sur la colline de Charonne. Condé faisait peine à voir : « Il avait deux doigts de poussière sur le visage, ses cheveux tout mêlés, son collet et sa chemise étaient pleins de sang quoi qu'il n'eût pas été blessé ; sa cuirasse était pleine de coups et il tenait son épée nue à la main, ayant perdu le fourreau. »

La porte Saint-Antoine se ferma devant les royaux. Paris restait à la Fronde, mais pour connaître la plus affreuse, la plus dangereuse anarchie. Les Frondeurs du Parlement, les partisans des princes et ceux du coadjuteur se retrouvèrent face à face. Pour essayer de maintenir l'ordre, de permettre aux factions de coexister sans en venir aux mains, et, surtout, d'en finir avec les voleries et les meurtres perpétrés par la truandaille, le prévôt des marchands organisa un colloque à l'hôtel de ville. Condé fit habiller ses soldats en gens du peuple et les lança à l'assaut. Trente députés furent massacrés ; on houspilla les autres, on les dépouilla de leur bourse et de leurs vêtements. Après ce misérable exploit, le prince organisa un gouvernement de Salut public, avec Gaston d'Orléans comme lieutenant-général (et caution !), Beaufort comme gouverneur et le bonhomme Broussel comme prévôt des marchands. Aucun de ses lieutenants n'était de taille à lui disputer le pouvoir. Mais était-il lui-même apte à l'exercer ? Personne ne croyait plus à la Fronde. Les meurtres continuèrent avec les pilleries, ajoutant à la misère générale. On apprit alors que les Espagnols assiégeaient Dunkerque, approchaient de Paris. La panique succéda à la honte, mais on reprit espoir lorsque Turenne stoppa l'invasion. Force était donc d'admettre que la seule planche de salut restait la monarchie. Le jeune roi s'installa à Pontoise, où il convoqua le Parlement. Le président Molé et nombre de parlementaires quittèrent Paris. Comprenant qu'il était l'ultime pomme de discorde, Mazarin s'exila à nouveau. C'était l'unique moyen de cimenter l'union. Les Frondeurs réclamaient à grands cris le retour du roi. Condé se résigna à partir avec le duc de Lorraine. Par dépit il allait combattre avec les Espagnols. La haine l'égarait. Son cœur féodal ne se sentait point déshonoré de servir l'ennemi, fût-ce contre sa propre famille !

Dès lors le parti de la paix domina. Les placards affichés par les agents de Mazarin y furent d'ailleurs pour quelque chose. Ils rappelaient aux Parisiens qu'un tiers de leur ville était dépeuplé ; qu'une infinité de familles avaient préféré fuir les excès des rebelles ; que la misère avait inutilement fait périr un grand nombre de personnes ; que les rentes de l'hôtel de ville n'étaient plus payées ; que les pauvres ouvriers n'avaient plus les moyens de payer leur loyer et gîtaient au hasard ; que le marasme des affaires avait fermé les boutiques et les ateliers, provoquant le chômage ; que les magasins de blé, de vins, de bois étaient vides ; qu'à dix lieues autour de la capitale les villages étaient abandonnés et les champs en friche, par suite des méfaits de la soldatesque ; que les laboureurs réfugiés dans les forêts attendaient la paix pour rentrer dans leurs chaumières, etc., etc. Ce n'était bien entendu que l'expression de la vérité. Elle permit aux partisans de l'ordre de contrôler la ville et, aussi de préparer le retour du roi.

La cour se transporta à Saint-Germain, où Louis XIV reçut avec une parfaite bonne grâce les nouveaux échevins de Paris. Il entendit : « Ce sont des vœux et des souhaits, Sire, que nous présentons à Votre Majesté, et non pas des conditions que nous lui imposons, car nous ne nous réservons que la seule joie de vous obéir... » Le ton avait bien changé chez ces Messieurs de l'hôtel de ville et la Fronde cette fois paraissait tout à fait éteinte.

Le 21 octobre, lorsque le cortège royal se présenta devant la porte Saint-Honoré, au milieu d'une foule énorme et délirante, La Barre, le nouveau prévôt des marchands lut cette déclaration :

« Sire, votre bonne ville de Paris veut témoigner à Votre Majesté la grande joie qu'elle éprouve de son retour en icelle. Elle la considère comme son soleil, dont la présence dissipe tous les nuages obscurs et ténébreux qu'elle a subis pendant son absence. Elle se promet aujourd'hui de jouir des jours d'alcyon exempts d'orages, de tempêtes et de tourbillons. Dans l'assurance que Votre Majesté lui donne d'une bonne paix, la ville reprendra son ancienne splendeur et reverra sa prospérité, sans jamais se départir d'aimer son roi ; protestant de vouloir vivre et mourir avec cette gloire d'être fidèle à Votre Majesté, comme ses très humbles et très obéissants serviteurs et loyaux sujets. »

Le soir même, Sa Majesté de quatorze ans s'installait au Louvre, plus facile à défendre que le Palais-Royal. Le lendemain, elle tint un lit de justice, mais escortée par cent Suisses de sa garde. Ce n'était plus un enfant devant lequel les parlementaires baissaient la nuque, mais un jeune homme au regard vif. La déclaration royale ne démentit pas cette première impression : c'était le langage d'un maître. S'il accordait l'amnistie générale aux factieux, et même à Condé à condition qu'il déposât les armes, il bannissait hors de la capitale les ducs et duchesses les plus compromis, l'un des présidents et huit conseillers du Parlement. Il interdisait en outre à l'assemblée de s'occuper de politique et de finances ; autrement dit, il signifiait à la judicature que son rôle n'était autre que de rendre la justice.

Il était inutile d'écarter de la cour le duc d'Orléans et l'intrépide Grande Mademoiselle. Tous deux avaient pris le large sans grandeur, tant ils se savaient coupables. Condé, s'obstinant dans la trahison, fut déclaré criminel de lèse-majesté, déchu de ses honneurs et dignités. Le roi donna l'ordre au Parlement d'ouvrir son procès. Restait à régler le cas du cardinal de Retz, frondeur impénitent et dépité. Naguère, pour des raisons de tactique politique, Anne d'Autriche avait demandé pour lui la barrette. La pourpre cardinalice, si longtemps et passionnément convoitée par le coadjuteur, ne l'avait point assagi. On pouvait tout craindre de son mauvais esprit. Certains frondeurs se consolaient mal d'être rentrés dans le rang. Les ministres réclamèrent l'arrestation de Retz, qui fut décidée, mais remise à plus tard. A la vérité, ce n'était pas une mince affaire que d'arrêter un cardinal. Personne ne voulait en prendre la responsabilité, en l'absence de Mazarin. On risquait de rameuter le clergé parisien, peut-être une partie des fidèles. On encourait aussi les foudres du Saint-Siège. S'ajoutait à ces craintes, le fait que Retz bénéficiait, en principe, de l'amnistie générale, Or, depuis le retour du roi, on ne pouvait rien lui reprocher de précis, hormis, peut-être, d'inciter quelques jeunes maîtres des requêtes à secouer le joug. Retz affectait de croire qu'on n'oserait pas l'arrêter ; toutefois il n'osait guère sortir du cloître Notre-Dame. Le 19 décembre, son esprit fantasque, et sa fourberie, le portèrent à se présenter au roi, soit pour défier celui-ci, soit pour flairer le vent. La reine le plaisanta sur sa pâleur, Le jeune Louis l'amusa avec des propos sur une comédie dont il avait l'idée. Il dit quelques mots à l'oreille au maréchal de Villequier, et, comme s'il s'agissait d'un ordre se rapportant à la comédie dont il venait de parler, il ajouta tout haut : « Surtout, qu'il n'y ait personne sur le théâtre. » Le maître trompeur ne se douta de rien. Les propos, l'attitude du roi le rassuraient entièrement. Quand il fut midi, le confesseur emmena le roi et la reine à la messe. Aussitôt M. de Villequier signifia au cardinal qu'il l'arrêtait au nom du roi. Stupeur de Retz et fureur d'avoir été pareillement joué par un blanc-bec ! Au sortir de la chapelle, comme le confesseur s'étonnait de ne plus voir le cardinal, Louis répondit, sans se départir de son calme :

— C'est que je viens de le faire arrêter.

Le confesseur s'empressa de rendre compte à Mazarin : « En vérité, monseigneur, je demeurai fort surpris. Que dit Votre Eminence de cette sagesse du roi ? Y eut-il jamais politique plus raffiné qui eût su si bien faire ? »

Retz avait cru que son arrestation soulèverait le peuple. Personne n'arrêta le carrosse qui, sous bonne escorte, le conduisait à Vincennes. Seule, une poignée de modeste curés crut devoir tenter une démarche. Leur délégation fut sèchement éconduite.

Le 30 décembre, nouvelle initiative de Louis et, pourrait-on dire, second pas vers l'absolutisme. Comme le Parlement se reprenait à discuter les édits qu'on lui avait soumis, Louis se rendit à l'assemblée. Il déclara sans ambages qu'il appartenait au Parlement d'enregistrer au plus vite des édits destinés au bien de l'Etat. La plupart de ces édits touchaient aux finances. Maté, le Parlement répondit par un vote unanime. Le rédacteur de la célèbre *Gazette* — qui était le *Journal officiel* de l'époque — put écrire : « ...Nous voilà, grâce à Dieu, en état de ne plus connaître la guerre civile que par les débris qu'elle a laissés ; lesquels ne demeurent que pour apprendre à tous les sujets de Sa Majesté la différence qu'il y a entre le devoir et la révolte. »

Mazarin pouvait revenir. Il ne rencontrerait plus d'opposition et ceux-là mêmes qui l'avaient le plus dénigré, seraient les premiers à venir lui baiser la main. Louis XIV avait encore besoin de ses leçons : pour terminer la guerre et négocier la paix avec l'Espagne, achever d'apprendre son métier de roi...

La Fronde s'était elle-même dévorée ! Pour la raconter seulement au plan événementiel il faudrait plus d'un volume. Encore négligerait-on ses implications innombrables, populaires et européennes. J'ai tenté de la clarifier autant que possible, de n'en signaler que les points forts et les acteurs essentiels. Le peuple avait cru naïvement à un âge d'or. Le Parlement, à une monarchie anglaise. Les princes, à une restauration de leur ancienne grandeur. Tous étaient perdants. Le système monarchique sortait, non seulement intact, mais fortifié par l'épreuve ; il représentait, en face de l'anarchie, l'ordre et la sécurité. Quant au jeune monarque, il y avait appris à peu près les mêmes choses que son grand-père Henri IV au cours de sa longue marche vers le pouvoir. Mais le Béarnais ignorait la rancœur et, sauf pour sauver sa vie, dédaignait la dissimulation. Il est vrai qu'il avait eu pour maître à penser sa mère, Jeanne d'Albret, alors que son petit-fils avait pour éducateur Mazarin, adepte convaincu de son compatriote Machiavel.

IX

LE MAÎTRE ET L'ÉLÈVE

Le 26 janvier 1653, Anne d'Autriche écrivait à Mazarin : « Je ne sais plus quand je dois attendre votre retour, puisqu'il se présente toujours de nouveaux obstacles pour l'empêcher ; tout ce que je puis vous dire est que je m'ennuie fort et supporte ce retardement avec beaucoup d'impatience, et si 16 [1] savait tout ce que 15 souffre sur ce sujet, je suis assurée qu'il en serait touché ; je le suis si fort en ce moment que je n'ai pas la force d'écrire longtemps ni ne sais pas trop bien ce que je dis. J'ai reçu de vos lettres tous les jours presque, et sans cela je ne sais ce qui arriverait. Continuez à m'en écrire souvent, puisque vous me donnez du soulagement dans l'état où je suis... Au pis aller, vous n'avez qu'à rejeter la faute du retardement sur 15 qui est un millier de fois — et jusqu'au dernier soupir. L'enfant [2] vous mandera toutes choses ; adieu, je n'en puis plus, et *LUI* sait bien de quoi. »

---

1. 15 désigne la reine ; 16, Mazarin ; le signe — peut se lire : « à vous ».
2. L'enfant désigne le duc de Mercœur

J'ai tenu à insérer cette lettre à la fois si tendre et si obscure, afin de laisser le lecteur libre de porter un jugement sur les rapports intimes entre la reine et Mazarin. Pour ma part, je crois qu'il existait une réelle tendresse entre eux. Je n'affirmerai point pour autant qu'ils aient été amants, et moins encore qu'ils aient contracté un mariage morganatique pour des raisons déjà dites. Le cardinal était un homme élégant et raffiné ; ce n'était pourtant pas un homme à femmes. Il fascinait certainement la reine par son charme, mais davantage par la supériorité de son intelligence. La reine avait depuis longtemps cessé d'être la jeune femme dont les poètes célébraient, avec quelque complaisance, la beauté. Elle gardait ses admirables mains, mais, avec l'âge, elle s'était empâtée. En supposant que la sensualité se mêlât aux sentiments amoureux qu'elle éprouvait pour Mazarin, la question se pose de savoir à quel moment et en quel lieu ils pouvaient se rencontrer seul à seule, même clandestinement, ou fortuitement. Certes la lettre citée plus haut paraît corroborer, par la passion et l'impatience qu'elle exprime, les insinuations des *Mazarinades*. Néanmoins comment admettre que cette mère aimant par-dessus tout son fils et ne songeant qu'à l'avenir de celui-ci, ait pris le risque d'un scandale ? On peut être sûr que ses ennemis ouvraient l'œil et tendaient l'oreille. Or, quand on étudie les *Mazarinades*, on ne trouve que des accusations aussi grossières qu'imprécises. On peut imaginer que la reine pouvait tout de même avoir un peu plus que de l'estime pour celui qui était le meilleur serviteur et le guide du jeune roi et, pour elle, un compagnon attentif et courtois, plein de délicatesses et de prévenances : l'unique ami sur lequel elle pût compter. Mais laissons ici un secret que nul ne percera jamais.

Si Mazarin, rappelé par Louis XIV, se faisait attendre, c'est qu'il voulait apporter un cadeau digne d'un roi. Il avait levé des troupes à ses frais et rallié Turenne qui assiégeait Bar-le-Duc. Il ne se mit en route qu'après la capitulation de cette place. Le 3 février 1653, son approche fut annoncée et le jeune monarque alla l'accueillir au Bourget avec toute la cour. Filleul et parrain s'embrassèrent publiquement et montèrent en carrosse. De la porte Saint-Denis au Louvre, ce ne furent que vivats et applaudissements. Les échevins de Paris, une délégation de parlementaires vinrent exprimer « leur joie » de cet « heureux retour ». Parmi les courtisans, ceux qui avaient crié le plus fort contre Mazarin, étaient les plus empressés à le complimenter. Bien plus, l'Hôtel de Ville lui offrit un grand festin. Le cardinal avait la hauteur d'un prince de la Renaissance, d'un prince italien ! Il feignit d'oublier les offenses de ce peuple qui l'encensait après l'avoir honni ; il jeta des poignées de pièces à ceux mêmes qui l'eussent joyeusement poignardé, ou dépecé comme ils avaient fait de Concini. Son sourire, ses propos, en cette belle journée, dissimulaient le plus parfait mépris. Puisque ces grands seigneurs à vendre, pliaient devant lui, il allait pouvoir s'atteler à la tâche, c'est-à-dire réparer le temps perdu, à savoir : achever l'éducation du jeune monarque pour le mettre en état de gouverner par lui-même, réparer l'affreux gâchis de la Fronde en battant l'Espagne afin de lui imposer une paix fructueuse, restaurer sa fortune et refaire ses collections d'œuvres d'art et d'objets précieux. Il ne songea même pas à réformer les finances, ou à prendre des mesures pour améliorer l'économie du royaume. La misère du peuple si longtemps opprimé par la guerre civile, les ruines accumulées ne comptaient pour rien à ses yeux. Il lui fallait faire de l'argent par n'importe quels moyens pour terminer la guerre et pour son profit personnel. Il avait trouvé l'homme adéquat en la personne de Nicolas Fouquet, l'ami et l'allié des traitants. Tant il est vrai que le meilleur et le pire s'imbriquent et se fondent en la même créature ! Que Mazarin fut un grand serviteur de l'Etat, l'homme de la situation, nul n'en doute. Qu'il ait été, malgré les dires de Saint-Simon, le meilleur maître à gouverner du jeune Louis XIV, cela est évident. Mais il est tout aussi sûr que, tout en voulant la grandeur de la France, il pillait allégrement le Trésor et ne reculait devant aucun trafic pour s'enrichir : crainte de l'avenir chez un parvenu ou manie napolitaine de piperie ?

L'existence reprit son cours entre le cardinal-ministre, la reine et le jeune Louis. Suivons ce dernier pas à pas pendant une journée, à ce moment de sa vie où, tout en étant roi, il ne règne pas encore et cherche sa voie. Moment privilégié où le jeune monarque n'est point encore tout à fait sorti de l'enfance et de l'adolescence, mais touche à l'âge adulte ; où la machine humaine achève de se construire, où l'esprit déploie lentement ses ailes et s'essaie à voler ; où le caractère se façonne et laisse apercevoir ses traits dominants.

Dès qu'il s'éveille, Louis récite son chapelet. Ensuite son précepteur vient lui faire la lecture : quelques pages de l'Ecriture Sainte ou de l'Histoire d'Henri le Grand. Les premiers valets de chambre, La Porte et Dubois, se présentent. Ils aident le jeune roi à passer sa robe de chambre. Il a gardé son bonnet de nuit. Dans cette tenue, il entre dans la chambre voisine, qui est une pièce d'apparat où l'attendent ses familiers, voire des ministres ou des courtisans. Il a un mot aimable pour chacun. Après cette brève audience, il regagne sa chambre à dormir et fait sa toilette : ce qui consiste à se rincer la bouche, à se mouiller le visage et les mains. L'hygiène du Grand Siècle est un peu sommaire ! L'aumônier de service fait alors son entrée. Louis s'agenouille et tous deux récitent l'oraison du jour. On lui brosse les cheveux (qu'il a fort beaux) et on l'aide à revêtir un habit léger : on serait tenté d'écrire une tenue de sport, car, en fait, c'en est une ! Louis se rend à une grande salle qui jouxte son antichambre et sert aux exercices physiques. Il fait de la voltige sur un cheval de bois (les témoins s'extasient sur sa légèreté d'oiseau), de l'escrime avec son maître d'armes, du maniement d'armes avec son instructeur militaire. Il s'exerce ensuite avec son maître à danser, car il raffole des ballets dans lesquels il tient l'emploi de « danseur-étoile » (que l'on pardonne cet anachronisme !).

Il a mis tant d'ardeur à ces exercices qu'il est généralement en sueur et doit changer de linge. Si aucune cérémonie officielle n'est prévue, il enfile un habit ordinaire, sans broderies. Puis il se rend chez le cardinal qui loge au-dessus de lui. Mazarin l'attend, avec un ou plusieurs secrétaires d'Etat, selon les affaires qui seront examinées. Là, pendant deux heures, le jeune monarque va s'initier au gouvernement. On dépouille soigneusement les dépêches. On débat des questions qu'elles soulèvent. Le roi interroge beaucoup, manifeste une incessante curiosité d'esprit et la volonté d'acquérir les connaissances qui lui manquent. Il s'enhardit à donner son avis, fait le plus souvent preuve de mesure, de précoce sagesse. Mazarin le corrige au besoin, ou l'oriente dans une autre direction ; il développe ses raisons. La mémoire de Louis enregistre tout ; c'est peut-être, pour l'heure, sa qualité la plus évidente. Mazarin ne lui cache rien des secrets d'Etat, lui montre l'envers des choses et des hommes. D'une certaine manière, il lui enseigne aussi le tarif des consciences. Il a fait un tri dans les affaires afin de ne pas décourager son élève, de ménager une progression et, par là, de lui donner de l'assurance. On le voit, ce dernier apprend son métier « sur le tas ». Son éducation n'est point livresque, abstraite et théorique, mais rationnelle et réaliste. A la veille de son retour à Paris, Mazarin lui a tracé son programme : « Il ne dépendra que de vous d'être le roi le plus glorieux qui ait jamais été, lui a-t-il écrit, Dieu vous ayant donné toutes les qualités pour cela, et n'étant à présent besoin d'autre chose que de les mettre en usage, ce que vous ferez avec facilité et toujours de bien en mieux, acquérant par l'application que vous donnerez aux affaires la connaissance et l'expérience qui vous sont nécessaires ; et, toutefois, il ne faut pas que cela vous empêche de prendre vos divertissements. »

LES ÉPINES DE LA ROYAUTÉ

Le cardinal a parfaitement décelé la nature de Louis. Longtemps on a cru l'esprit du roi presque endormi, parce que celui de son frère Philippe étincelait et pétillait. Mazarin sait que son intelligence s'est éveillée peu à peu, mais progresse régulièrement : ce qui fait écrire à Saint-Simon que le roi est né « avec un esprit au-dessous du médiocre », mais capable de s'améliorer ! Le même Saint-Simon accuse le maître d'avoir laissé l'élève dans l'ignorance et l'oisiveté afin de conserver le pouvoir le plus longtemps possible. Mazarin ne cherche point à abêtir Louis ; il l'habitue à son travail, persuadé qu'il ira plus loin que tout autre, en quoi il fait preuve de son habituelle sagacité.

Après la séance de travail, Louis va saluer sa mère, qui se lève tard. Il assiste respectueusement à son petit déjeuner : bouillon, saucisses ou côtelettes ! Avec elle, il redevient pour un instant, l'enfant qu'il a été et, d'aventure, se laisse gourmander en baissant le nez. Il a pour sa mère une affection toujours très tendre. Il sait parfaitement qu'il lui doit son trône, car, en dépit de ses erreurs, cette femme courageuse a tout de même su faire front dans l'extrême péril et sauver l'essentiel. A l'endroit de Mazarin, il a des sentiments d'affectueuse admiration. Il connaît, mieux que quiconque, la valeur de l'homme d'Etat, l'étendue des services rendus à la Couronne. Le temps n'est plus où, apercevant le cardinal avec sa suite, il disait à La Porte : « Voilà le Grand-Turc qui passe ! » Il ne tolérerait pas qu'on l'offensât. Il n'ignore cependant pas ses travers, en ressent parfois de l'agacement ; mais la gratitude et l'affection l'emportent.

Ayant pris congé de sa mère, Louis se rend au manège et travaille sous la direction d'Arnolfini, son écuyer. On lui présente les nouveaux chevaux (de chasse ou d'arquebuse). Il les examine avec soin et les essaie : on apprécie sa science équestre. Comme tous les Bourbons, il a « une bonne main ».

Laissant les chevaux, il remonte chez la reine et tous deux assistent à la messe dite par l'aumônier. Il dîne ensuite en sa compagnie. Il écrira dans ses Mémoires : « L'assiduité avec laquelle je voyais la reine ma mère n'était point une loi que je me fusse imposée par raison d'Etat, mais une marque du plaisir que j'éprouvais en sa compagnie à ne faire avec elle qu'un même logis et souvent une même table. » Il y a là, à n'en pas douter, ce goût pour une vie quasi « bourgeoise » qui fait songer aux soirées chez Mme de Maintenon !

L'après-midi, pendant une heure ou deux, il écoute les leçons de son précepteur, leçons qui ressemblent plutôt à des conversations mondaines. Louis n'aime que très modérément les livres.

Sa culture est pleine de lacunes, superficielle ; il ne s'en souciera que plus tard. Mais il arrive qu'il note ses idées sur les affaires examinées le matin. Dans ce cas, il soumet modestement son travail à Mazarin. « Je vous dirai sans exagération, lui répond celui-ci, que j'ai lu votre lettre avec une extrême joie, car elle est fort bien écrite et vous vous engagez d'une telle manière à vouloir vous appliquer aux affaires et n'oublier rien de ce que vous croyez nécessaire pour devenir un grand roi. »

Comme son père, Louis est un enragé veneur. Il chasse à courre, à tir, au faucon, avec un emportement égal : au bois de Boulogne, à Saint-Germain, à Vincennes et à Versailles. C'est pour lui, comme ce l'était pour Louis XIII, un défoulement. La vie au grand air, ces exercices violents, lui sont indispensables. Il a la même indifférence que son père pour les intempéries. Quasi tous les Bourbons sont ainsi.

Après souper, Louis danse volontiers au son « des petits violons du roi », ou joue avec les filles de la reine au « roman », aux « proverbes », fort gaiement. Car il est infatigable et, malgré le sérieux dont il se départit si rarement, on le sent prêt à mordre dans la vie à belles dents. Parfois, il s'assied à la table de jeu. Ce n'est pas Mazarin qui l'en corrigera, lui qui triche honteusement (et déclare qu'il « corrige le hasard ! ») et qui a introduit en France le jeu de la roulette...

A minuit, le roi regagne son appartement après avoir pris congé de sa mère. Ses familiers l'accompagnent. Il se dévêt en bavardant avec eux, fait sa prière et se couche.

Si cet emploi du temps varie quelque peu, selon les saisons et les circonstances, le jeune monarque manifeste cependant un goût prononcé pour la régularité. D'ailleurs cet emploi du temps annonce Versailles où, quels que soient les événements, la vie se déroulait avec une précision d'horloge.

Sur cette période précédant le règne personnel, on se doit de citer le propre témoignage de Louis XIV [1]. Il y fait, remarquablement, le point de la situation, en même temps que l'analyse de son comportement :

« Dès l'enfance même, le seul nom des rois fainéants et de maires du palais me faisait peine quand on le prononçait en ma présence. Mais il faut se représenter l'état des choses : des agitations terribles par tout le royaume avant et après ma majorité ; une guerre étrangère où ces troubles domestiques avaient fait perdre à la France mille et mille avantages ; un prince de mon sang et d'un très grand nom à la tête des enne-

---

1. Dans les « Mémoires pour l'instruction du dauphin ».

mis ; beaucoup de cabales dans l'Etat ; les parlements encore en possession et en goût d'une autorité usurpée, dans ma cour, très peu de fidélité sans intérêt et par là mes sujets en apparence les plus soumis autant à charge et autant à redouter que les plus rebelles ; un ministre rétabli malgré tant de factions, très habile, très adroit, qui m'aimait et que j'aimais, qui m'avait rendu de grands services, mais dont les pensées et les manières étaient naturellement très différentes des miennes, que je ne pouvais toutefois contredire ni lui ôter la moindre partie de son crédit sans exciter peut-être de nouveau contre lui, par cette image quoique fausse de disgrâce, les mêmes orages qu'on avait eu tant de peine à calmer ; moi-même, assez jeune encore, majeur à la vérité de la majorité des rois, que les lois ont avancée pour éviter de plus grands maux, mais non pas de celle où les simples particuliers commencent à gouverner librement leurs affaires ; qui ne connaissais entièrement que la grandeur du fardeau sans avoir pu jusqu'alors bien connaître mes propres forces ; préférant sans doute dans le cœur, à toutes choses et à la vie même, une haute réputation si je la pouvais acquérir, mais comprenant en même temps que mes premières démarches en jetteraient les fondements. »

La cérémonie du Sacre, qui eut lieu à Reims le 7 juin 1654, ne changea rien à la condition de Louis. Elle n'allégea sur aucun point sa subordination, volontaire, à Mazarin, tant sur le plan politique que sur celui de la vie privée. Ainsi se rendait-il aux armées, lorsque le cardinal l'estimait nécessaire. Ainsi tint-il un lit de justice, en mars 1655, car le Parlement tardait, une fois de plus, à enregistrer des édits fiscaux. En son nom, le chancelier Séguier démontra qu'il s'agissait de soutenir les dépenses de la guerre et invita l'assemblée à faire son devoir. Mais, après le départ du roi, les têtes chaudes du Parlement prétendirent que le vote leur avait été extorqué et qu'il convenait de mettre les édits en discussion. Le 13 avril, alors qu'il chassait avec Mazarin dans le bois de Vincennes, le roi apprit que le Parlement tenait réunion sans y être autorisé. L'accord fut bientôt fait entre Louis et son ministre. Le jeune monarque sauta à cheval. Les parlementaires furent stupéfaits de le voir apparaître en tenue de veneur : grosses bottes, justaucorps rouge et feutre gris. Il promena sur l'assemblée un regard sévère. Puis il déclara :

« Chacun sait combien vos assemblées ont excité de troubles dans mon Etat et combien de dangereux effets elles y ont produits. J'ai appris que vous prétendiez encore continuer sous prétexte de délibérer sur les édits qui, naguère, ont été publiés et lus en ma présence. Je suis venu ici tout exprès pour en défendre la continuation, ainsi que je fais absolument, et à vous, monsieur le premier président, de les souffrir ni de les permettre, quelque instance qu'en puissent faire messieurs des Enquêtes ! »

Mais il ne dit pas, contrairement à l'opinion reçue, la phrase fameuse : « L'Etat, c'est moi. »

Toutefois, le lendemain de cette visite impromptue, Bellièvre, premier président, accompagné des présidents à mortier, vint faire part au cardinal de la consternation de l'assemblée. Mazarin crut s'en tirer avec de vagues promesses. Mais le Parlement s'opiniâtra, s'enhardit jusqu'à présenter d' « humbles » remontrances au roi. Messieurs des requêtes relançaient le débat. L'astucieux cardinal leur envoya Turenne avec mission de les convaincre. Finalement on dut acheter la complaisance de la compagnie. Louis apprenait ainsi l'inconvénient et le coût d'une démarche intempestive, mais aussi l'art de retourner une situation. Mais, en l'envoyant au Parlement, le cardinal n'avait-il pas lui-même sous-estimé l'adversaire et commis une imprudence ?

X

LA MALADIE DE CALAIS

Le royaume était pacifié dans la capitale et dans les provinces, bien que la Guyenne s'obstinât dans la dissidence. Mais, à l'extérieur, rien n'était résolu et l'on pouvait craindre beaucoup des entreprises des Espagnols et du prince de Condé. Ce dernier n'avait en effet qu'un objectif : atteindre Paris pour y rallumer la révolution et, probablement, détrôner le roi à son profit. Cependant les Espagnols n'entendaient point travailler pour le prince et le désaccord régnait entre les alliés. Jusqu'à la Paix des Pyrénées, c'est-à-dire pendant encore six années, nos deux meilleurs capitaines, Turenne et Condé, vont donc s'affronter, avec des fortunes diverses, l'impétuosité du prince ne pouvant triompher de l'habileté de son rival. La prolongation du conflit était le résultat de notre désunion, de la honteuse Fronde. La situation qu'Henri IV avait connue et finalement surmontée, se reproduisait à des nuances près. On ne saurait entrer dans le détail des campagnes qui se succédèrent. Au surplus Louis XIV n'y prit qu'une part secondaire ; il était trop jeune, trop inexpérimenté et, surtout, il n'avait point réellement la fibre militaire, en quoi il se différenciait de ses aïeux. Henri IV chargeait à la tête de sa cavalerie et sa bravoure emportait souvent la décision (le panache blanc d'Ivry !). Louis XIII était sans doute meilleur général que son père, plus savant, plus expert en matière de siège et d'artillerie, mais, en cas de nécessité, il risquait aisément sa vie, comme au Pas-de-Suse. Louis XIV n'était pas dénué de courage physique, ni de bonne volonté. Il aimait l'armée, mais il n'était pas viscéralement soldat. Mazarin lui avait enseigné que, si sa présence stimulait le courage du troupier, il était inutile qu'il prît des risques excessifs. Commandant suprême des armées, il lui appartenait de présider les conseils de guerre et de laisser à ses généraux le soin d'arrêter leurs dispositifs, non de se comporter en simple colonel. Mazarin lui avait inculqué qu'il n'avait pas le droit de disposer de sa vie ; que celle-ci appartenait au royaume ! Cependant lorsque Turenne l'avait réclamé en 1653, pour le montrer aux troupes, ç'avait été joyeusement que Louis avait endossé la cuirasse et ceint la ceinture blanche. Il passa fièrement en revue cent escadrons et dix-huit bataillons. Pendant dix jours, il assista aux réunions d'état-major, écouta les leçons prestigieuses de Turenne, puis regagna Paris, enchanté de lui-même et du spectacle qu'on lui avait offert. En septembre de la même année, *nouveau voyage aux armées*, cette fois en compagnie de sa mère. Turenne ne put sauver Rocroy, mais prit Sainte-Menehould après un siège difficile. Louis étudia consciencieusement le dispositif, tint à se montrer en tous lieux et courut quelque danger.

« En réponse aux remontrances que je lui adressais, écrit Vallot, le premier médecin, Sa Majesté me dit à plusieurs reprises qu'elle aimait mieux mourir que de manquer la moindre occasion où il y allait de sa gloire et du rétablissement de l'Etat... En quoi l'on a sujet d'admirer la grandeur de son âme, et la patience extraordinaire de ce prince accompagné d'une si ferme volonté. » Car Vallot avait diagnostiqué une faiblesse d'entrailles et une fragilité du poumon chez son illustre patient. Les viandes froides que Louis mangeait aux étapes, provoquaient des flux de ventre dont s'alarmait le médecin. Une grippe assez grave l'obligea à se retirer à Châlons. Mais le siège traînant en longueur, il crut de son devoir de revenir à Sainte-Menehould qui finit par capituler. Mazarin laissait volontiers les lauriers de Mars à son élève. Les exploits guerriers n'étaient pas son fait. Ses émissaires achetaient tout bonnement le « loyalisme » du comte d'Harcourt, lequel, Frondeur attardé, s'apprêtait à livrer Brisach aux Espagnols. De retour à Paris, il s'occupa du procès de Condé devant le Parlement, dont il obtint la déchéance, le prince perdant jusqu'au droit de porter le nom de Bourbon : la vengeance est un plat qui se mange froid !

En 1654, aussitôt après son sacre, Louis assista au siège de Stenay, qui était le réduit des derniers Frondeurs et des lieutenants de Condé. La reine était à Sedan et s'inquiétait fort de la santé de son fils. Elle le supplia de la rejoindre. Réponse de Mazarin : « Je ferai tout mon possible pour faire prendre au roi cette résolution, mais je crains fort que le plaisir que prend Sa Majesté à demeurer au camp ne m'empêche de le persuader. » La place s'étant rendue, il s'agissait de secourir Arras investie par les Espagnols. Cette fois, la reine eut gain de cause et Louis dut se contenter de rester à Péronne, où Turenne tenait ses quartiers. Il ne se rendit à Arras qu'après la défaite de l'ennemi. L'année suivante, Turenne prit l'offensive et fut investir Landrecies. Cette place étant tombée, on décida d'envahir la Flandre. Louis demanda à sa mère la permission de marcher à la tête de l'armée. Il manifestait une telle passion qu'Anne d'Autriche céda, à contrecœur. Mazarin accompagnait Louis, veillait à ce qu'il ne commît pas d'imprudences. Ce roi de dix-sept ans montrait une extraordinaire endurance, riait des mauvais gîtes, des repas improvisés. « Il est ravi, écrivait le cardinal ; jamais on n'a vu une joie pareille à celle qu'il témoigne. Je crois seulement qu'elle se pourrait augmenter si les Espagnols voulaient venir à notre rencontre. » Ils vinrent, et Louis ne se tint plus de joie à la perspective de voir une vraie bataille !

La campagne de 1656 fut moins heureuse ; Condé, malgré ses désaccords avec les Espagnols, parvint à reprendre quelques places, mais Turenne s'empara de La Capelle. 1657 vit la continuation du duel entre les deux capitaines. Mazarin comprit que cette guerre d'usure risquait de ne prendre fin qu'avec l'épuisement total des belligérants. Turenne et Condé, avec des talents égaux, disposaient de forces égales. Il fallait donc faire pencher l'un des plateaux de la balance. La situation du Trésor ne permettant pas un effort supplémentaire, une autre solution devait être cherchée. Mazarin la trouva dans une alliance avec l'Angleterre, celle de Cromwell et de ses protestants : alliance que d'ailleurs l'Espagne lui disputa âprement. L'Angleterre fournirait une escadre et un corps de débarquement ; elle aiderait à prendre Dunkerque et Gravelines, mais, en dédommagement, garderait la première de ces villes. On cria au scandale, mais la France n'avait pas le choix. Grâce à l'alliance anglaise, Turenne prit Mardyck et put bloquer Dunkerque par terre et par mer. L'été de 1658 était torride et les cadavres en putréfaction infectaient l'air. Selon Mazarin, le roi négligeait les conseils de ses médecins. Il était du matin au soir à cheval, « s'informant de tout et donnant lui-même des ordres pour avancer les travaux ». Dunkerque capitula et, le cœur fort triste, Louis dut remettre cette place aux mains des Anglais. Turenne en profita pour prendre Furnes, Bergues et Dixmude. Le jeune monarque exultait de fouler le territoire ennemi. Soudain il ressentit une extrême fatigue et, après avoir lutté plusieurs jours, dut s'aliter. Vallot et ses confrères ne s'émurent pas. Ils estimèrent que le roi souffrait d'un excès de chaleur auquel s'ajoutait le surmenage : « Sa Majesté, écrivait Vallot, n'ayant épargné ni jour ni nuit ses peines et ses fatigues, et ne se donnant aucun repos dans un pays où l'air était corrompu et l'eau infectée. » Une fièvre pourprée se déclara, avec de violentes douleurs de tête, des accès de délire et des tremblements convulsifs alternant avec des moments de torpeur. Louis avait le corps enflé, « comme s'il eût été empoisonné ou piqué d'un scorpion ». On appela en hâte des médecins de Paris. Ils se concertèrent, disputèrent et appliquèrent au malade leurs remèdes habituels : saignées et purgation, ravis de faire tomber la fièvre, étonnés de la faiblesse du pouls quand ils avaient tiré deux ou trois poêlettes de sang ! La nuit du 6 juillet, l'état du roi fut jugé désespéré. Un prêtre lui donna la communion. Le lendemain le roi n'était pas mort, mais ne valait guère mieux. Il fit signe à Mazarin d'approcher et lui dit : « Vous êtes homme de résolution et le meilleur ami que j'aie. C'est pourquoi je vous prie de m'avertir lorsque je serai à l'extrémité, car la reine n'osera le faire elle-même, par la crainte que cela n'aggrave mon état. Donnez-m'en votre parole. » C'était un mourant de vingt ans qui tenait ce langage...

En désespoir de cause, on eut recours à un certain du Saussoi, médecin d'Abbeville. Il donna de l'émétique au malade et le sauva. Dans son compte rendu Vallot s'attribue le mérite de la guérison, tout en laissant entendre hypocritement qu'elle tenait du miracle. Dès que Louis fut hors de danger, il s'inquiéta du siège de Gravelines. Les manigances de ci-devant Frondeurs, l'attitude de certains courtisans envers Philippe d'Anjou, héritier présomptif, préoccupaient davantage le cardinal. Philippe n'y était pour rien, cependant le roi lui en tint rigueur et n'eut plus à son égard qu'une affection distante. Les duretés de Louis envers sa famille — complaisamment soulignées par Saint-Simon — n'étaient point la marque de l'égoïsme, mais l'amer résultat de l'expérience.

Cependant que Mazarin restait aux armées et que Turenne

achevait la conquête de Gravelines, la reine ramenait son fils à Paris, par petites étapes. Il apprit, presque fortuitement, qu'une demoiselle de la cour, le croyant perdu, avait affiché un désespoir spectaculaire. Il fut bouleversé en découvrant qu'il était pareillement aimé, mais ne laissa rien paraître de son émoi. C'était déjà un maître dans l'art de dissimuler.

XI

MARIE MANCINI

Cette amoureuse était Marie Mancini, nièce de Mazarin. En
bon Italien, ce dernier avait fait venir en France sa parentèle
afin qu'elle profitât de sa réussite et de sa fortune. Quatre de
ses nièces firent de superbes mariages : Anne-Marie épousa
le duc de Mercœur ; Olympe, le comte de Soissons ; Hortense,
le duc de La Meilleraye et Marie-Anne, le duc de Bouillon.
Quant à Marie, elle fut mariée au prince Colonna, mais eut
ensuite, pour avoir osé aimer le roi et défié son oncle, une
existence misérable. Louis courtisa d'abord Olympe, mais ce
n'était pas un « amant » (au sens du XVIIe siècle !) bien redoutable. C'était même un assez piètre galant. Il avait été déniaisé
par une spécialiste, Mme de Beauvais, que l'on disait borgnesse.
Ensuite il avait fait ses débuts avec Mlle de La Motte, à laquelle
il renonça aux premiers reproches de sa mère. Quand Olympe
épousa Soissons, il se résigna fort vite et même lui continua
ses visites, mais il avait déjà jeté les yeux sur Marie ! A son
arrivée à la cour, celle-ci n'était qu'une petite moricaude assez
laide ; nul ne lui prêtait attention. Elle s'épanouit brusquement.
De vastes yeux, étincelants et noirs, éclairaient son visage. Sa

chevelure sombre soulignait la matité de son teint. Ses dents admirablement belles conférait un charme particulier à son sourire. L'extrême mobilité de ses expressions ajoutait à ces attraits. Elle avait la taille souple et fine, des mains et des pieds gracieux. Moins belle que ses sœurs, surtout Hortense, elle attirait cependant les regards, car elle était piquante et fine et surtout la passion s'avouait en elle et l'animait extraordinairement. Elle amusa le roi, puis elle le charma. Bientôt il ne put se passer d'elle. Néanmoins, il ne sentait point que Marie l'aimait et, timide, ne sortait pas de sa réserve.

« Quoiqu'il vécût parmi nous avec une bonté merveilleuse, écrit Hortense, il a toujours eu quelque chose de si sérieux et de si solide, pour ne pas dire de si majestueux, dans toutes ses manières, qu'il ne laissait pas de nous inspirer le respect, même contre son intention. Il n'y avait que ma sœur qu'il ne gênait pas, et vous comprenez aisément que son assiduité avait des agréments pour celle qui en était cause qu'elle n'avait pas pour les autres. »

Rien ne passait inaperçu à la cour. On s'étonnait des goûts du roi, mais en s'efforçant de plaire à Marie. La reine, le cardinal toléraient volontiers cette liaison qui n'en était pas une ; ils n'y voyaient que jeux d'enfants, innocents plaisirs. Par surcroît Marie réussissait mieux que les précepteurs avec son « amant ». Elle parvenait à lui faire lire des romans, des tragédies et des poèmes. Pendant l'hiver de 1657-1658, ce ne furent que bals et fêtes. A plusieurs reprises, Louis dansa le ballet avec Marie. Survint la maladie de Calais. L'angoisse et les tourments de la reine ne furent rien auprès de la douleur que Marie ne put celer. La violence de ce chagrin stupéfia la cour.

« Marie avait témoigné une affliction si violente de son mal et l'avait si peu cachée que, lorsqu'il commença à se mieux porter, tout le monde lui parla de la douleur de Mlle de Mancini ; peut-être dans la suite lui en parla-t-elle elle-même. Enfin, elle fit paraître tant de passion et rompit si bien toutes les contraintes où la reine-mère et le cardinal la tenaient, que l'on peut dire qu'elle contraignit le roi à l'aimer. » (*Mme de La Fayette.*)

La cour fit un séjour à Fontainebleau. On se promenait en forêt, ou sur le lac au son des violons. On dansait. On allait au spectacle. Au cours d'un pique-nique à Franchard, il prit fantaisie au roi de grimper sur les rochers. Marie n'hésita pas à le suivre. Son emportement à goûter les plaisirs, sa gaieté ne pouvaient que plaire au jeune faune travesti en soupirant. Journal de Marie : « ... Au retour de ce voyage, je m'aperçus que je ne déplaisais pas au roi, ayant déjà assez de connaissance pour entendre cet éloquent silence qui persuade souvent plus que toute la rhétorique... Cependant ce n'était pas assez du témoignage de mes yeux pour croire une chose de cette conséquence, mais les courtisans qui sont autant d'yeux qui veillent sur les actions des rois s'étant aperçus aussi bien que moi de l'inclination de Sa Majesté, me confirmèrent bientôt dans l'opinion que j'en avais, par leurs respects et leurs déférences extraordinaires. Et les assiduités du roi, les magnifiques présents que j'en recevais, ses soins, ses empressements et les complaisances qu'il avait pour moi en toutes choses achevèrent bientôt de me le persuader entièrement. »

De retour à Paris, Louis passa toutes ses soirées auprès de Marie, chaperonnée par sa sœur, la comtesse de Soissons. Amours innocentes, car les demoiselles Mancini n'aliénaient pas si légèrement leur capital ; elles n'accordaient rien que la bague au doigt ! Louis avait alors vingt ans et Marie, dix-neuf. En ce bel âge le désir frustré ne fait pas que mimer l'amour ; il se change en passion, à mesure qu'il s'exacerbe. La reine et le cardinal fermaient les yeux.

Mais, avec Mazarin, la politique ne perdait jamais ses droits et cette indulgence suspecte s'insérait dans un plan machiavélique. Le cardinal voulait marier le roi avec l'infante Marie-Thérèse d'Espagne. Il estimait que c'était là le seul moyen d'asseoir une paix durable entre les deux pays. Jusqu'ici Philippe IV avait repoussé ses offres : l'idée même de donner sa fille au roi de France lui était insupportable ; il comprenait pourtant que c'était l'unique solution. Pour précipiter la conclusion, Mazarin feignit de négocier le mariage de Louis et de la princesse Marguerite de Savoie. Il organisa la rencontre des deux pseudo-fiancés à Lyon. Emoi de Louis et de Marie, et qui eut pour résultat de les contraindre à approfondir leurs sentiments réciproques... Cela, le cardinal ne l'avait pas prévu, ce qui montre qu'il n'était pas lui-même grand expert en amour. On était convenu que la reine n'irait pas à Lyon. Marie sut convaincre le roi d'emmener sa mère. Quel était son but ? Fort clair : la reine étant du voyage, toute la cour suivrait, y compris les sœurs Mancini.

On partit un samedi 26 octobre (1658) par un temps superbe, et ce fut un beau défilé d'équipages, les chariots transportant meubles et tapisseries suivant les carrosses armoriés, et les gardes de l'escorte caracolant alentour. La plupart du temps, Louis était à cheval, accompagné par quelques filles de la reine, dont sa chère Marie. Chaque soir, au lieu de souper avec sa mère, il passait quatre ou cinq heures auprès de Marie, et collationnait avec elle. Les attentions du roi, ses soins assidus pendant la route n'échappaient à personne. Méthodique comme il savait être déjà en toute chose, il se préoccupait du moindre détail, choisissait la monture de sa bien-aimée, vérifiait la tension des sangles et réglait lui-même la longueur des étrivières. Sa passion s'enrichissait ainsi d'une tendresse délicate, quotidienne. Mais, dira-t-on, c'était sa fiancée officielle qu'il allait rencontrer, sa future femme ? Il ne croyait pas à ce mariage, pas plus qu'il ne croira que le roi d'Espagne lui donnerait sa fille.

Le 2 décembre, la pauvre petite princesse de Savoie arriva à Lyon, avec sa mère que l'on appelait Madame Royale, parce qu'elle était fille d'Henri IV.

— Elle a la taille la plus aisée du monde, badina le jeune roi ; elle a... le teint olivâtre, cela lui sied bien.

Marie s'ébroua :

— N'êtes-vous pas honteux qu'on veuille vous donner une si laide femme ?

Et dans son Journal : « Je laisse à penser à ceux qui ont aimé, quel tourment doit être la crainte de perdre ce qu'on aime extrêmement, surtout quand l'amour est fondé sur un si grand sujet d'aimer ; quand, dis-je, la gloire autorise les mouvements du cœur, et que la raison est la première à le faire aimer ; mais comme mon mal était violent, il eut le destin de toutes les choses violentes ; il ne dura pas longtemps. »

Et pour cause ! Dès le lendemain, Louis se montra aussi froid qu'il s'était montré galant et enjoué envers la princesse. Les jours suivants, cette froideur s'accentua, laissant Madame Royale décontenancée. Se produisit alors un événement décisif, et secret. Le cardinal entra brusquement chez la reine :

— J'ai une nouvelle à dire à Votre Majesté, à laquelle elle ne s'attend pas et qui la surprendra au dernier point.

— Est-ce que mon frère m'envoie offrir l'Infante, c'est cela à quoi je m'attends le moins ?

— Oui, Madame, c'est cela.

Le maître joueur venait de gagner sa plus belle partie. Il avait envoyé, discrètement, prévenir Philippe IV d'Espagne, de la rencontre de Lyon, du mariage de Louis avec Marguerite de Savoie. C'était la réponse aux rebuffades et aux atermoiements sans fin du roi d'Espagne. Le couteau sur la gorge, ce dernier expédia sans retard Pimentel avec une lettre accordant la main de l'Infante, du moins laissant entendre qu'on pouvait envisager cette union. Ainsi le stratagème de Mazarin avait réussi. Il ne restait plus qu'à négocier, pour en finir avec l'interminable guerre ! Il fallait aussi rompre courtoisement les pourparlers avec la Maison de Savoie. Madame Royale répondit

dignement qu'elle comprenait les nécessités de la politique et
les avantages que la France retirerait du mariage avec l'Infante.
La petite princesse montra la même tranquillité, en dépit de
l'affront qu'elle venait de subir. Mais, en ce temps-là, les enfants
royaux grandissaient avec l'idée qu'ils ne s'appartenaient pas
comme de simples particuliers et que la seule raison d'Etat
réglerait leur destin !

La cour resta à Lyon jusqu'à la fin de janvier 1659. Les
« amants » ne se quittaient plus. Il arrivait à Louis de conduire
le carrosse de sa belle. Le cardinal n'intervenait pas. Il recom-
mandait simplement à la gouvernante de Marie, Mme de Venel,
d'ouvrir l'œil et de lui rendre compte de tout. Pendant le voyage
de retour, il faisait froid et il neigeait. Mais Marie ne craignait
point les intempéries ; alors que les dames se blottissaient au
fond des carrosses avec leurs chaufferettes et leurs mouchoirs,
elle galopait à cheval, en justaucorps et bonnet de velours noir.
Et cela ne pouvait que charmer Louis. D'ailleurs, tout le char-
mait, car son cœur était neuf en cet apprentissage de l'amour.
Journal de Marie : « Les transes de peu de durée et qui sont
suivies de la prospérité n'étouffent pas le goût des plaisirs, elles
le réveillent, aussi goûtai-je avec bien plus de satisfaction les
nouvelles marques de la bonté du roi, après que je fus revenue
de toutes mes craintes. »

Ils se croyaient libres. Il leur semblait que la vie s'ouvrait
à eux comme un grand chemin sur lequel ils chevaucheraient
ainsi botte à botte, dans l'éclat de la jeunesse et l'émerveillement
de l'amour ! A Paris, ce ne furent que divertissements, bals et
mascarades. En souvenir du voyage de Lyon, les dames se
déguisèrent en Bressannes, mais des plumes roses, blanches
et couleur de feu (on adorait les plumes !) ornaient les chapeaux
et les corsages étaient lacés de perles et fermés de boucles en
diamants ! Le roi avait offert ces costumes, ces bijoux, pour
avoir un prétexte de gâter Marie. Parfois l'extrême jeunesse, si
ce n'était la gaminerie, perçait en lui. Un jour qu'il avait distribué des boîtes de fruits confits, Mme de Venel trouva une
douzaine de souris dans la sienne et faillit s'évanouir de peur !

Parfois une ombre fugace traversait le bonheur de Marie.
« Au milieu de tant de prospérité, note-t-elle, je n'étais point
satisfaite, parce que je l'étais trop ; je me plaignais de n'avoir
plus rien à désirer et j'eusse souhaité quelque disgrâce pour
connaître mieux par son opposition le bien dont je jouissais. »

Elle ignorait encore que son oncle et la reine avaient résolu de
mettre fin à cette idylle, mais en douceur, parce que le cardinal
savait le roi trop épris pour attaquer de front. Cependant
l'Espagne fit un pas en avant. Philippe IV envoya don Juan,

son fils naturel, à Paris. Celui-ci reçut tous les honneurs possibles, bien que l'on se battît toujours aux frontières. Pimentel lui succéda : cette fois, on entamait les négociations de paix dont la pierre angulaire restait le mariage avec l'Infante. Car le rusé cardinal se disait que le roi d'Espagne se montrerait plus conciliant avec son gendre qu'avec un prince étranger : la paix devenait en somme une histoire de famille ! Il n'était pas au bout de ses peines et, surtout, sa nièce allait dresser un obstacle inattendu. La reine désirait ardemment le mariage espagnol, mais, partageant les vues politiques de Mazarin, il lui en coûtait de mettre fin au bonheur de son fils. Louis vivait ce qu'elle n'avait pas connu ; il aimait et il était aimé, non comme un roi mais comme un homme. Anne d'Autriche avait trop de féminité pour ne pas s'émouvoir en secret à la vue de ce couple d'amoureux. Cependant elle constatait, mélancoliquement, que son fils s'éloignait d'elle, l'influence de Marie grandissant un peu plus chaque jour. Il advint que, pendant le carême, Louis s'avisa de danser. Sa mère voulut l'en empêcher, menaça de s'en aller au Val-de-Grâce. Naguère, il eût présenté ses excuses ; or il répondit ironiquement : « Eh bien ! allez-y... » Marie triomphait, sans beaucoup de discrétion.

Cependant Pimentel et Mazarin achevaient leurs entretiens. Ils décidèrent que les conférences de paix se tiendraient à Saint-Jean-de-Luz, la reine et son fils devant séjourner à proximité. Il fut plus difficile d'obtenir du roi la promesse qu'il ne s'opposerait pas à son mariage avec l'Infante. Il rétorquait avec humeur que rien ne pressait, le traité de paix n'étant pas conclu. Marie, folle d'inquiétude, le dressait contre sa mère et l'aigrissait contre le cardinal. Ce dernier n'avait pas prévu cette résistance. Il avait considéré trop longtemps que cette idylle n'avait pas la moindre importance ; qu'elle ne serait qu'un feu de paille ; d'une certaine manière, en occupant le roi, elle servait ses desseins. Il convenait désormais qu'elle cessât au plus vite et sans ambiguïtés. La réaction de Louis fut surprenante. Il promit le mariage à Marie. Bien plus, il demanda sa main au cardinal.

Instruite de cette démarche imprévisible, la reine fit appeler son fils. Elle le chapitra, lui rappelant que, s'il n'épousait pas l'Infante, il replongerait deux peuples dans les horreurs de la guerre, et manquerait à sa parole de roi. Louis répliqua que personne ne l'empêcherait d'épouser Marie Mancini. S'ensuivit une scène véhémente où la mère et le fils s'affrontèrent durement, mais Louis demeura inébranlable. Ni les exhortations, ni les plaintes, ni les larmes ne le fléchirent. Déjà se dessinait l'âpreté de son caractère.

Mazarin ne vit qu'une échappatoire : exiler sa nièce. N'ayant pu obtenir de celle-ci qu'elle renonçât au roi, il décida de l'envoyer à La Rochelle, avec ses sœurs et Mme de Venel. Marie comprit que la partie était perdue. Elle accepta de quitter la cour. Sans doute espérait-elle que l'absence augmenterait l'amour du roi. La reine n'osa pas annoncer le prochain départ de Marie à son fils ; elle avait peur : pour elle-même et pour lui. Mazarin s'en chargea. La colère de Louis fut effroyable. Il menaça le cardinal de disgrâce, fut trois jours sans adresser un mot à sa mère. La douleur de Marie le désespérait. Alors ce jeune roi — que l'on avait persuadé d'être « le plus grand roi du monde » — se jeta aux pieds du cardinal et s'écria :

— J'épouserai Mlle de Mancini ; je romprai avec l'Infante ; je ferai tout plutôt que de la voir souffrir pour l'amour de moi !

Le cardinal répondit sans s'émouvoir qu'ayant été choisi par le feu roi, puis par la reine-mère, et les ayant servis avec une fidélité inviolable, il ne souffrirait pas qu'il fît une chose si contraire à l'Etat. Il ajouta qu'il tuerait sa nièce plutôt que de permettre qu'elle devînt reine de France.

Louis n'insista pas. Il retourna auprès de Marie et lui rapporta les propos de son oncle, non sans lui faire le serment qu'il n'épouserait jamais l'Infante. Avec une logique très féminine, Marie répliqua :

— Pourquoi, si Votre Majesté est aussi résolue, cède-t-elle sur cet ordre d'exil. Ne voit-elle pas qu'une fois partie, le cardinal peut aisément m'envoyer beaucoup plus loin, en Italie même selon son bon plaisir, et nous séparer à jamais ?

Tout ce que le roi obtint de sa mère fut qu'au cours du voyage à Bayonne, on lui permettrait de rencontrer Marie. Il tentait, malgré son propre chagrin, de raisonner celle-ci, lui disant que la paix avec l'Espagne n'était pas près de se faire, qu'il restait l'espoir d'une rupture. En manière de consolation, il lui offrit un cadeau royal. C'était « le fil de perles » que la reine d'Angleterre[1], exilée en France et désargentée, venait de lui vendre.

La veille du départ de Marie, il eut un entretien d'une heure avec la reine. On le vit sortir « avec quelque enflure aux yeux » ; la reine semblait de même bouleversée. Mazarin dut permettre au roi d'écrire à Marie, et à celle-ci de lui répondre. Le lendemain, Louis aida sa bien-aimée à monter en carrosse. A l'instant de la séparation, il fondit en larmes et Marie murmura :

« Sire, vous êtes roi, vous pleurez et je pars... »

---

1. Veuve de Charles Ier.

LES ÉPINES DE LA ROYAUTÉ

Qui devint sous la plume de Racine, la célèbre réplique de Bérénice :

Vous êtes empereur, Seigneur, et vous pleurez.

Le roi s'en fut cacher sa douleur à Chantilly ; il ne pouvait supporter de rentrer au Louvre et de donner le spectacle de son désarroi aux courtisans...

Cependant l'histoire était en marche, et le cardinal en route pour Saint-Jean-de-Luz. Les négociations du mariage allaient s'ouvrir. Louis restait sur ses positions. Il n'avait d'autre souci que d'écrire à Marie et de lire ses réponses. Le cardinal prenait le temps de lui écrire : « ... La manière dont vous en usez n'est nullement propre pour guérir, et si vous ne vous résolvez tout de bon à changer de conduite, votre mal s'empirera de plus en plus. Je vous conjure par votre gloire, par votre honneur, par le service de Dieu, par le bien de votre royaume et par tout ce qui vous peut le plus toucher, de faire généreusement force sur vous et vous mettre en état de ne pas faire le voyage de Bayonne avec déplaisir. » Cette lettre, comme les autres, n'eut aucun effet. Louis était aussi opiniâtre que son père ; il vivait une passion semblable à celle du défunt roi pour Louise de La Fayette, mais, à sa façon et selon sa nature ! De plus il n'avait que trop retenu les leçons du cardinal. Il recourut à la ruse, refusant de rompre avec Marie, mais se déclarant prêt à suivre ses directives. Mazarin en eut une crise de goutte, compliquée de gravelle, qui retarda les conférences. L'intérêt de la France commandait de ne pas irriter les Espagnols. Renseignés par leurs agents, ils montraient leur surprise du peu d'empressement de Louis. Le cardinal était dans une situation impossible. Il devait se porter garant de la volonté du roi, alors que celui-ci répugnait, et pour cause, à épouser l'Infante. Par surcroît, Anne d'Autriche le lâchait, tant la douleur de son fils la peinait. Bref, il restait le seul à vouloir la paix, et, quoi que l'on puisse penser de lui, on se doit de saluer. Le jour même où, dans l'île des Faisans, s'ouvrait la conférence franco-espagnole, le roi rencontrait Marie à Saint-Jean-d'Angély. La reine n'avait rien fait pour empêcher cette ultime entrevue ; elle avait permis aux sœurs Mancini de quitter La Rochelle pour rejoindre la suite royale se dirigeant vers Bayonne ; bien plus elle laissa les deux « amants » en tête à tête. Marie put constater que la séparation n'avait pas altéré les sentiments du roi. Cependant celui-ci lui conseilla d'adopter un ton plus déférent dans ses lettres à son oncle. Gardait-il espoir de fléchir le cardinal ? Et, sinon, était-ce la raison d'Etat qui commençait à prévaloir en lui ? Mazarin commit alors une maladresse, preuve évidente de son accablement et du progrès de sa maladie. Dans une lettre datée de Saint-Jean-de-Luz, 28 août 1659, il tenta de discréditer sa nièce aux yeux de Louis, en la chargeant de tous les défauts, sans exclure la folie des grandeurs. « Mais dites-moi, poursuivait-il, quel personnage prétend faire cette fille une fois que vous serez marié ? A-t-elle oublié son devoir à ce point de croire que, quand je serais assez malhonnête ou, pour mieux dire, assez infâme, pour le trouver bon, elle pourra faire un métier qui la déshonore ? » La lettre avait dix-huit pages. Elle indigna le roi. Il fit savoir qu'il avait résolu de n'écouter désormais aucun conseil. Le cardinal s'humilia, écrivit à Louis : « Si vous aviez pris la peine d'examiner ma lettre, vous y auriez trouvé un beau champ pour me témoigner de la reconnaissance de ce que je vous mandais par un pur et indispensable motif de votre service, gloire et honneur ; et vous ne me traiteriez pas en extravagant, comme vous le faites... » Mais cette lettre contenait aussi deux informations de première importance : la paix était conclue ; le mariage avec l'Infante décidé. En foi de quoi, le cardinal n'attendait plus que les ordres de son maître.

XII

L'INFANTE MARIE-THÉRÈSE

Mazarin venait d'achever son grand œuvre. Le traité des Pyrénées était enfin signé, mais après quelles laborieuses négociations ! Il n'avait pas eu trop de toute sa souplesse, de toute son ingéniosité, de toute sa patience souriante pour corroder, déliter et abattre l'outrecuidance espagnole. Il est probable que Richelieu lui-même y eût échoué, en raison de sa hautainerie et de son ton cassant. Certes l'empire tentaculaire de Philippe IV était à bout de souffle, en dépit de ses ressources apparemment inépuisables, de l'efficacité de son administration et de la valeur de ses soldats. Il marquait un recul général, mais il n'était pas encore vaincu. Turenne aurait voulu multiplier ses coups de boutoir, s'emparer de la Flandre et s'y fortifier. Bien que Mazarin eût peu de lumières en matière de finances, il savait que l'on ne pouvait demander un nouvel effort aux Français à moins de courir le risque d'une révolte généralisée, d'une Fronde vraiment populaire, d'autant plus dangereuse. Non que le royaume fût réellement ruiné, mais le Trésor était à bout d'expédients. Il va sans dire que les Espagnols connaissaient nos difficultés intérieures et n'étaient point dupes du bluff diplomatique de Mazarin. Le jeu de ce dernier consistait donc à ménager l'orgueil castillan, tout en faisant sentir la supériorité de nos armes. Le problème du « pardon » du prince de Condé ajoutait aux difficultés. Non seulement le Premier ministre espagnol, don Luis de Haro, entendait couvrir le prince, mais encore le dédommager de sa trahison. Jamais Richelieu n'eût accepté la rentrée en grâce de Condé ; il est plus que probable qu'au lieu de lui rendre ses honneurs et ses biens, il l'eût envoyé à l'échafaud. Mais son successeur savait, pour gagner l'essentiel et atteindre son objectif, consentir quelques petits sacrifices.

Par le traité des Pyrénées l'Espagne nous reconnaissait la possession pleine et entière des places de Marienbourg, Montmédy, Gravelines, Thionville et Landrecies (qui payait le pardon de Condé !). En contrepartie, nous devions évacuer Saint-Omer, Ypres, Menin, Oudenarde et autres villes de moindre importance. En outre la Lorraine était restituée, au moins partiellement au duc Charles. Tel qu'il était, ce traité complétait celui de Westphalie avec l'Empereur.

Pour autant Mazarin ne se faisait pas d'illusion. Il estimait, à juste raison, qu'une partie de l'opinion lui reprocherait sa pusillanimité, l'accuserait d'être plus ou moins vendu aux Espagnols. Puisque nous étions victorieux, pourquoi n'avoir pas exigé davantage, rendre les villes que nous avions conquises ? Mais le cardinal ne voulait point mettre l'Espagne à genoux, ni même affirmer la suprématie française en Europe. Cependant les traités de Westphalie et des Pyrénées montraient à l'évidence que l'hégémonie des Habsbourgs n'existait plus ; que la France était devenue le véritable arbitre de l'Europe.

Par ailleurs Mazarin avait ourdi une de ces « combinazioni » dont il avait le secret. Il fallait avoir un esprit singulièrement ouvert à la politique pour en discerner l'intention. L'exécution du traité des Pyrénées était subordonnée à la conclusion du mariage de Louis et de l'Infante. Luis de Haro ne voulant céder aucun territoire pour constituer la dot de la fiancée, l'astucieux Mazarin demanda le versement de 500 000 écus d'or. Cette somme prodigieuse représentait le prix de la renonciation de l'Infante à l'héritage de Philippe IV. Or le roi d'Espagne n'avait pas d'enfant mâle. Luis de Haro donna son accord, tout en sachant que l'Espagne ne pourrait jamais verser cette énorme dot, ce que n'ignorait point Mazarin ! Que se passerait-il si Philippe IV mourait sans héritier, la dot n'étant pas versée ? Ce que l'on appellerait ultérieurement Guerre de Dévolution, dont ainsi, par avance, le rusé cardinal avait fourni le prétexte à Louis XIV...

Mais le jeune roi pensait moins à l'avenir qu'à son amour

perdu ; il ne pouvait oublier Marie Mancini, malgré le silence obstiné de celle-ci. Il avait acquiescé au mariage avec l'Infante, mais le cardinal appréhendait une volte-face qui eût remis la paix en question. Ce souci majeur et incessant, joint à la fatigue de discussions infinies, avait fini de ruiner sa santé. Toutefois se rendait-il compte de son état ? Malgré sa maigreur, ses attaques de goutte, de gravelle, cet esprit invincible caressait un ultime projet : se faire élire au Saint-Siège. Déjà l'épiscopat espagnol était acquis à cette élection. De la sorte le plus grand roi du monde et le chef spirituel de la chrétienté se fussent donné la main. Qui aurait pu résister à cette double puissance ? Mais ce n'était qu'un songe, car le mal progressait inexorablement.

Le duc de Grammont, ambassadeur extraordinaire de Sa Majesté Louis XIV, se rendit à Madrid afin de demander solennellement la main de l'Infante et de renseigner son maître sur l'aspect de celle-ci. Au cours d'une cérémonie grandiose, dont l'étiquette espagnole réglait le moindre détail, Grammont ne put que contempler une sorte de portrait vivant dans la manière de Vélasquez, mais non s'entretenir privément avec Marie-Thérèse, ne fût-ce qu'un instant. Il ne rapporta donc à Louis qu'une impression fort mitigée, et qu'il s'efforça d'embellir.

Le mariage par procuration eut lieu à Fontarabie, le 3 juin 1660. Philippe IV daigna conduire sa fille à l'église, où le Premier ministre Luis de Haro tenait la place du roi de France. On dit que Philippe IV, aussi muet et froid qu'une statue, eut une larme d'émotion : cette larme royale avait un caractère tellement insolite qu'on la considéra comme un événement !

La première rencontre officielle se déroula dans l'île des Faisans. Sous le pavillon des conférences on avait étalé deux tapis qui ne se joignaient pas tout à fait, pour figurer une frontière symbolique. Anne d'Autriche n'avait pas revu son frère depuis quarante-cin ans. Elle ne pouvait cacher sa joie, mais, quand elle voulut l'embrasser, la statue fit un pas en arrière : l'étiquette ne prévoyait pas ce baiser entre souverains étrangers ! Il eût ravalé des têtes couronnées au rang de simples mortels. Louis XIV étant apparu, incognito, Philippe consentit à dire :

— Voilà un beau gendre. Nous aurons des petits enfants.

Pourtant il ne salua pas l'inconnu, car la rencontre entre les deux rois devait avoir lieu trois jours après. Il va sans dire que ce hiératisme heurtait la bonhomie et la simplicité françaises. De même que les plumes multicolores des chapeaux et les costumes rutilants, chatoyants et endiamantés des seigneurs français provoquaient l'ironie méprisante des hidalgos vêtus de noir. Quant à Louis, il avait assez de sang Habsbourg pour apprécier l'étiquette de Madrid et en faire son profit. La familiarité régnant jusqu'ici à la cour des Bourbons surprendrait fort nos actuels chefs d'Etat ! Louis comprenait l'avantage pour un roi de marquer une telle distance à l'égard des plus grands seigneurs, d'apparaître quasi comme une personne sacrée.

La rencontre entre le beau-père et le gendre commença par un serment solennel. La main sur l'Evangile, ils se jurèrent amitié perpétuelle : on sait ce qu'il en advint ! Le lendemain seulement, l'Infante quitta le tapis espagnol et foula le tapis français ; elle était devenue par cela même reine de France. Les deux familles pleurèrent d'abondance, selon la mode du XVIIᵉ siècle qui ne craignait point l'ostentation. Cependant Philippe IV lâcha une réflexion qui ressemblait fort à un aveu, mais pouvait, il est vrai, s'interpréter diversement. Comme Mazarin le remerciait d'être venu lui-même conduire l'Infante, il s'attira cette réponse :

— Je serais plutôt venu à pied.

Le 8 juin, la petite mariée, logée chez la reine-mère, essaya ses robes françaises. Il n'apparut pas que c'était une demoiselle de grande beauté, ni qu'elle eût beaucoup d'esprit, ni même que la nature l'eût dotée de cet air de majesté propre aux personnes princières. On loua toutefois la douceur de ses yeux bleus et l'éclat de sa chevelure d'un blond cendré. On nota qu'elle ne savait pas un mot de français, ce qui ne faciliterait guère le tête à tête avec Louis qui balbutiait l'espagnol. Elle ne montrait ni surprise ni inquiétude à la pensée d'être la reine de France, car on l'avait élevée dans cet unique but. Le 9 juin, le cortège se rendit à pied, à l'église de Saint-Jean-de-Luz, comme s'il s'agissait d'une noce campagnarde. Le bon peuple ne fut pas avare d'applaudissements, d'autant que le spectacle touchait à la féerie et que ce mariage apportait enfin la paix !

Après le souper qui fut pris en famille, le jeune roi plein d'entrain annonça qu'il était l'heure de se coucher. Marie-Thérèse eut un instant d'effroi, mais elle se reprit et manifesta la meilleure bonne volonté.

— Vite, vite, dit-elle aux femmes qui la déshabillaient, le roi m'attend !

La nuit de noces n'eut pas de témoins, nonobstant l'usage. Le lendemain, la jeune reine affichait une joie attendrissante. Louis eut le bon goût de paraître heureux. Avait-il déjà compris que Marie-Thérèse pourrait être mère de rois, non femme du premier roi du monde ?

Anne d'Autriche et Mazarin se réjouissaient un peu trop vite de leur succès. Au cours du voyage de retour, Louis leur fit savoir qu'il se rendrait à La Rochelle, seul, pour visiter le port. Ils tentèrent en vain de le détourner de ce projet : désormais il parlait en maître. La visite de La Rochelle fut expédiée, après quoi le roi gagna Brouage. Il gémit et pleura tout son soûl dans ce désert d'eau et voulut passer la nuit dans le lit même où Marie Mancini avait couché. C'était son ultime concession à la part humaine de son cœur. Pour un jour, pour une nuit, il était redevenu « l'amant » de Marie et, cédant à la nature, il avait évacué sa passion. Dure, mais salutaire leçon que cet amour perdu ! Désormais, Louis se gardera de mêler la politique aux sentiments ; il aura des plaisirs sans nombre, des faiblesses aussi, mais qui n'entameront point son jugement et n'entraveront en rien la conduite des affaires. Il aimera — peut-être —, mais refusera les souffrances de l'amour et traitera ses maîtresses avec une dureté, pour ne pas dire un cynisme déconcertant. C'est en cela que cette épreuve le fortifia, tout en achevant de modeler son caractère. Après les larmes de Brouage, il ne se départira plus de son olympienne sérénité, ni de son égoïsme, parce qu'il préférera aux aventures du cœur son métier de roi. Pour autant, quand il rejoignit le cortège royal et retrouva l'insignifiante Marie-Thérèse, la blessure était-elle cicatrisée ? Mazarin négociait le mariage de sa nièce avec le prince Colonna, trop heureux d'épouser la petite-fille du « pêcheur sicilien ». Le roi fut informé de son flirt avec Charles de Lorraine. Il en fut irrité. Il se reconnaissait le droit de rompre, mais n'admettait pas que Marie pût aimer un autre homme !

La cour s'installa à Fontainebleau, en attendant l'entrée de la jeune reine à Paris. Les amants se revirent. Journal de Marie : « Je n'avais pas compté sur la froideur et l'indifférence avec lesquelles Sa Majesté me traita ; j'avoue que j'en eus une surprise et un chagrin mortel qui me faisaient souhaiter à tout moment de m'en retourner à Paris. » Louis était-il devenu insensible à ce point ? Lui en voulait-il tellement de s'être laissé courtiser par Charles de Lorraine ? « Elle était, écrit Mme de La Fayette, outrée de rage et de désespoir ; elle trouvait qu'elle avait perdu en même temps un amant fort aimable et la plus belle couronne de l'univers ; un esprit plus modéré que le sien aurait eu de la peine à ne pas s'emporter dans une semblable occasion ; aussi s'était-elle abandonnée à la rage et à la colère. » Marie ignorait combien on l'avait desservie dans l'esprit du roi ; elle imputait cette froideur méprisante à son égoïsme. C'est pourquoi le cardinal s'efforçait d'obtenir d'elle la promesse qu'elle ne chercherait point à avoir une explication avec Louis. Elle faisait son possible pour oublier, pour haïr son amant... sans y parvenir.

Le 26 août, d'une fenêtre de l'hôtel de Beauvais, elle dut assister au triomphe de sa rivale. Elle vit le roi caracoler sur un magnifique cheval d'Espagne, bai brun. « Il était vêtu d'un habit tout de broderies d'argent trait, mêlé de perles et garni d'une quantité merveilleuse de rubans incarnat et argent, avec un superbe bouquet de plumes incarnat et blanc, attaché d'une enseigne de diamants. » Quant à la reine Marie-Thérèse, elle étincelait d'or et de pierreries. Sa calèche, ou plutôt son char triomphal était couvert de broderies, avec des colonnes décorées de jasmin et d'olivier, « hiéroglyphes de l'amour et de la paix », les roues et les ferrures « couvertes d'or ducat » et tirée par six chevaux danois gris perle. Le cardinal était si malade qu'il n'avait pu suivre la cavalcade ; il avait envoyé son équipage avec son homme à tout faire, nommé Colbert. Au milieu des dames de la cour qui l'observaient sans indulgence, Marie ravalait ses larmes et pinçait les lèvres. Ce n'était pas assez de ce calvaire. Le cardinal offrit un souper à Leurs Majestés. Marie dut, avec ses sœurs, faire les honneurs de la maison.

Après la mort de son oncle, elle se sentit déliée de sa promesse. Elle obtint une entrevue avec Louis. Ils épanchèrent leurs cœurs et parurent réconciliés. Il reprit ses visites assidues, ses entretiens de chaque soir. Les courtisans crurent qu'elle était devenue sa maîtresse. « Il était très difficile, note cependant Mme de La Fayette, de démêler quels étaient alors les sentiments de Mlle de Mancini pour le roi et du roi pour elle. » Que Louis ait rêvé de faire de Marie sa favorite, cela est d'évidence. Mais, après avoir failli être reine de France, Marie ne pouvait accepter de s'avilir. Elle aimait toujours le roi et voyait combien il était épris d'elle. Elle résolut donc d'épouser le prince Colonna « autant par dépit que par honneur ». Et, cette fois, la séparation fut définitive.

Elle ne put supporter Colonna, malgré la tendresse qu'il lui vouait. Elle traîna une existence gâchée, devint un objet de scandale, avant de mourir assagie, quoique inconsolée. Lut-elle jamais cette « Bérénice » qui était sa propre histoire transposée par Racine ? Et, si oui, quels échos ces vers éveillaient-ils dans son cœur meurtri :

> J'aimais, seigneur, j'aimais ; je voulais être aimée.
> Ce jour, je l'avouerai, je me suis alarmée ;
> J'ai vu que votre amour devait finir son cours,
> Je connais mon erreur, et vous m'aimez toujours.
> Votre cœur s'est troublé, j'ai vu couler vos larmes...

DEUXIÈME PARTIE

LA GLOIRE D'UN RÈGNE
1661-1679

« L'amour de la gloire a les mêmes délicatesses
et, si j'ose dire, les mêmes timidités que
les plus tendres passions. »

Louis XIV

Tous ces yeux qu'on voyait venir de toutes parts
Confondre sur lui seul leurs avides regards ;
Ce port majestueux, cette douce présence.
Ciel ! avec quel respect et quelle complaisance,
Tous les cœurs en secret l'assuraient de leur foi !
Parle. Peut-on le voir sans penser comme moi,
Qu'en quelque obscurité que le sort l'eût fait naître,
Le monde, en le voyant, eût reconnu son Maître ?

Racine (*Bérénice*, I, 5)

I

LE TESTAMENT DU CARDINAL

Le cardinal était revenu épuisé de Saint-Jean-de-Luz. Il n'avait pu, comme on l'a dit, assister à l'entrée de la reine Marie-Thérèse à Paris. Joie des ci-devant Frondeurs, parmi lesquels Guy Patin qui écrit : « On ne laisse pas de songer qui sera celui qui pourra attraper sa place. On parle fort de quatre, savoir : le marquis de Villeroy, M. Le Tellier, M. Foucquet, surintendant des Finances, et le seigneur Ondelei, évêque de Fréjus. » Que n'eût-il pas dit s'il avait connu l'étrange anecdote dont le jeune comte de Brienne fut le témoin ! Ayant été transporté à Sibourre, après le mariage de Louis, le cardinal avait reçu la visite d'Anne d'Autriche. Elle lui demanda comment il se sentait.

— Très mal, répondit-il.

Et, sans plus de façon, il repoussa les couvertures afin de montrer ses jambes :

— Voyez, Madame, ces jambes qui ont perdu le repos en le donnant à la France !

Mollets et cuisses étaient réduits à l'os, couverts de lunules blanches et violacées. Anne d'Autriche étouffa un sanglot.

Brienne : « On aurait dit Lazare sortant du tombeau... Est-il possible qu'un cardinal s'oublie à ce point devant une femme, devant une reine entourée des dames de sa cour ! Il fallait que la douleur le poussât bien vivement, ou qu'il crût tout permis à un homme qui venait, au péril de sa vie, d'assurer la paix de l'Europe. Il fut plaint toutefois, et personne que je sache n'osa blâmer cette action ; mais j'avoue qu'elle me causa plus d'étonnement que de pitié. »

On s'en doute, le voyage du retour fut pénible pour le cardinal : la suspension des carrosses laissait fort à désirer et les chemins, sillonnés d'ornières profondes, étaient affreux. Quand l'illustre malade consentait à faire quelques pas, soutenu par ses serviteurs, il perdait aussitôt le souffle. Les meilleurs médecins parisiens se penchèrent sur ce cas difficile, parmi lesquels Vallot et Guénaud. Ils « alterquèrent » (merveilleuse expression !) abondamment. L'un soutint qu'il s'agissait d'une gravelle compliquée d'hémorroïdes. L'autre, d'une exténuation des membres inférieurs annonçant une crise d'hydropisie. Un autre démontra que c'était une goutte remontée à l'estomac. Un autre encore, un mal d'entrailles. Chacun prouva, invoquant Hippocrate et Galien, que c'était qui le foie, qui la rate, qui le poumon, dont souffrait le patient. On préconisa le lait d'ânesse, et sinon les bains, mais ceux-ci furent taxés de pratique dangereuse par un troisième larron. Guy Patin, rageant de n'être pas consulté, disait de Vallot : « Il fait le chien couchant de peur d'être chassé » !

Mais le cardinal faussa leurs pronostics. Il tenait trop à la vie pour la résilier aisément. Revenu quasi mourant de Saint-Jean-de-Luz, il passa doucement l'hiver et commença l'année 1661, qui était la cinquante-neuvième de son âge. Les courtisans, un peu déçus, se demandaient si cette maladie n'était pas un subterfuge, ne dissimulait pas quelque machiavélique entreprise. Mazarin se comportait en roi absolu, tranchant de toute chose, promouvant et nommant aux emplois qui lui plaisaient, ne consultant même pas la reine-mère, drainant à sa suite une partie de la cour, déployant un faste incroyable, cependant égal à lui-même, toujours aussi cupide et poursuivant ses trafics, comme s'il devait emporter ses trésors outre-tombe. Louis XIV laissait faire et personne, pas même la reine-mère, ne pressentait ce que cette indifférence feinte recouvrait. On mettait sur le compte d'une affection profonde les visites quotidiennes qu'il faisait au cardinal. Il se rendait chez lui dès le matin, entrait sans se faire annoncer, en toute familiarité. Le cardinal ne se donnait pas la peine de le reconduire. On vit même le roi faire antichambre. Nul ne soupçonnait que le maître dispensait à l'élève ses ultimes conseils, son ultime enseignement. Ambassadeurs et courtisans croyaient Louis uniquement occupé de divertissements : ballets, chasses, jeux de cartes, galanteries encore innocentes. Cependant, c'étaient des heures entières qu'il consacrait au cardinal. Il parachevait son initiation au maniement des affaires, recevait en quelque sorte le legs d'une expérience sans pareille, d'une vie toute donnée à la politique et à la diplomatie. Sans doute ne retint-il pas certaines consignes qui contrecarraient ses projets personnels ou qui s'accordaient mal à sa propre nature si différente de celle de Mazarin. Mais il est évident qu'il tira de ces confidences mieux qu'un encouragement. Ensemble ils débattirent de l'avenir de l'Europe et de la situation intérieure appelant de pressantes réformes. Mazarin lui donna ses indications sur les hommes à utiliser, selon leurs mérites et leurs faiblesses, et dans quel emploi. Sentait-il approcher sa fin ? Qui pouvait le savoir, et le savait-il lui-même ? Lors de l'arrivée en France de la belle Henriette d'Angleterre, qui venait épouser Philippe d'Orléans, il avait encore voulu paraître. Pourtant Guénaud ne lui avait pas mâché ses mots ; il faisait dans la franchise brutale, c'était là son style :

— Monseigneur, il ne faut point flatter Votre Eminence. Nos remèdes peuvent prolonger vos jours, mais ils ne peuvent guérir la cause du mal ; vous mourrez certainement de cette maladie, mais ce ne sera pas encore de sitôt. Préparez-vous donc, Monseigneur, à ce terrible passage. J'ai cru devoir parler franchement à Votre Eminence, et si mes confrères vous parlent autrement, ils vous trompent ; moi je vous dis la vérité.

— Combien ai-je à vivre encore ?

— Deux mois au moins.

Mazarin remercia, promit sa protection : les promesses ne lui coûtaient rien.

Il feignit, avec cet art de comédien qui était le sien, d'accepter son trépas avec stoïcisme. Mais, à quelque temps de là, le petit Brienne le surprit à regarder ses tableaux en gémissant :

— Il faut quitter tout cela ! Tout cela ! Et encore cela !... Que j'ai eu de la peine à acquérir ces choses !... Puis-je les abandonner sans regret ?... Je ne les verrai plus où je vais...

Car cet étrange prélat ne comptait pas trop sur l'immortalité. Et puis il était si doux de posséder des Titien, des Carrache, des Corrège, dont beaucoup étaient des cadeaux un peu sollicités, voire des prêts non restitués...

Le 11 février, il quitta son palais, pour n'y plus revenir, et se fit conduire à Vincennes. Le roi, les deux reines, les secrétaires d'Etat, les courtisans l'y suivirent. Chaque jour, Louis et sa mère passèrent plusieurs heures à son chevet, parfois à huis-clos. Tout de même on s'inquiétait de savoir qui serait recommandé au roi, ou discrédité, par le mourant. Des bruits contradictoires filtraient, aussitôt répétés et déformés. Le cardinal aurait dit au roi d'employer Le Tellier, Lionne et Colbert, son intendant. Selon les uns, Foucquet, protégé par la reine-mère, serait nommé premier ministre (on disait alors tout simplement « ministre »). Selon d'autres, Mazarin l'aurait vilipendé. L'intrigue battait son plein. On ne croyait point que le jeune monarque pût quitter brusquement les plaisirs pour se soucier des affaires. On estimait qu'il n'y était pas préparé et qu'il n'en avait pas le goût. On rappelait le règne du défunt roi, la toute-puissance et la tyrannie de Richelieu. Il tombait sous le sens que Mazarin aurait un successeur, que bientôt un nouveau favori gouvernerait le royaume. Pour les gens de cour la question brûlante était de savoir qui remplirait ce rôle, afin de l'assaillir, sans plus attendre, de flatteries et de requêtes, mais, à ce jeu, malheur à celui qui jouait la mauvaise carte !

Ce fut dans cette période que fut conclu le mariage de Marie Mancini et du prince Colonna. Le cardinal donna une autre de ses nièces (Hortense) à Armand de la Porte, sous condition qu'il prît les armes et le titre de duc de Mazarin : on se survit comme on peut ! Il trouva aussi moyen de vendre quelques bénéfices à son profit. Mais la fin approchait. Il fallut se confesser. Ce fut un théatin, Ange Bissari, qui se chargea d'évacuer les péchés du moribond. Quand il parla de restituer les biens mal acquis, Mazarin se récria :

— Hélas ! Je n'ai rien que les bienfaits du roi.

— Il faut distinguer ce que le roi vous a donné d'avec ce que vous vous êtes donné vous-même, insista le bon Père.

— Ah ! si cela est, il faut tout restituer...

L'astucieux Colbert tira son maître d'embarras. Il suffisait que le cardinal léguât sa fortune au roi. Ce dernier ne pourrait que refuser le legs d'un de ses sujets. Ainsi son salut et ses intérêts matériels seraient également préservés ! Cette solution sourit à Mazarin. Le 3 mars, il fit donc de Louis XIV son légataire universel. O surprise ! Le roi fît traîner son refus pendant deux mortelles journées.

— Ma pauvre famille, murmurait le malade. Ma pauvre famille n'aura pas de pain...

Enfin la réponse négative de Sa Majesté fut apportée par Colbert. Le cardinal eut un regain de vigueur et d'alacrité. Redevenu maître de sa fortune, il put se livrer au plaisir de faire et de défaire son testament.

On ne savait qu'inventer pour lui plaire et le divertir. Chaque soir, on jouait aux cartes dans sa chambre et l'un des joueurs tenait sa partie : l'insatiable cardinal comptait joyeusement les pistoles qu'il avait gagnées. Pendant ce temps, les meilleures têtes de la Faculté « alterquaient » avec Vallot, médecin en titre. « Ne voilà-t-il pas d'habiles gens ? écrivait Guy Patin. Ce sont les fourberies ordinaires des empiriques et des médecins de cour qui ont fait suppléer à l'ignorance... » Mais lui-même était-il capable de diagnostiquer le mal dont mourait le cardinal ?

Le 7 mars, celui-ci reçut l'extrême-onction, dans son fauteuil. Il voulut ensuite se montrer une dernière fois aux courtisans, ne fût-ce que pour les déconcerter. Il se fit raser, tortiller la moustache au petit fer et farder outrageusement de céruse et de vermillon. En simarre couleur de feu, une calotte sur la tête, il prit place dans une chaise à porteurs ouverte sur le devant. Cette effrayante mômerie n'eut pas le résultat qu'il attendait : elle lui attira même de cruelles railleries sur sa mine éclatante ! Lorsque la reine apprit l'incident, elle eut cette curieuse réplique :

— Il ne devait point se faire la barbe ; cela précipitera sa mort. Tout le monde sait bien l'état où il est ; à quoi bon déguiser, cela ne sert qu'à faire parler !

Après cette promenade extravagante, les événements se précipitèrent. Cependant le mourant conservait sa lucidité, encore que son cerveau s'enténébrât par moments. Lorsque le nonce apostolique vint lui apporter l'absolution plénière *in articulo mortis*, il eut la force de prononcer un petit discours en italien. Le curé Joly, qui était célèbre pour son habileté à aider les chrétiens à bien mourir, ne le quittait plus. On entendit le cardinal murmurer :

— Je souffre beaucoup, mais je sens que la grâce est plus forte que le mal.

Voulait-il se persuader lui-même, ou persuader l'assistance qu'il était un bon chrétien ? Il mourut le 9 mars, vers deux heures du matin. Les astrologues et les devins observèrent que, se prénommant Jules il disparaissait aux Ides de Mars, comme César...

Chose incroyable, Louis XIV, en attendant l'événement, couchait dans une petite chambre proche de celle du cardinal. Lorsque sa nourrice vint le prévenir de la mort de Son Eminence, il s'habilla en silence et sortit sans éveiller la reine Marie-Thérèse. Trois maréchaux l'accompagnaient. Il prit Grammont par l'épaule, l'embrassa en pleurant, et dit :

— Maréchal, nous venons de perdre un ami.

— Véritablement oui, sire. Mais personne dans le royaume, après Votre Majesté, ne perd plus que moi à cette cruelle mort.

Le défunt avait effectivement comblé Grammont de faveurs.

Le roi considéra la dépouille de son premier ministre et parrain, mais ne s'attarda point. En quittant la chambre, avec cette présence d'esprit et cet à-propos qui devaient caractériser son règne, il fit mettre bas les fusils de la Garde : en signe de deuil. Le gouverneur de la Bastille, Besmaux, pleurait à chaudes larmes.

— Console-toi, Besmaux, dit le roi, et me sers aussi bien dans ton gouvernement de la Bastille ; tu as retrouvé un bon maître.

Ce qui voulait dire que le roi confirmait Besmaux dans sa charge de gouverneur.

Après quoi, toujours aussi calme et impénétrable, Louis prit courtoisement congé des maréchaux et manda Le Tellier et Lionne. Le surintendant Foucquet, par un hasard fâcheux — mais peut-être provoqué — arriva en retard à ce premier conseil qui dura trois heures et dont on ne sut rien.

Les ci-devant Frondeurs se réjouirent bassement ; ils ajoutèrent quelques pièces de choix au recueil des *Mazarinades*. En voici deux, à titre d'exemples :

Enfin le cardinal a terminé son sort.
Français, que dirons-nous de ce grand personnage ?
   Il a fait la paix, il est mort :
Il ne pouvait pour nous rien faire davantage.

.:.

Je n'ai jamais pu voir Jules sain ni malade ;
   J'ai reçu mainte rebuffade
   Dans la salle et sur le degré ;
Mais enfin je l'ai vu dans son lit de parade,
   Et je l'ai vu fort à mon gré.

La cour avait pris le deuil, de même que pour un prince du sang. Les prédicateurs déployaient leur talent :

« Ah ! Dieu ! quelles clartés, s'écriait l'un d'eux, et quelles obscurités ! Quelles lumières et quelles ombres vous rehaussent la beauté de cette peinture ! Un Italien français, un soldat docteur ès lois, un laïc sans ordres sacrés et un Eminentissime Cardinal, un étranger et un domestique, un banni et un plénipotentiaire, un sujet et un ami des rois... Que dirai-je davantage et que pouvez-vous attendre de plus ? Un illustre persécuté, des outrages glorieux ; un phénix qui renaît de ses cendres ; un soleil que le retour, après les ténèbres d'une épaisse nuit, rend plus éclatant, *post nubila*, Phoebus ; enfin, l'arbitre de tant de peuples, de nations, devient en peu de mois la dépouille de la mort... »

LA GLOIRE D'UN RÈGNE

On ne pouvait mieux évoquer le destin contrasté, à la fois shakespearien et burlesque, de cet aventurier qui sut être, tout ensemble et dans le même temps, un grand homme d'Etat et un fripon, d'une telle dextérité qu'il lui arrivait de se tromper lui-même. Le meilleur et le pire ! Cependant le roi pouvait le pleurer, et la France, le regretter. En se servant, il avait bien servi.

II

UN COUP DE MAÎTRE

Mais quel appétit de pouvoir, quelle impatience se dissimulaient sous les larmes de Louis XIV ? Le cardinal était mort le 9 mars. Le lendemain, à dix heures précises, il convoqua un conseil formé de huit personnes : le chancelier Séguier, Le Tellier, ministre de la Guerre, de Lionne, ministre des Affaires étrangères, Foucquet, surintendant des Finances, La Vrillère, Duplessis-Guénégaud, les Brienne père et fils, secrétaires d'Etat. Séance solennelle, mais qui ne visait qu'à confirmer, en les officialisant, les décisions arrêtées en conseil restreint après la mort de Mazarin.

Le roi se découvrit, puis remit son vaste chapeau emplumé. Et, se tenant debout contre son fauteuil, il s'adressa d'abord au chancelier, lequel, détenant les sceaux, représentait le second personnage de l'Etat.

— Monsieur, je vous ai fait assembler avec mes ministres et mes secrétaires d'Etat pour vous dire que, jusqu'à présent, j'ai bien voulu laisser gouverner mes affaires par feu M. le Cardinal ; il est temps que je les gouverne moi-même. Vous m'aiderez de vos conseils quand je vous les demanderai. Hors le courant du sceau, auquel je ne prétends rien changer, je vous prie et vous ordonne, Monsieur le Chancelier, de ne rien sceller en commandement que par mes ordres, et sans m'en avoir parlé, à moins qu'un secrétaire d'Etat ne vous les porte de ma part.

Se tournant ensuite vers les ministres et secrétaires d'Etat, il déclara :

— Et vous, mes secrétaires d'Etat, je vous ordonne de rien signer, pas même une sauvegarde ou un passeport, sans mon commandement ; de me rendre compte chaque jour, à moi-même, et de ne favoriser personne dans vos rôles du mois. Vous, Monsieur le Surintendant, je vous expliquerai mes volontés ; je vous prie de vous servir de Colbert, que feu M. le Cardinal m'a recommandé. Pour Lionne, il est assuré de mon affection, et je suis content de ses services. Je prétends, Brienne, que vous agissiez de concert avec lui dans les affaires étrangères, et que vous écriviez à mes ambassadeurs tout ce qu'il vous mandera ou dira sans nouvel ordre de ma part.

Il savoura un instant l'effet de stupeur qu'il venait de provoquer ; puis, afin de lever toute ambiguïté, il ajouta :

— La face du théâtre change. Dans le gouvernement de mon Etat, dans la règle de mes finances et dans les négociations en dehors, j'aurai d'autres principes que ceux de feu M. le Cardinal. Vous savez mes volontés ; c'est à vous maintenant, messieurs, à les exécuter.

Enfin il précisa, de la même voix ferme et calme, l'emploi du temps qu'il avait fixé : conseil restreint (ou secret) tous les jours de neuf à onze heures du matin, finances les après-midi et, tous les deux jours, affaires judiciaires avec le chancelier.

Le lendemain, il fit savoir aux représentants du clergé qu'il entendait pareillement s'occuper des affaires ecclésiastiques : si complexes que Mazarin s'y embrouillait parfois !

Le 11 mars, les princes et ducs, réunis dans la chambre de la reine-mère, l'entendirent confirmer sa « résolution de commander lui-même son Etat, sans s'en reposer que sur ses propres soins ».

Ces déclarations ne furent pas prises au sérieux. « Le roi fait ici espérer qu'il s'en va faire merveille de justice et de soulagement du peuple ! », écrivait ironiquement Patin. On ne pouvait concevoir qu'il eût soudain la capacité de diriger les affaires. Cela paraissait illogique, déraisonnable, presque monstrueux, venant de ce chasseur invétéré, de cet aimable danseur de ballets et de ce joueur impénitent. Les plus sages ne pouvaient admettre que ce roi de vingt-deux ans eût la patience d'assister à des conseils quotidiens et l'application nécessaire pour respecter un tel programme : dont, se disaient-ils, un homme d'âge mûr et

rompu aux affaires aurait de la peine à s'accommoder. Ils
ignoraient les exercices théoriques et pratiques, auxquels le roi
s'était astreint et, davantage encore, la constance de sa volonté.
Il est vrai que sa détermination se voilait d'une telle courtoisie
et de tels agréments extérieurs que le plus fin s'y fût mépris.
Quelques jours avant la disparition de Mazarin, Louis avait
pourtant fait part à Le Tellier de sa décision de ne pas prendre
de premier ministre : « Je veux gouverner par moi-même, lui
avait-il confié, assister règlement (régulièrement) au conseil,
entretenir les ministres les uns après les autres ; et je suis résolu
de n'y pas manquer un seul jour, quoique je prévoie qu'à la
longue cela deviendra ennuyeux. » Le Tellier s'était empressé
de rapporter ces propos à la reine-mère qui avait éclaté de rire
et demandé :

— En bonne foi, Monsieur Le Tellier, qu'en croyez-vous ?

Elle connaissait pourtant l'opinion de Mazarin sur son fils.
N'avait-il pas dit naguère à Grammont : « Ah ! Monsieur (il
prononçait Monsu), vous ne le connaissez pas ; il y a en lui
l'étoffe de quatre rois et un honnête homme. » Et à Villeroy :
« Avez-vous pris garde, Monsieur le Maréchal, comme le roi
écoute en maître et parle en père ? Il se mettra en chemin un
peu tard, mais il ira plus loin que les autres. » On ne peut douter
qu'Anne d'Autriche n'eût pas été exactement informée par le
cardinal des progrès et de l'application de Louis. Cependant elle
ne pouvait croire qu'il se passerait de premier ministre, jugeant
par le défunt Louis XIII et par elle-même, ainsi que par les
souverains d'Europe, en particulier son frère. Dans sa conception tout espagnole de la condition royale, il lui semblait que
la connaissance du détail et l'accomplissement de certaines
besognes étaient en quelque sorte avilissants, presque choquants.
Elle imaginait qu'après un essai de quelques mois, Louis retournerait à ses plaisirs. Nicolas Foucquet et quelques autres ne
raisonnaient pas autrement ; ils faisaient fond sur une prompte
lassitude, tout en feignant d'accepter la décision du maître. De
plus, Anne d'Autriche avait quelque peu souffert de n'être plus
consultée par Mazarin depuis la signature de la paix ; elle
entendait bien se rattraper et faire bénéficier son fils de ses
avis. Peut-être, comme tant de mères, le voyait-elle plus jeune
qu'il n'était et se méprenait-elle sur son attitude toujours pleine
de respect et d'affection. Mais enfin, elle l'aimait et ne demandait
qu'à l'admirer, quand bien même elle devrait renoncer à exercer
son influence. Elle n'avait point cette passion du pouvoir qui
avait égaré Marie de Médicis.

Quoi qu'il en soit, Louis s'habitua à se lever vers huit heures.
Il quittait le lit de Marie-Thérèse, s'allongeait symboliquement

sur le sien, se relevait aussitôt, faisait sa prière et s'habillait. Personne n'assistait à son lever, car il avait fait fermer les portes pour ne point se retarder en vaines paroles. Seul le maréchal de Villeroy, qui avait été son gouverneur, gardait le droit de le venir voir à ce moment de la journée. A dix heures, Louis entrait au Conseil, qui durait jusqu'à midi. Il allait ensuite à la messe et consacrait ce qui restait de temps jusqu'au dîner, à entretenir les reines et les courtisans. Après le repas, il restait quelques instants avec sa famille, puis travaillait avec ses ministres. Il était alors facile d'obtenir une audience. Il écoutait patiemment, répondait par quelques mots ou prenait les placets pour les étudier.

Mme de Motteville : « Comme le seul désir de la gloire, et de remplir tous les devoirs d'un grand roi, occupait alors son cœur tout entier, en s'appliquant au travail il commença de le goûter ; et l'envie qu'il avait d'apprendre toutes les choses qui lui étaient nécessaires fit qu'il devint bientôt savant. Son grand sens et ses bonnes intentions firent connaître les semences d'une science universelle, qui avaient été cachées à ceux qui ne le voyaient pas dans le particulier : car il parut tout d'un coup politique dans les affaires de l'Etat, théologien dans celles de l'Eglise, exact en celles de finance ; parlant juste, prenant toujours le bon parti dans les conseils, sensible aux intérêts particuliers, mais ennemi de l'intrigue et de la flatterie, et sévère envers les grands de son royaume, qu'il soupçonnait avoir envie de le gouverner. » Malgré sa partialité à l'égard d'Anne d'Autriche — dont elle était la confidente — Mme de Motteville est un mémorialiste scrupuleux. En tout cas, les lignes qui précèdent expriment fidèlement l'opinion de la cour. A la vérité on fut ébahi de l'application et de la soudaine pertinence du roi.

Qu'on ne s'y trompe pas, il venait en effet d'accomplir à lui seul une petite révolution, ce qu'il qualifie, non sans complaisance, de « coup de maître ». Il s'en explique d'ailleurs abondamment dans ses « Mémoires pour l'instruction du Dauphin » :

« Quant aux personnes qui devaient seconder mon travail, je résolus sur toutes choses de ne point prendre de premier ministre ; et si vous m'en croyez, mon fils, et tous vos successeurs après vous, le nom en sera à jamais aboli en France, rien n'étant plus indigne que de voir d'un côté toutes les fonctions, et de l'autre le seul titre de Roi.

« Pour cela, il était nécessaire de partager ma confiance et l'exécution de mes ordres, sans la donner tout entière à pas un, appliquant ces diverses personnes à diverses choses selon leurs divers talents ; ce qui est peut-être le premier et le plus grand talent des princes.

« Je résolus même quelque chose de plus : afin de mieux réunir en moi seul toute l'autorité du maître, encore qu'il y ait en toutes sortes d'affaires un certain détail où nos occupations et notre dignité même ne nous permettent pas de descendre ordinairement, je me résolus, quand j'aurai choisi mes ministres, d'y entrer quelquefois avec chacun d'eux, et quand ils s'y attendraient le moins, afin qu'il comprît que j'en pourrais faire autant sur d'autres sujets, et à toute heure...

« Dans les intérêts les plus importants de l'Etat, et pour les affaires secrètes, où le petit nombre de têtes est à désirer autant qu'autre chose, et qui seules demandaient plus de temps et plus d'application que toutes les autres ensemble, ne voulant pas les confier à un seul ministre, les trois que je crus y pouvoir servir le plus utilement furent Le Tellier, Foucquet et Lionne...

« Pour découvrir toute ma pensée, il n'était pas de mon intérêt de prendre des hommes d'une qualité plus éminente. Il fallait, avant toutes choses, établir ma propre réputation, et faire connaître au public, par le rang même où je les prenais, que mon intention n'était pas de partager mon autorité avec eux. Il m'importait qu'ils ne conçussent pas eux-mêmes de plus hautes espérances que celles que je leur voulais donner, ce qui est difficile aux gens d'une grande naissance...

« Quand, dans les occasions importantes, ils nous ont rapporté tous les partis et toutes les raisons contraires, tout ce qu'on fait ailleurs en pareil cas, tout ce qu'on a fait autrefois et tout ce qu'on peut faire aujourd'hui, c'est à nous, mon fils, à choisir ce qu'il faut faire en effet ; et ce choix-là, j'oserai vous dire que, si nous ne manquons ni de sens ni de courage, nul autre ne le fait mieux que nous ; car la décision a besoin d'un esprit de maître. »

Il y a là quasi l'essentiel de la pensée politique de Louis XIV. Il omet simplement d'indiquer la part revenant à Mazarin, lequel lui avait conseillé fortement de se passer des services d'un premier ministre, et d'employer Le Tellier, Lionne et Foucquet, ce dernier provisoirement... Ce que l'Instruction omet également de préciser, c'est l'appréhension du jeune monarque « se jetant à l'eau », je veux dire saisissant brusquement les rênes du gouvernement et se faisant fort de décider ! Malgré ces principes arrêtés, ces résolutions, ce désir très vif d'assumer enfin la fonction royale, on doit admettre que Louis ne manquait pas d'aplomb. Il s'abstient d'avouer ses hésitations de débutant, ses tourments intérieurs, ses échappatoires, très certainement masqués par un calme en apparence inaltérable.

Il faut dire que l'état du royaume pouvait se définir d'un seul mot : le désordre. Désordre dans les finances, puisqu'on avait déjà dépensé les revenus de 1661 et de 1662, et plus qu'entamé celui de 1663 ! Désordre dans la justice par suite de la disparité des lois et des coutumes. Désordre dans l'administration en raison des particularismes provinciaux, des rivalités entre les intendants et les « officiers » (les fonctionnaires) locaux, de la vénalité des charges la plupart devenues héréditaires. Désordre dans l'assiette et la perception des impôts laissées entre les mains rapaces des traitants, mais aussi des exemptions sans nombre. Désordre dans l'armée dont les soldats étaient mal payés, mal nourris et mal encadrés, par suite du laxisme de leurs chefs. Désordre même et confusion dans la trésorerie du roi et dans la gestion des domaines de la Couronne. La guerre qui venait de se terminer avait largement aggravé des erreurs séculaires qu'il importait de redresser. Mazarin, en partie par nécessité, en partie par appât du gain, avait trop avantagé les gens de finances. Il importait d'alléger rapidement l'impôt, tout en remplissant les caisses de l'Etat. La France était devenue l'arbitre de l'Europe, cependant ces problèmes se posaient au jeune monarque.

III

LA CHUTE DE FOUCQUET

« Pour Foucquet, écrit Louis XIV, on pourra trouver étrange que j'aie voulu me servir de lui, quand on saura que, dès ce temps-là, ses voleries m'étaient connues ; mais je savais qu'il avait de l'esprit et une grande connaissance du dedans de l'Etat ; ce qui me faisait imaginer que, pourvu qu'il avouât ses fautes passées, et qu'il me promît de se corriger, il pourrait me rendre de bons services. Cependant, pour prendre avec lui mes sûretés, je lui donnai dans les finances Colbert pour contrôleur, sous le titre d'intendant. »

Ce n'était pas un mince personnage que Nicolas Foucquet. Nommé procureur général du Parlement en 1650, en pleine Fronde, puis surintendant des finances en 1653, apparenté par sa femme à la haute banque, il avait trempé dans toutes les combinaisons du cardinal, mais aussi rendu d'immenses services et, plus d'une fois, sauvé la situation en trouvant l'argent nécessaire. Les banquiers, ses amis, lui prêtaient volontiers l'argent qu'ils refusaient au roi, car ils y trouvaient avantage. Foucquet jonglait avec les millions, sans toujours savoir bien nettement ce qui lui appartenait et ce qui appartenait à l'Etat. *A contrario,* en empruntant sur sa fortune personnelle, au profit du roi, il prenait des risques énormes et il semblait juste qu'il rentrât dans ses fonds.

Au cours d'entretiens confidentiels, Colbert éclaira le roi sur les pratiques du surintendant : ce dernier pactisant avec les traitants, fermiers et comptables des deniers publics, leur permettait de faire « des gains prodigieux » (on a déjà dit que les traitants avançaient au roi le produit d'un impôt ou d'une taxe, et se payaient sur le contribuable) ; il ne tenait aucune comptabilité des dépenses de l'Etat ; les remises qu'il consentait à ses amis absorbaient souvent la moitié du montant des prêts ; enfin le surintendant avait entretenu le désordre fiscal dans le but d'échapper à tout contrôle. La détresse du Trésor public était donc pour lui une source de profit. C'était aussi l'occasion de sa prédominance sur les autres ministres. Colbert oubliait de préciser que ce désordre et cette détresse résultaient pour une large part de l'incompétence du cardinal en matière de finances, et de sa cupidité. On ne devait pas attaquer la mémoire du grand homme : le roi ne l'eût pas toléré. Au surplus Colbert avait lui-même profité des agissements de Foucquet. Le roi crut le petit noiraud sur parole. Il n'avait aucune connaissance en la matière et ce n'était point son parrain qui avait pu lui communiquer ses lumières. Sa résolution fut bientôt prise de mettre Foucquet hors d'état de nuire. Mais Colbert sut le raisonner, lui montrant combien il était difficile d'abattre un surintendant qui était en même temps procureur général et jouait le premier rôle dans l'enregistrement des édits. Il souligna la pénurie du Trésor et suggéra que Foucquet eût au moins le temps de s'endetter pour renflouer l'Etat ! Si le roi le révoquait trop vite, ses amis fermeraient leur bourse ; que deviendrait-on dans cette éventualité ? Le jeune monarque était réaliste ; il accepta de patienter, tout en ouvrant l'œil. Sous sa noble plume, la vérité se colore de la sorte :

« Ce qui le rendait plus coupable envers moi était que, bien loin de profiter de la bonté que je lui avais témoignée en le retenant dans mes conseils, il en avait pris une nouvelle espérance de me tromper et, bien loin d'en devenir plus sage, tâchait seulement d'en être plus adroit. Mais quelque artifice qu'il pût pratiquer, je ne fus pas longtemps sans reconnaître sa mauvaise foi ; car il ne pouvait s'empêcher de continuer ses dépenses excessives, de fortifier des places, d'orner des palais, de former des cabales, et de mettre sous le nom de ses amis des charges importantes qu'il leur achetait à mes dépens, dans l'espoir de se rendre bientôt l'arbitre souverain de l'Etat. »

Le roi était évidemment incapable de reconnaître la mauvaise foi de Foucquet. Ce fut le perfide Colbert qui, par ambition personnelle, persuada Louis que le surintendant montait une véritable cabale en vue de se rendre maître du pouvoir. Certes, les méthodes de Foucquet donnaient à réfléchir. En dernière analyse, il apparaissait toutefois que, s'il compromettait savamment les Grands, les ministres eux-mêmes et les officiers de tout rang, c'était simplement pour se couvrir en cas de besoin. Il ne cherchait nullement à imposer sa tyrannie au roi mais à le servir comme premier ministre. Il ne doutait pas que Louis, ayant rapidement épuisé les délices du gouvernement, ne l'appelât pour succéder à Mazarin. Ce fut là son erreur fondamentale, si tant est que, ne se méprenant pas sur les dispositions du roi, il eût conservé la surintendance. Formé à l'école de Mazarin, dont il avait le cynisme (et les goûts d'amateur d'art), il n'avait point sa sûreté de jugement, ni ses facultés de dissimulation. Il feignit d'obéir à l'ordre du roi, mais crut devoir l'amuser pour le dégoûter peu à peu de ses devoirs. C'était ignorer que Louis tenait d'Henri IV une vitalité exceptionnelle et qu'il pouvait s'adonner au plaisir sans que la fatigue nuisît à son application aux affaires. Il crut même le manœuvrer en lui avouant spontanément ses fautes passées, tout en les mettant sur le compte du cardinal (ce qui était en partie exact). Lorsque le roi, apparemment touché par tant de franchise, lui donna quitus pour la gestion passée, il se réjouit un peu trop vite. Tant d'ingénuité jointe à un tel manque de psychologie porte à croire qu'il était peu digne de succéder à Mazarin. Il reprit ses jongleries financières, à la fois parce qu'il ne pouvait se défaire de ses habitudes et parce qu'il fallait remplir le Trésor. Il ignorait que Colbert, exécuteur testamentaire du cardinal, avait remis au roi quinze millions déposés dans les souterrains de Vincennes, les économies du pauvre défunt ! Au lieu de verser cette somme à l'Epargne (c'est-à-dire au Trésor public), Louis l'avait gardée par-devers lui. Quel souverain d'Europe disposait alors, personnellement, d'une telle masse d'or ! Mais Foucquet dédaignait de surveiller les faits et gestes de Colbert, comme de prendre d'élémentaires précautions. Poursuivant son idée, il préparait l'opinion à son accession au pouvoir : ses agents répandaient le bruit de sa nomination prochaine. Il lui était loisible de détruire certains papiers, d'apurer ses registres. Il négligea les avertissements de ses amis les mieux informés, afficha la plus parfaite sécurité et accumula les fautes. Il crut habile d'offrir de l'argent à Louise de La Vallière, ayant percé l'inclination du roi. Ainsi pensait-il acheter les bonnes grâces, et la complicité, de la future favorite. Il provoqua la colère de Louis. Pourtant, ce dernier s'apaisa, fit à nouveau bonne figure au surintendant.

Stylé par Colbert, il l'enjôla de belles paroles et de demi-promesses, lui laissant entendre que, s'il était appelé à de plus hautes fonctions, sa charge de procureur général au parlement serait un obstacle insurmontable. Foucquet se vit premier ministre, à tout le moins chancelier. Il donna dans le piège, tête baissée, et vendit sa charge de procureur, laquelle, en réalité, empêchait de lui faire son procès. Plus encore, comme le roi gémissait hypocritement sur sa disette d'argent, Foucquet lui avança un million, le prix de sa charge, million qui ne fut point porté à l'Epargne, mais à Vincennes.

Tout de même, Foucquet se demanda s'il ne venait pas de se perdre en résiliant ses fonctions de procureur. Mais, à l'imitation du cardinal, il avait la mentalité d'un joueur et savait admirablement bluffer. Il osa inviter le roi à son château de Vaux-le-Vicomte non encore achevé. Louis accepta. Le 17 août, la Cour se transporta dans cette splendide demeure. Qui pouvait alors supposer que le maître de maison était si près de sa chute ? La fête, diurne et nocturne, qui fut donnée, remplit les spectateurs d'admiration. Molière y collabora avec sa troupe. La Fontaine la célèbra en termes enthousiastes. Le roi ne tarit pas de compliments, mais, paraît-il, si la reine-mère ne l'en eût pas empêché, il eût fait arrêter Foucquet sur-le-champ. Il enrageait de n'avoir pas de maison comparable à celle-ci. Ravalant sa haine méprisante, il questionnait en souriant le maître de maison. Quel était le sens de ces allégories ? Quel était le peintre ? Le Brun. Et l'architecte, inventeur de cette merveille ? Le Vau. Et le responsable de ces parterres ? De ces cascades et de ces jeux d'eau ? Louis retenait les noms de ces créateurs. Ce seront ceux de Versailles, de même que Vaux-le-Vicomte en reste l'ébauche...

Lorsque le roi regagna Paris, ce fut pour entendre Colbert grommeler : « Il ne se trouve même pas une paire de chenêts d'argent pour votre chambre ! » Mais le château de Foucquet regorgeait de meubles précieux, d'objets rares, de tapisseries qui rejoindraient aussi Versailles. Pourtant le roi patienta, laissa le modeste Colbert préparer minutieusement l'arrestation de son adversaire.

« Je voulais, avoue-t-il dans une lettre à sa mère, qu'il (Foucquet) fît payer auparavant trente mille écus pour la marine » et qu'il ajustât « diverses choses qui ne se pouvaient faire en un jour ». N'est-ce pas le comble de la délicatesse ? Et que le lieu fixé pour l'arrestation fût la ville de Nantes, dans cette Bretagne dont on disait que Foucquet se voulait prince souverain ? En effet ce dernier avait acheté les terres des Penthièvre, fortifié follement Belle-Isle. Le voyage de la cour dans cette ville fut décidé brusquement et sous un prétexte futile. Foucquet commençait à s'émouvoir, mais il obéit aux ordres du maître. Le 5 septembre, à l'issue d'un conseil tenu au château des anciens ducs de Bretagne, le surintendant fut arrêté par d'Artagnan. On le conduisit sous bonne escorte au château d'Angers. Les scellés furent mis aussitôt sur toutes ses demeures, dont sa famille fut ignominieusement chassée. On nomma une commission pour dépouiller ses archives, éplucher ses registres. Colbert ne put s'empêcher de stimuler et d'orienter, illégalement, les travaux des commissaires. Il fit main basse sur ce que l'on appela « le plan de Saint-Mandé », et qui pouvait être interprété comme un projet de révolte, crime de lèse-majesté !

Foucquet fut transféré à Vincennes. Il attendit son procès jusqu'au 14 novembre 1664. Malgré sa déchéance et sa mauvaise santé, il retrouva son esprit acéré et ses talents de juriste, face à des juges qui étaient ses anciens collègues. L'opinion quasi unanime avait approuvé son arrestation et souhaité sa mort. Mais le temps avait en passant usé les colères, quelque chose avait filtré des manigances de Colbert, de l'iniquité que l'on s'apprêtait à commettre. Les juges étaient peu convaincus, et d'autant qu'ils subissaient les pressions du pouvoir. Le chancelier Séguier n'était point de taille à détruire l'argumentation subtile de l'accusé. La défense de Foucquet visait simplement à rejeter sur Mazarin la responsabilité des erreurs et crimes qu'on lui reprochait. Ce n'était pas un homme qu'il fallait juger, mais le système qui était à réformer. Colbert, sérieusement mis en cause, s'inquiétait. Le roi s'impatientait. Ni l'un ni l'autre n'avait prévu que l'accusé se changerait en accusateur. Restait la pièce maîtresse, le fameux projet de Saint-Mandé. Mais l'habile Foucquet trouva la parade : il déclara que ce n'était que le brouillon d'un plan de sauvegarde dirigé contre Mazarin, non contre Sa Majesté. Et il rappela la jurisprudence selon laquelle on ne pouvait punir sans commencement d'exécution. On en vint au réquisitoire, qui fut modéré. Neuf juges votèrent la mort et treize le bannissement. L'arrêt fut rédigé sur-le-champ, daté du 20 décembre 1664. « Louez Dieu, monsieur, écrivait Mme de Sévigné, et le remerciez : notre pauvre ami est sauvé. Je suis si aise que je suis hors de moi ! »

Déception de Colbert et de Louis XIV qui aurait dit : « S'il eût été condamné à mort, je l'aurais laissé mourir. » Mais Foucquet n'était pas quitte. Il allait subir l'incompréhensible haine de son maître. En effet ce dernier commua la peine de bannissement en celle d'emprisonnement perpétuel. Ce fut l'unique fois qu'un chef d'Etat usa de son droit de grâce pour aggraver une peine.

LA GLOIRE D'UN RÈGNE

Foucquet fut ensuite conduit dans la forteresse de Pignerol, où le capitaine Saint-Mars eut la charge de le garder. Le prisonnier tenta en vain de s'évader. En 1671, Puyguilhem, futur duc de Lauzun, fut lui aussi envoyé à Pignerol ; il parvint, en se hissant par le conduit d'une cheminée, à rejoindre Foucquet. Six ans s'écoulèrent avant que les conditions de détention ne s'adoucissent. En 1679, Foucquet put recevoir sa famille. Il était déjà très malade. Eut-il, comme on le prétend, l'autorisation de se rendre aux eaux de Bourbon ? Toujours est-il que, le 23 mars 1680, une « apoplexie » l'emporta.

Cette mort opportune ne parut pas naturelle. On l'imputa à un empoisonnement. D'aucuns prétendirent aussi que Foucquet n'était point mort. Une légende tenace l'identifia au Masque de Fer. S'il y a un mystère Foucquet (1), il faut le chercher dans cette terrible vindicte d'un prince par ailleurs exempt de cruauté et même enclin au pardon. Quel secret détenait donc Foucquet ? Et, sinon, de quelle humiliation se vengeait Louis XIV ?

1. Voir « Fouquet, coupable ou victime ? » de Georges Bordonove chez le même éditeur.

IV

LES PREMIERS PAS

> « Cette grande comète qui s'est levée
> rapidement, le roi de France, qui veut
> être non seulement contemplé, mais
> admiré du monde entier. »
>
> William TEMPLE

L'arrestation de Foucquet fut pour Louis l'occasion de remodeler le gouvernement selon ses vues personnelles. La fonction de premier ministre fut définitivement supprimée. Le Conseil (bientôt appelé Conseil d'En-Haut), réduit à trois membres : Le Tellier, Lionne et Colbert. La reine-mère, les princes, les maréchaux, les grands, les secrétaires d'Etat eux-mêmes en furent exclus. Anne d'Autriche fut ulcérée. Les princes et dignitaires murmurèrent. Mais le jeune roi maintint sa décision. Le Conseil d'En-Haut débattait des questions les plus importantes, les plus confidentielles. Louis voulait pouvoir compter sur l'entière discrétion de ses membres. Il recherchait l'efficacité et n'avait que faire d'une cohue de parleurs d'un loyalisme parfois hypothétique.

LA GLOIRE D'UN RÈGNE

Le Tellier, Lionne et Colbert, par le seul fait de leur appartenance au Conseil, avaient rang et prérogatives de ministres. Ils en avaient aussi les attributions.

Le Tellier n'était pas un aigle, mais il connaissait à fond les questions militaires et, autant par routine que par intelligence, possédait d'utiles lumières sur toutes les parties de l'Etat. Il se distinguait principalement par son dévouement. Il servira Louis XIV, comme il avait servi la régente et le cardinal. Ce n'est certes pas une mince chose que de rester ministre de la Guerre pendant trente-quatre ans ! Il était aidé dans sa charge par un jeune secrétaire d'Etat, qui était son fils et portait le titre de marquis de Louvois.

Lionne avait les Affaires étrangères. Il était né diplomate. Son oncle Servien était en partie l'auteur des traités de Münster. Lui-même, du traité des Pyrénées. Il avait, au contraire de Tellier, un esprit subtil et prompt, passablement marqué de scepticisme. Fort adonné au jeu, il avait été le client de Foucquet ; le roi ne lui en tint pas rigueur. Son ministère n'avait pas de cadres fixes, n'était pas réellement « structuré » (dirait-on aujourd'hui). Ce n'était, à partir de vagues bureaux, qu'une improvisation continue. Les agents diplomatiques, officiels et secrets, n'étaient point des fonctionnaires ou des officiers possesseurs de leurs charges. On les recrutait, on les déplaçait, on les avançait, on les révoquait au gré du ministre. Etait-ce cette incertitude qui stimulait leur zèle ? En tout cas les résultats étaient excellents. La supériorité de notre diplomatie complétait celle de nos armes, selon le principe de Mazarin. Il importait en effet de tirer le meilleur parti du traité des Pyrénées, en interprétant, abusivement peut-être, certaines clauses.

Travailleur infatigable, inconditionnel de Louis XIV comme il l'avait été de Mazarin, Colbert eut le simple titre d'intendant des finances jusqu'en 1665, où le roi le promut contrôleur général : après la chute de Foucquet, la charge de surintendant avait été abolie ! Hormis le domaine de la guerre qui relevait de Le Tellier et celui des Affaires étrangères dirigé par Lionne, Colbert se mêlait de tout, et d'autant plus aisément que les secrétaires d'Etat avaient perdu toute possibilité d'initiative et devaient se cantonner dans des besognes d'exécution. Toutefois, siégeant au Conseil d'En-Haut, il était au courant des activités des autres départements et se mêlait quelque peu des attributions du chancelier Séguier dont la tête faiblissait. Il avait d'ailleurs les idées les plus précises sur une infinité de problèmes, outre l'habileté d'amener le roi à choisir la solution qu'il préférait lui-même, lui laissant ainsi la gloire de décider. D'une certaine manière il remplissait l'emploi de principal ministre, sans jamais étaler son importance. Cependant il cumulait les responsabilités les plus diverses.

La besogne à accomplir, pour répondre aux vœux du roi, paraissait insurmontable. Tout, presque tout, était à réorganiser, puisque, comme on l'a dit, le désordre régnait en maître, à tous les clivages de la société et dans toutes les parties du royaume ! L'objectif fixé par Louis était double : effacer les résidus de la Fronde en mettant au pas les grands corps de l'Etat, et tenter d'unifier l'administration du royaume en résorbant peu à peu les particularismes. Le rêve de Louis, partagé par Colbert, c'eût été un seul maître et une seule loi pour tous les sujets.

Les trois hommes s'attelèrent à la tâche, aidés par quelques conseillers d'Etat et maîtres des requêtes, une cinquantaine de commis au maximum et une trentaine d'intendants disséminés dans les provinces comme les *missi dominici* carolingiens et nos actuels préfets de région.

Le Conseil d'En-Haut se réunissait tous les deux jours, présidé par le roi. Ce dernier assistait également au Conseil des Dépêches animé par le chancelier et quatre secrétaires d'Etat : on y étudiait les rapports touchant aux problèmes et aux événements des provinces. Il lui arrivait aussi de prendre part aux travaux du Conseil des parties, où l'on examinait les conflits de juridictions. En septembre 1661, il institua un Conseil des Finances au sein duquel, avec le secours de l'irremplaçable Colbert, il tenait lui-même la place de surintendant et signait les documents comptables.

Le Conseil des Finances témoignait de la volonté royale d'en finir avec les abus et d'assainir ce système fiscal ; cependant il ne remplissait pas les caisses de l'Etat. Il fallut donc, bon gré mal gré, revenir, dans un premier temps, aux méthodes pratiquées par Foucquet et ses devanciers. On emprunta au banquier Hervart, au duc de Mazarin. On imposa une contribution extraordinaire aux états de Bretagne et de Languedoc, et un « don gratuit » au clergé. L'arrestation de Foucquet dispensa de lui rembourser la dette de cinq millions qu'il avait contractée au profit de l'Etat. L'établissement d'une Chambre de Justice permit de récupérer une centaine de millions sur les traitants.

Mais, simultanément, il est bien exact que l'on fit un effort méritoire de redressement financier. Louis diminua considérablement les fonds secrets (que l'on appelait ordonnances au comptant). Il augmenta les recettes de trois millions en actualisant les fermes d'impôts : il eût été mieux inspiré en abolissant ce système odieux, mais le pouvait-il ? En restreignant la remise dont bénéficiaient les collecteurs des impôts directs, il put diminuer la taille (l'impôt le plus impopulaire, et le plus néces-saire) sans rogner sur le revenu. Ce n'était qu'un commence-ment, le principal restait à faire ; Colbert s'y emploiera de son mieux. Il parviendra à équilibrer les recettes et les dépenses, tant que la guerre et les bâtiments le lui permettront. Il n'em-pêche que Louis se décerne naïvement ce *satisfecit* : « Je m'éton-nais moi-même qu'en si peu de temps, et par des voies si pleines de justice, j'eusse pu trouver tant de profit pour le public. »

De même, relativement à la première année de son règne effectif, affirme-t-il dans ses *Mémoires* : « Tout était calme en tous lieux ; ni mouvement ni crainte ou apparence de mouve-ment dans le royaume, qui pût m'interrompre ou s'opposer à mes projets. » Sans doute n'y eut-il aucun mouvement qui eût l'ampleur de la Fronde et fût de nature à ébranler le trône. Ce ne furent que des émeutes sporadiques, momentanées, au sur-plus vite réprimées. Elles ne visaient point le pouvoir du roi, n'entamaient point le loyalisme de leurs auteurs. La rapacité des agents du fisc les provoquait presque toujours. Néanmoins Louis convint lui-même que, par précaution, il faisait continuer la construction du château Trompette à Bordeaux et du fort Saint-Jean à Marseille, villes ci-devant frondeuses. On avait renforcé les garnisons des villes-frontières de Picardie de crainte que la mort du cardinal ne suscitât des trahisons, et tiré des troupes du Dauphiné pour les envoyer en Provence. Par la suite, il avait fallu réprimer des troubles à Auxerre, à Joigny, à Montauban, en Aunis, en Auvergne, à Dieppe, à Metz, en Poitou et en Limousin, à La Rochelle où les émeutiers avaient, pour faire un exemple, écorché vif un agent du fisc, en Boulonnais où six mille mutins s'opposèrent à la levée de la taille et furent cruellement châtiés. Partout le vieil esprit d'indépendance resur-gissait, dont la Fronde n'avait été que la manifestation la plus spectaculaire. En ce qui concerne l'année 1661, la mauvaise récolte de blé et la montée des prix (ils avaient à peu près doublé en cinq ans) fournissaient un prétexte supplémentaire pour assommer les fermiers d'impôts et leurs exempts. Mais la collu-sion de petits nobles avec les gens du peuple, notamment avec les paysans, n'était point fortuite.

L'attitude de Louis quant à la religion et aux affaires ecclé-siastiques mérite une parenthèse. On a déjà dit que sa foi n'était guère plus que celle du charbonnier, mais qu'il tenait d'Anne d'Autriche une stricte observance des rites, ainsi qu'un respect affiché pour la prélature. Sur ce point l'Instruction au Dauphin ne permet aucun doute : « Mes peuples étaient très contents de voir qu'étant sans comparaison beaucoup plus occupé qu'avant, je continuais à vivre, pour les exercices de la piété, dans la même régularité où la reine ma mère m'avait fait élever, et édifiés particulièrement cette année de ce que je fis à pied avec toute ma maison les stations d'un jubilé... Et à vous dire la vérité, mon fils, nous ne manquons pas seulement de reconnaissance et de justice, mais de prudence et de bon sens, quand nous manquons de vénération pour Celui dont nous ne sommes que les lieutenants. Notre soumission pour Lui est la règle et l'exemple de celle qui nous est due. » Sa piété s'insérait donc, au moins pour une part, dans un contexte politique. Il n'avait rien d'un mystique et le temps de sa « conversion » était encore lointain. Pourtant, dès cette époque, les questions religieuses ne le laissent pas indifférent, précisément parce qu'elles interfèrent avec la politique. L'ordre qu'il veut instaurer dans le royaume ne s'accommode pas des scandales qui éclaboussent alors la vie par trop mondaine et confortable de certains couvents. Il serait assez porté à la tolérance envers les protestants, mais il juge exorbitants les droits que l'Edit de Nantes leur a accordés. Il est, d'ores et déjà, résolu à ne point octroyer de pensions, de nominations et d'avancement aux religionnaires, ce qui amènera nombre d'entre eux, estime-t-il, à abjurer : et il est de fait qu'une grande partie de la noblesse huguenote se convertira, par intérêt. Il ne pense pas encore à révoquer l'Edit de Nantes, mais il a décidé de l'appliquer aussi étroitement que possible. Dans l'immédiat, sa bête noire est le Jansénisme, en quoi d'ailleurs il n'innove pas, mais prend la suite de Mazarin et pour des raisons identiques. Non pas qu'il méconnaisse la pureté des mœurs ni les talents intellectuels des adeptes de ce mouvement, mais un grand nombre d'entre eux ont pactisé avec les Frondeurs et cela, Louis ne peut l'oublier. L'esprit qui les anime heurte également son bon sens. Il prend l'initiative de changer les directeurs de Port-Royal, d'ordonner le renvoi des novices dans leurs familles, d'exiler les solitaires, d'imposer aux sœurs la signature du célèbre Formulaire condamnant cinq propositions de Jansénius. On sait que Jacqueline Pascal en mourra de chagrin...

Poursuivant le bilan de ses débuts de monarque régnant, Louis évoque à sa manière la situation internationale. L'Espagne est à court d'argent et d'hommes ; son roi est vieux et malade, incapable de rien entreprendre ! L'action de l'Empereur n'est pas à craindre, en raison de sa pusillanimité et surtout du fait que la France lui a mis la Ligue du Rhin sur les bras. Le roi de Suède est encore un enfant. L'Angleterre n'est plus qu'une puissance secondaire ; elle peine à se remettre de la révolution de Cromwell et son roi, Charles II, est ami de la France. Les Hollandais ne pensent qu'à développer leur commerce. Seul, le pape est défavorable (par suite de son inimitié contre Mazarin), mais la Maison de Savoie, les princes italiens, Venise et Gênes contrecarrent son influence. Conclusion : « Je pouvais même profiter de ce qui semblait un désavantage ; on ne me connaissait point encore dans le monde ; mais aussi on me portait moins d'envie qu'on n'a fait depuis ; on observait moins ma conduite, et on pensait moins à traverser mes desseins. »

Il se fit connaître sans tarder, rompant brutalement avec les procédés onctueux de son maître. Les ambassadeurs de Gênes s'agrégeant aux ambassadeurs de souverains étrangers usurpaient les honneurs réservés à ceux-ci. Il les rappela durement à l'ordre, joignant la menace à la sévérité. L'empereur prétendait à ce que le roi de France le complimentât de son élection. Non seulement Louis refusa hautement d'écrire pareille lettre, mais il somma le maladroit de ne plus se qualifier de chef de la chrétienté. Pourquoi cette attitude ? Parce que l'empereur n'est qu'un prince élu, alors que le roi de France est héréditaire et possède réellement son royaume. Le 10 octobre, à Londres, éclata une querelle de préséance entre l'ambassadeur d'Espagne et celui de France. Louis, pour essayer sa puissance et défendre sa réputation, exigea réparation du roi d'Espagne. Philippe IV révoqua son ambassadeur et présenta des excuses. Louis prit ce geste d'apaisement pour un hommage de vassal à suzerain. Il se crut tout de bon « le plus grand roi du monde ». En janvier 1662, nouvel incident, cette fois avec les Anglais. Ces derniers exigeaient que les navires étrangers naviguant dans leurs eaux saluassent les premiers. Louis XIV ne pouvait tolérer cette marque de faiblesse. Les Anglais tinrent bon, connaissant l'état misérable de notre marine de guerre. Pour ne pas perdre la face, Louis ordonna à nos marins d'éviter les vaisseaux de Charles II...

Par bonheur les envoyés de Lionne étaient plus réalistes. Ils négociaient, achetaient parfois, nos alliances : avec les princes allemands, avec les Provinces-Unies, avec la Suède. On avait décidé le roi à aider les Portugais révoltés contre l'Espagne, afin d'embarrasser Philippe IV.

Tels furent les débuts de Louis, « au dedans » et « au dehors ».

V

LOUISE DE LA VALLIÈRE

« Il a l'air haut, relevé, fin et agréable, quelque chose de fort
doux et de majestueux dans le visage, les plus beaux cheveux
du monde en leur couleur et en la manière dont ils sont frisés.
Les jambes belles, le port haut et bien planté ; enfin, à tout
prendre, le plus bel homme et le mieux fait de son royaume, et
assurément de tous les autres. Il danse divinement bien. » Tel
est le portrait que la Grande Mademoiselle (Mlle de Montpensier)
trace alors de Louis. Les peintures, les gravures du temps le
corroborent entièrement, mais surtout les crayons de Lebrun,
saisissants de vie et de vérité. On y voit un regard à la fois
serein et dominateur, olympien, le long nez bourbon, une bouche
sensuelle, cependant incurvée vers le bas et pincée, un mélange
de hautainerie et de douceur, mais aussi de dureté. « Son abord
est froid, il parle peu ; mais aux personnes avec qui il est
familier, il parle bien, juste, et ne dit rien que de très à propos,
raille fort agréablement, a le goût bon, discerne et juge le mieux
du monde... Il est fort propre à être galant et il est assez tourné
de cette manière ; mais je pense que ce qui l'en empêche, c'est

124

qu'il a le goût si délicat qu'il ne trouve point de belle tournée à son point. »

Cette délicatesse de goût ne tardera pas à évoluer. A la fin mars 1661, Henriette d'Angleterre épousa Monsieur (Philippe d'Orléans). Réfugiée en France après la décapitation de son père Charles Ier, revenue en Angleterre après la restauration des Stuarts, elle avait laissé le souvenir d'une petite laideronne, maigre et fragile. Louis XIV raillait son frère d'avoir tant de hâte à épouser « les os du cimetière des Innocents ». O surprise ! On vit apparaître une jeune fille gracieuse et spirituelle, très consciente de son charme et recevant les hommages comme un dû. Tout de suite le roi lui témoigna une complaisance extrême, regrettant presque de marier Philippe à une si belle créature. Henriette n'était pas fâchée de ce revirement subit ! Elle avait de la coquetterie, peut-être une propension au flirt.

La cour se transporta à Fontainebleau, cherchant l'ombrage et la fraîcheur des eaux. Madame — c'était le titre que portait Henriette depuis son mariage — se jeta à corps et cœur perdus dans les plaisirs. Elle allait se baigner tous les jours, partant en carrosse à cause de la chaleur, revenant à cheval, escortée par un escadron d'amazones aux toques et aux chapeaux emplumés, du roi et de son cortège de cavaliers fringants. Après souper, on sortait en calèche ; on se promenait une partie de la nuit autour du canal, ou dans les bois, au son des violons. On ne rentrait souvent qu'à deux heures du matin. Ces promenades autorisaient toutes les galanteries. Vie délicieuse ! Les fêtes succédaient aux fêtes : divertissements en galiotes avec fanfares de trompettes, spectacles de comédies, bals, parties de chasse, collations sous les chênes, concerts dirigés par Baptiste Lulli nommé « surintendant et compositeur de la musique du Roi ». Chacun rivalisait d'ingéniosité. Le duc de Beaufort offrit un bal champêtre et le duc d'Enghien une fête qui se termina par une promenade aux flambeaux. On parcourait en tous sens la belle forêt de Fontainebleau. On se réunissait à l'Hermitage, aux Reynes. Le roi ne quittait plus sa chère belle-sœur. Ils avaient en commun un extraordinaire appétit de vivre. Ensemble ils répétaient un ballet écrit par Bensérade, où, comme par hasard, ils tenaient les rôles principaux. Leur complicité amoureuse ne pouvait échapper aux courtisans. On murmura « qu'ils avaient l'un pour l'autre cet agrément qui précède d'ordinaire les grandes passions ». Qui, désormais, se fût permis une critique, une raillerie ? Un regard de Louis eût fait rentrer cet impudent sous terre. On vivait frénétiquement, familièrement, dans une quasi promiscuité de tous les instants, cependant cette assemblée de jeunes gentilshommes pleins de fougue, de jeunes dames souvent

« en équipage fort leste » (c'était l'expression à la mode) subissait une insensible métamorphose, dont Mme de Motteville se fait l'écho : « Plusieurs fois le Roi, les Reines, Monsieur et Madame, étant sur le canal dans un bateau doré en forme de galère, où prenant le frais, Leurs Majestés faisant collation, M. le Prince les servit en qualité de grand-maître avec tant de respect et d'un air si libre, qu'il était impossible de le voir agir de cette manière et se souvenir des choses passées, sans louer Dieu de la paix présente. »

Le Grand Condé, vainqueur de Rocroy et de Lens, mais aussi traître rentré en grâce, et servant son maître respectueusement, il y avait en effet de quoi s'étonner ! De même Mme de Motteville vit-elle le duc de Beaufort, « ce chef des Importants et des Frondeurs, le roi de la halle du temps jadis, s'empresser de suivre partout le Roi son maître, et chercher à lui plaire ; tantôt recevant les plats de M. le Prince, à cause que la barque étant trop petite pour y faire entrer les officiers, ces personnes seules y pouvaient être ; tantôt à la chasse, où le plaisir du Roi s'accommodant au sien particulier, il faisait paraître, par l'ardeur qu'il avait à combattre les bêtes devant lui, qu'il aurait plus volontiers encore combattu ses ennemis ». Ainsi commençait la domestication des Grands. Par la suite Louis améliorera sa méthode, créera une véritable hiérarchie de ses faveurs, suscitant des rivalités puériles où l'esprit d'indépendance se dilua peu à peu.

Cependant la reine Marie-Thérèse étant enceinte ne pouvait suivre partout le roi et s'inquiétait. La reine-mère la réprimanda doucement sur cette jalousie naissante. Elle tenta pourtant de mettre fin à ce tourbillon de fêtes en ramenant la cour à Paris. Le roi fit la sourde oreille ; il ne pouvait renoncer aussi vite à la liberté de Fontainebleau. La reine-mère crut effrayer Madame en lui disant que ces danses et ces promenades nuisaient à sa santé et à sa réputation. Henriette n'en tint aucun compte. « Les mouvements de son cœur, note Mme de Motteville, la portaient à suivre âprement tout ce qui ne lui paraissait pas criminel, ni entièrement contraire à son devoir, et qui d'ailleurs pouvait la divertir. »

Pour interrompre les promenades, la reine-mère fit un séjour chez la duchesse de Chevreuse, à Dampierre ; elle y amena Madame. Au retour, les imprudences reprirent de plus belle. Anne d'Autriche s'émut tout de bon, ainsi que Monsieur. On convoqua la reine d'Angleterre. Les deux coupables furent tancés d'importance. Ils résolurent de faire cesser « ce grand bruit » par n'importe quel moyen. Ils convinrent que le roi ferait l'amoureux de quelque belle personne de la cour et, d'un commun accord, comme en se jouant, choisirent Mlles de Chémerault et de Pons, filles de la reine, et Louise de La Vallière, qui appartenait à Madame.

Louise Françoise de La Baume Le Blanc de La Vallière avait environ seize ans. Elle appartenait à une famille tourangelle, plus riche de mérites que de terres. Elle avait grandi avec les filles de Gaston d'Orléans et venait, par faveur, d'entrer au service de Madame. Celle-ci n'avait point remarqué la grâce de sa demoiselle d'honneur.

Pons et Chémerault se dérobèrent. Restait Louise de La Vallière. Elle plut au roi, bien qu'elle ne marchât pas de bon air : ce qui signifie qu'elle boitait légèrement. Elle avait les yeux bleus, les cheveux d'un blond argenté (le XVIIᵉ siècle est celui des blondes aux yeux bleus !), une douceur inexprimable dans la voix, la sveltesse flexible d'un jeune arbre. Louis se mit donc à la courtiser, pour déjouer les soupçons de la cour. Mais, découvrant qu'il était aimé, il se prit à son propre piège et dut convenir qu'il aimait lui-même. Ce n'était point d'un amour véhément, passionné, cornélien comme celui de Marie Mancini, mais un sentiment d'extrême tendresse partagée. Ils ne se rencontraient point chez Madame ni dans la journée, mais au cours des promenades de nuit. Louis sortait de la calèche d'Henriette et montait dans celle de Louise. Il mimait les héros des romans à la mode, soupirait :

— Hélas ! Je parle en homme heureux, et peut-être ne le serai-je de ma vie.

— Je ne sais pas ce que vous serez, chuchotait Louise, mais je sais bien que, si le trouble de mon esprit continue, je ne serai guère heureuse.

Si la mélancolie du roi était de commande, celle de Louise était sincère. Elle avait le cœur et l'âme religieuse, et redoutait un avenir qu'elle ne se sentait pas le courage de repousser. Et comment l'eût-elle pu, sans appui, sans personne pour la conseiller, dans cette atmosphère de licence quasi païenne de Fontainebleau, par ce trop bel été ? On chantait les vers de Bensérade :

Sommes-nous pas trop heureux,
Belle Iris, que vous en semble ?
Nous voici tous deux ensemble,
Et nous nous parlons tous deux ;
La nuit de ses sombres voiles
Couvre nos désirs ardents,
Et l'amour et les étoiles
Sont nos secrets confidents.

Cela finit dans une mansarde obligeamment prêtée par le comte de Saint-Aignan, premier gentilhomme de la chambre. La reine mère apprit la liaison de son fils et de Louise. Elle reprocha à Madame de n'avoir pas surveillé celle-ci. Henriette prit assez mal les reproches de sa belle-mère ; elle était furieuse, non de l'infidélité du roi, mais de la faiblesse de Louise qu'elle avait cependant provoquée. Anne d'Autriche exhorta alors le roi à cacher sa passion à Marie-Thérèse qui méritait quelque ménagement en raison de son état. Il en convint volontiers, mais refusa de rompre avec Louise. Mais la liaison d'un prince peut-elle rester clandestine ? A quelque temps de là, le jeune Loménie de Brienne, ignorant la liaison du Maître, proposa ingénument à Louise de la faire peindre en Madeleine par un Vénitien de ses amis. Le roi assistait à l'entretien. Brienne, ne comprenant pas le trouble de Louise, crut adroit d'ajouter :

— Elle a aussi quelque chose des statues grecques qui me plaît fort...

Le roi lui tourna le dos et sortit promptement. Le soir, Brienne aperçut les deux amants dans l'embrasure d'une fenêtre. L'entretien semblait animé. Brienne s'approcha et demanda, avec toute la grâce dont il était capable, si Louise consentait à se faire peindre en Madeleine. Le roi rétorqua :

— Non, elle est trop jeune pour être peinte en pénitente ; il faut la peindre en Diane.

Brienne comprit sa méprise et ne dormit pas de la nuit. Le lendemain matin, il se présenta au roi, qui ferma la porte au verrou et lui demanda brusquement :

— L'aimez-vous, Brienne ?

— Qui, Sire ? Mademoiselle de La Vallière ?

— Oui, c'est elle dont j'entends parler.

Brienne, craignant pour son avenir, tenta de se justifier.

— Brienne, vous l'aimez ! Pourquoi mentez-vous ?

— Ah ! Sire, elle vous plaît encore plus qu'à moi, et vous l'aimez.

— Que je l'aime ou que je ne l'aime pas, laissez là son portrait, et vous me ferez plaisir.

Louise de La Vallière fut cependant peinte en Diane, mais le roi, par malice et peut-être pour donner le change, fit ajouter Brienne en Actéon. Dans le même temps, Louise fut également courtisée par le comte de Guiche, l'un des seigneurs les plus spirituels de la cour. Il s'effaça devant son rival couronné, mais pour prendre sa place auprès de Madame, dont il devint le chevalier servant !

Ce fut aussi l'époque où le trop subtil Foucquet crut adroit de s'acquérir la bienveillance de Louise en lui offrant de l'argent. Il devenait de plus en plus difficile au roi de dissimuler ses sentiments. Après s'être laissé aimer par Louise, à son tour il flambait. On s'aperçut de son impatience un jour où Monsieur, Madame (et par conséquent La Vallière) s'étaient rendus à Saint-Cloud. Le roi galopa de Fontainebleau à Vincennes, de là à Paris, puis à Saint-Cloud, pour revoir sa belle, ensuite à Versailles, pour revenir enfin à Fontainebleau, après avoir parcouru trente-sept lieues, en une seule journée, exploit incroyable !

On crut que la naissance du dauphin ramènerait Louis à son épouse. Pendant les jours qui précédèrent l'accouchement, il ne quitta point le chevet de Marie-Thérèse, l'entourant de prévenances attendrissantes. On sut qu'il s'était confessé et qu'il avait communié. Anne d'Autriche pensa que l'aventure avec La Vallière n'était qu'emportement de jeunesse et que Louis n'avait d'affection véritable que pour Marie-Thérèse ; elle se réjouissait un peu vite. Mais comment ne pas se méprendre sur les sentiments du roi ? Pendant tout « le travail » de la petite reine, il se tenait près d'elle et l'encourageait. La pauvrette, affolée de douleur, criait : « *Non quiero parir, quiero morir* » (Je ne demande pas à enfanter, mais à mourir). L'enfant vint au monde à midi et, selon l'usage, le roi le montra à la foule assemblée dans la cour de l'Ovale ! Bien plus il fit un pèlerinage d'action de grâces à Chartres. Sa piété édifia tout le royaume. Elle était trop ostentatoire pour ne pas être politique, et l'on sait ce qu'il faut penser de la religion de Louis, du moins à cette époque de sa vie.

De retour à Paris le 10 décembre, il laissa Marie-Thérèse au Louvre avec le poupon royal et s'en fut aux Tuileries où résidait Madame. Celle-ci étant malade, il lui fit une courte visite et se hâta de rejoindre sa bien-aimée en quelque chambre retirée. Louise était toujours demoiselle d'honneur de Madame, contrainte insupportable. Le roi, dont la passion grandissait chaque jour, lui ordonna de feindre la maladie, afin d'interrompre son service et de s'enfermer commodément dans sa chambre. Elle obéit, trop heureuse d'échapper aux regards narquois et aux propos acides des courtisans. Il faut croire pourtant que cette claustration lui pesait, car, malgré la défense du roi, elle recevait une amie, Mlle de Montalais, avec laquelle elle bavardait des heures entières. Ce fut l'occasion de la première brouille avec son amant. La cour était une maison de verre. Louis fut informé par de bonnes langues des visites de la Montalais, dont il redoutait l'esprit d'intrigue. Louise eut le tort de ne pas avouer sa faute. Il partit en claquant la porte. Elle se crut perdue et, comme une folle, marcha droit devant elle le long de la Seine, jusqu'au couvent des Visitandines de Chaillot. Les sœurs reçurent la pécheresse au parloir, et l'y laissèrent, à demi morte de fatigue et de chagrin. Ce qu'apprenant, Louis sauta à cheval et se présenta au couvent. Il n'accorda point tout de suite son pardon, mais obligea Louise à revenir. Une fois de plus elle obéit. Elle obéissait toujours, en femme profondément éprise. Cependant son âme restait inquiète, si son cœur se sentait comblé ! Elle avait conscience de sa faute. Mais Louis était trop jaloux pour concéder la moindre parcelle de l'amour de Louise, fût-ce à Dieu. Après la fugue au couvent de Chaillot et le demi-scandale qui en résulta, Madame fit quelque difficulté à la reprendre à son service, à la vérité pour piquer le roi qui fut obligé quasi de supplier sa belle-sœur. Par la suite, elle ne ménagea pas ses sarcasmes à la fugitive. D'ailleurs il n'était pas un courtisan qui comprît l'humilité de Louise. Elle était depuis huit mois la maîtresse en titre, et elle n'avait rien obtenu de la générosité royale, ni rien demandé. Ces seigneurs et ces dames, chatoyants et corrompus, ne pouvaient admettre qu'elle ne songeât « qu'à être aimée du roi et à l'aimer ».

La comtesse de Soissons (Olympe Mancini), qui avait eu naguère des bontés pour le roi, se prit à haïr cette petite La Vallière et résolut de la perdre. Elle décida d'envoyer une lettre anonyme à la reine Marie-Thérèse qui ignorait la liaison de son époux. Le marquis de Vardes en rédigea le texte et le comte de Guiche traduisit. La lettre parvint entre les mains d'une suivante de la reine, dona Molina. Celle-ci, en femme avisée, redouta quelque malheur et prit connaissance de la lettre. Elle la porta aussitôt à Anne d'Autriche, qui la remit au roi dont on imagine la fureur. Cependant la comtesse de Soissons ne se tint pas pour battue ; elle usa d'un autre stratagème. Elle poussa dans les bras de Louis Anne-Lucie de la Motte-Houdancourt. Cette petite demoiselle d'honneur (elle avait à peine quinze ans !) gîtait au château de Saint-Germain, sous la houlette de Mme de Navailles. Celle-ci veillait scrupuleusement sur la vertu de ses filles ; elle essaya d'empêcher le roi de rencontrer Anne-Lucie. N'importe ! Louis n'hésita pas à jouer les personnages de comédie, ou de roman, grimpant hardiment sur les toits et courant sur les gouttières pour atteindre la mansarde de sa belle. Peine perdue, car Anne-Lucie exigeait le renvoi préalable de Louise de La Vallière. Mais c'était la comtesse de Soissons qui se chargeait d'écrire les lettres au roi et qui, par personne interposée, demandait le renvoi de Louise. Le secret fut percé. La reine-mère qui, tous comptes faits, préférait la discrétion de La Vallière, parla au roi et c'en fut fini d'Anne-Lucie.

Louise put sécher ses larmes. Il n'y eut pas de jour qu'elle ne reçut la visite de Louis. Bien plus, celui-ci s'éprit de Ver-

sailles, le pavillon de chasse de son père. Il s'y rendait de plus
en plus fréquemment, en compagnie de Louise et de quelques
familiers, vêtue comme lui d'une casaque de moire bleue brodée
d'or et d'argent. C'est ici l'origine des justaucorps à brevet dont
parle Saint-Simon ! Il n'empêche que le roi fut reconnu, puisqu'on lit sous la plume de Gui Patin : « Le roi va souvent à
Versailles ; on dit qu'il y a quelque chose encore de plus doux
qui l'y fait faire le voyage. »

Lorsque les deux amants ne pouvaient se rencontrer, ils
s'écrivaient souvent en vers. Il arrivait que, faute de temps, le
roi chargea Dangeau d'écrire le brouillon de ses billets. Louise
faisait de même, en sorte que le complaisant marquis écrivait
au nom de son maître :

> Qui les saura, mes secrètes amours ?
> Je me ris des soupçons, je me ris des discours.
> Quoique l'on parle et que l'on cause,
> Nul ne les saura, mes secrètes amours,
> Que celle qui les cause.

Il se répondait, au nom de La Vallière :

> Sire le Roi qui commandez en France
> Et qui réglez la Cour
> Faites des lois contre la médisance
> En faveur de l'amour....

Le roi n'osait encore publier sa liaison. En janvier 1663, il
dansa pourtant le ballet des Arts avec Louise travestie en ber-
gère. Et, finement, l'auteur du livret, Bensérade, lui faisait
réciter :

> Non, sans doute, il n'est point de bergère plus belle.
> Pour elle cependant qui s'ose déclarer ?

Peut-être Louis voulait-il ménager la reine, mais il perdait sa
peine. Un soir que Louise traversait les appartements royaux,
on entendit Marie-Thérèse dire : « *Esta donzella, con las ma-
cadas de diamante, es esta que el Requiere.* » (Cette fille aux
pendants d'oreille en diamants est celle qu'aime le Roi.) Des
scènes éclatèrent entre l'épouse éplorée et son inflexible époux.
Tout ce que Marie-Thérèse obtint, selon Mme de Motteville, fut
que le roi, au lieu de lui dire qu'il venait de chez Madame, lui
avouât « librement qu'il avait été ailleurs ». Une fois de plus,
Olympe Mancini (comtesse de Soissons) avait essayé de perdre

La Vallière en dénonçant directement à la reine sa liaison avec le roi. Elle ignorait que Louise était enceinte.

Pendant deux mois, le roi fut en campagne et, par l'intermédiaire de Colbert, il ne cessa de correspondre avec sa maîtresse. A son retour, il la délivra du service de Madame et lui offrit « le palais Brion », qui était une petite folie bâtie dans le jardin du Palais-Royal. Louise prenait désormais, contre son gré, rang de favorite. Mais pour quelle amère destinée ?

VI

LE SOLEIL

Le 5 juin 1662 eut lieu l'éblouissante fête du Carrousel, qui dans l'esprit de Louis XIV, devait effacer jusqu'au souvenir du Carrousel donné en 1612 pour célébrer le mariage de sa mère et de Louis XIII. Ce fut un déploiement de magnificence sans précédent, et qui attira à Paris une foule de provinciaux et d'étrangers. Le roi faisait ainsi servir ses plaisirs à son prestige, ce qui devint chez lui une règle de vie. Ce carrousel était composé de cinq quadrilles représentant cinq nations : la romaine, la persane, la turque, l'indienne et l'américaine, conduits respectivement par le roi, Monsieur, le prince de Condé, son fils le duc d'Enghien, et le duc de Guise. Jamais Louis ne parut plus beau ni plus grand à ses peuples. Il était vêtu en empereur romain (tel qu'on le concevait au XVII° siècle !), d'un corps de brocart d'argent rebrodé d'or, avec des diamants enchâssés dans la broderie. Quarante-quatre roses de diamants, jointes par des agrafes de diamants, formaient la gorgerette de cette singulière fausse cuirasse, que traversaient trois larges bandes de cent vingt roses. Les épaulettes étincelaient pareillement ! Le casque était d'argent à feuillage d'or, piqueté lui aussi de pierres précieuses et surmonté d'une crête de plumes couleur de feu. Les bottines étaient de brocart d'argent, rebrodé d'or, assorties au justaucorps. Une telle profusion de diamants décorait le glaive que l'on distinguait à peine l'or dans lequel ils étaient sertis. Le cheval était un isabelle doré, empanaché de plumes analogues à celles du roi et constellé de diamants. Il faut dire que les travestissements — pareillement fantaisistes — des autres chefs de quadrille étaient à peine moins luxueux. Le thème du Carrousel était celui-ci : les empereurs des cinq parties du monde se réunissaient autour du petit dauphin pour lui rendre hommage et le reconnaître ainsi pour roi universel, pas moins ! Son père se contentant de paraître en empereur de Rome, c'est-à-dire en successeur de Charlemagne, donc maître de l'Europe. Aperçoit-on l'intention ?

Ce fut au cours de cette mémorable fête — qui ne fut pas la plus belle du règne, sauf à Paris — que Louis adopta le soleil pour emblême. Il s'en explique, dans ses Mémoires, avec ce sérieux imperturbable qui le caractérise :

« Ce fut là que je commençais à prendre les devises que j'ai gardées depuis, et que vous voyez en tant de lieux. Je crus que, sans s'arrêter à quelque chose de particulier et de moindre, elles devaient représenter en sorte les devoirs d'un prince, et m'exciter éternellement moi-même à les remplir. On choisit pour corps le soleil qui, dans les règles de cet art, est le plus noble de tous et qui, par la QUALITE D'UNIQUE, par l'éclat qui l'environne, par la lumière qu'il communique aux autres astres qui lui composent comme une espèce de cour, par le partage égal et juste qu'il fait de cette même lumière à tous les divers climats du monde, par le bien qu'il fait en tous lieux produisant sans cesse de tous côtés la vie, la joie et l'action, par son mouvement sans relâche, où il paraît néanmoins tranquille par cette course constante et invariable, dont il ne s'écarte et ne se détourne jamais, est assurément la plus belle et la plus vive image d'un grand monarque.

« Ceux qui me voyaient gouverner avec assez de facilité et sans être embarrassé de rien dans ce nombre de soins que la royauté exige, me persuadèrent d'ajouter le globe de la terre et pour âme (devise) *Nec pluribus impar*, par où ils entendaient, ce qui flattait agréablement l'ambition d'un jeune roi, que, suffisant seul à tant de choses, je suffirais sans doute encore à gouverner d'autres empires comme le soleil à éclairer d'autres mondes. »

Il y a dans ces lignes un merveilleux paysage psychique, à la fois l'orgueil et l'ambition la plus démesurée, la soif de louanges et le désir de bien faire, et le comble de la vanité, alors qu'il saura si bien tirer parti de celle des courtisans en dosant et en nuançant ses faveurs et qu'il vendra, fort cher, le privilège de le voir sur sa chaise percée ! Mais il incarnait à la perfection ce dix-septième siècle dont les mouvements et les écrits laissent une trompeuse impression d'harmonie, c'est-à-dire de solidité et d'équilibre. Ce fut en réalité, une époque violemment contrastée, où les ténèbres le disputent à la lumière, brillante, superbe et douloureuse, car le soleil n'y distribuait certes pas ses clartés à parts égales. Dans le même temps que les beaux cavaliers des quadrilles défilaient devant les Parisiens, il faut savoir que, dans la plupart des provinces, les plus pauvres mouraient de faim. La récolte catastrophique de 1661 avait provoqué, après épuisement des réserves de blé, un véritable marché noir et, par suite, la disette engendrant les épidémies consécutives à la dénutrition ou à la malnutrition. Il faut souligner qu'à cette époque il n'existait aucune solidarité entre les provinces les plus démunies et celles qui étaient épargnées ! Et reconnaître que Louis XIV essaya, par des achats massifs à l'étranger, de nourrir les plus déshérités, du moins à Paris : mais, ailleurs, si les intermédiaires habituels s'enrichirent, la misère ne fut guère allégée. Cependant il y avait là l'ébauche timide d'une sorte de planning, un appel à la solidarité nationale, méritant d'être signalé en dépit de la médiocrité de ses résultats.

Avers et revers de ce règne, indissociables et contradictoires, perpétuel contrepoint entre le dedans et le dehors, les fêtes somptueuses et le labeur quotidien de Louis ! Car, si l'on regarde la liste des ballets dansés à la cour, des banquets, des bals, des chasses, des déplacements d'un château à l'autre, si l'on y ajoute les rendez-vous galants, on est porté à croire que le rôle du roi n'était que de représentation. Or son emploi du temps est connu, consigné, confirmé, jour par jour et quasi heure par heure : il démontre que les plaisirs ne nuisaient en rien à l'application méthodique du monarque. Les trois ministres, leur équipe de secrétaires d'Etat, de conseillers d'Etat et de maîtres des requêtes, abattaient, certes, un travail considérable. Cependant on ne doit pas oublier que chaque question était examinée dans l'un des conseils effectivement présidés par le roi et que ce dernier prenait la décision finale. Il suffit de considérer les réalisations des premières années du règne pour se faire une opinion des activités de Louis et de ses collaborateurs. Or il n'avait pas trente ans ! Sa jeunesse, son excédent de vitalité, il les donnait au plaisir : en cela il avait son âge ; mais c'était un esprit d'homme mûr, d'un politique profond, qui habitait ce corps infatigable.

Entrons dans le détail, ne serait-ce que pour corroborer cette assertion.

La chute de Foucquet ne pouvait se justifier que par la liquidation de son système. On a vu que, dans un premier temps, la pénurie du Trésor avait obligé le roi à contracter de nouveaux emprunts auprès des banquiers. On ne pouvait en effet, malgré l'ingéniosité de Colbert, trouver de solution-miracle, ni changer en un jour des pratiques séculaires. L'irritation publique était à son comble contre les traitants, depuis l'arrestation du surintendant dont on avait habilement publié les malversations. Le peuple exigeait que l'on fît rendre gorge à ces financiers qui, selon Louis XIV, « d'un côté couvraient leurs malversations par toutes sortes d'artifices, et les découvraient de l'autre par un luxe insolent et audacieux ». On institua donc, en novembre 1661, une chambre extraordinaire de justice présidée par Lamoignon. Cette chambre fut chargée d'enquêter sur les opérations financières, les fraudes et les abus commis depuis 1635. Elle devait passer au crible les registres de tous les traitants, de tous les officiers de finances, mêlés de près ou de loin à ce qu'on appelait « affaires extraordinaires ». Bien plus, des édits royaux, clamés à son de trompe et des monitoires lus dans les églises invitaient à la délation. Que s'agissait-il de vérifier ? Les acquisitions de billets et de titres de rentes, en séparant les créances valides de celles qui ne l'étaient pas et en taxant les délinquants. Une telle procédure n'allait pas sans risques, quelle que fût l'intégrité des magistrats. Elle présentait surtout l'inconvénient grave de confondre les rentiers de l'Etat et les trafiquants. Lorsque Mazarin avait cru devoir retrancher sur les rentes, l'opinion s'était déchaînée contre lui. Mais, en 1661, on estima que l'autorité royale était assez affirmée pour ne pas craindre une nouvelle Fronde et pour passer outre aux récriminations : l'intérêt public devait primer les intérêts privés. La chambre extraordinaire poursuivit ses travaux jusqu'en 1665. Le résultat de l'opération fut le remboursement d'une partie des rentes à leur prix d'achat, en tenant compte des arrérages, la suppression d'une infinité de titres frauduleux, d'aliénations domaniales, de pensions d'assignations, de traités, parmi lesquels le rachat des droits d'octroi par certaines villes. La taxation des traitants produisit cent dix millions. Il y eut quelques condamnations à mort, mais qui ne reçurent pas de suite, les coupables ayant pris la fuite.

Simultanément, à l'instigation de Colbert, on s'attela à la réforme de l'administration fiscale, dont le mécanisme fut simplifié et amélioré. Les emplois inutiles furent supprimés, ainsi que les survivances. Toutes les règles de comptabilité furent révisées et les agents eurent obligation de tenir leurs registres à jour. On diminua de même les frais de recouvrement des impôts. Les receveurs généraux furent tenus de faire des avances régulières, dont le taux fut uniformément fixé. On abolit les arriérés de la taille ; on diminua en outre le montant de celle-ci en taxant, il est vrai, les produits de consommation pour compenser.

Louis, comme on l'a noté plus haut, consentit à diminuer les ordonnances de comptant. A la fin de chaque mois, Colbert lui présentait les comptes du Trésor en recettes et en dépenses. Les départements ministériels commencèrent à avoir leur propre budget.

Cet ensemble se traduisit par un excédent de recettes sur l'exercice de 1662. Depuis Henri IV, un tel événement ne s'était pas produit, la monarchie n'ayant pas cessé de vivre au-dessus de ses moyens !

Colbert n'était pas plus un génie de la Finance que Sully ne l'avait été en son temps. Ils avaient l'un et l'autre quelques idées saines et simples. Le mérite du second était d'attaquer le mal à sa racine. En réduisant le taux d'intérêt de la rente et en réaménageant la fiscalité, il permettait à l'Etat de vivre sur ses ressources ordinaires, sans recourir aux « affaires extraordinaires ».

Sur cette lancée, on amorça des opérations similaires quant aux budgets des villes, où l'on constatait le même endettement et les mêmes abus. Cependant l'opération avança moins vite, car elle se heurtait aux particularismes locaux, voire à la mauvaise volonté déguisée en inertie de certains Etats provinciaux.

On procéda également, dès 1662, à la recherche systématique des domaines de la Couronne qui avaient été usurpés et à une enquête sur l'état des forêts royales. Il en résulta notamment la célèbre ordonnance des Eaux et Forêts promulguée en 1669, et dont nos textes modernes continuent, pour une large part, à s'inspirer.

A partir de 1664, on entama la révision des titres de noblesse. Nombre de lettres d'anoblissement avaient naguère été vendues ; des titres avaient été usurpés à la faveur des guerres civiles et étrangères. Ce n'était point que la condition de la petite noblesse fût alors tellement enviable, contrairement aux idées reçues. Cependant nobles authentiques et prétendus nobles continuaient à jouir d'une sorte de considération instinctive, à la vérité fort singulière de la part d'un peuple tellement individualiste et épris de liberté ! Cette révision produisit deux millions d'amendes, indépendamment de la plus-value obtenue sur la taille.

Les intendants, dont Mazarin avait naguère accepté la suppression, furent rétablis. Ils reçurent des pouvoirs étendus. On les choisissait parmi les maîtres des requêtes les plus compétents. Représentants du pouvoir central, ne relevant que du roi, ils avaient à connaître de la perception et de l'assiette de l'impôt, de l'emploi des fonds, des affaires militaires de leur ressort (garnison, solde, mouvement de troupes), de la police locale, de la justice et des travaux publics. A partir de 1663, on leur confia une vaste enquête statistique sur la population et les ressources du royaume. On le constate, leur mission était vaste. Dans l'esprit de Louis XIV et de Colbert, elle visait, essentiellement, à mettre fin aux exactions et aux abus des gouverneurs militaires, des magistrats locaux et autres « officiers », aux justices seigneuriales, bref à supprimer les particularismes au profit du pouvoir central. Enfin, comme les préfets, les intendants étaient des informateurs dont, au besoin, Colbert savait stimuler le zèle. Cependant est-il besoin d'ajouter que l'on ne parvint jamais à déraciner entièrement les libertés, exemptions et privilèges locaux ?

Naguère, Richelieu avait compris l'importance du commerce maritime et d'une flotte de guerre pour protéger les vaisseaux marchands. Il avait également fondé la compagnie des îles d'Amérique et celle des Indes orientales. L'entreprise avait échoué par suite de l'indifférence des Français pour la marine et les possessions d'Outre-Mer. En 1664, on reprit le projet du grand cardinal et l'on fonda une nouvelle compagnie des Indes occidentales, mais l'on se heurta à la même indifférence du public. En vue de faciliter le commerce avec l'étranger, on supprima une multitude de taxes pour les remplacer par un tarif unique, annexé à l'édit (de 1664) codifiant le système douanier. On réorganisa le conseil supérieur du commerce, créé par Henri IV mais ne se réunissant plus depuis longtemps. On commença l'aménagement des voies fluviales sur une grande échelle : amélioration des canaux du nord, projet de canal entre Saône et Loire, premiers travaux du canal du Languedoc, projet de canal à Paimbœuf, etc... On accorda des subventions aux armateurs et constructeurs de navires et l'on facilita la naturalisation de matelots et de commerçants étrangers. On amorça la réorganisation de nos consulats afin d'assurer la protection de nos ressortissants et de notre commerce.

L'idée-force de Colbert était de réduire au maximum les importations, de se passer de l'étranger « pour les choses nécessaires à l'usage et à la commodité des Français », tout en développant le commerce extérieur, afin de « conserver l'argent dans le royaume ». Louis XIV partageait ces vues, et d'autant que son ministre ne faisait que reprendre l'idée d'Henri IV-Sully sur le

développement de nos manufactures. Des facilités exception-
nelles et des subventions furent accordées aux chefs d'entreprise. En six ans (de 1664 à 1669) un nombre considérable
d'ateliers et d'établissements virent le jour : fonderies, aciéries,
toileries (pour la marine), filatures de toutes sortes, savonneries,
cristalleries, verreries, fabriques de dentelles, etc... Mais ce réel
et rapide essor industriel s'accompagna d'un dirigisme sour-
cilleux, d'un faisceau de règlements quasi dictatoriaux, géné-
rateurs d'abus et de fraudes. Le moins que l'on puisse dire est
que le milieu ouvrier, s'il bénéficia d'un travail régulier, subit
un supplément de contraintes : recrutement forcé, horaires
exténuants sans augmentation de salaire.

On voulut aussi réformer la justice. Le souvenir de la Fronde
inclinait le roi à supprimer la vénalité des charges. Mais il eût
fallu en rembourser le montant ! On se contenta de les tarifer
en fixant un maximum. Même attitude assez menaçante, et
pour les mêmes raisons, envers les Parlements, en particulier
celui de Paris. En 1665, on changea leur dénomination de cours
souveraines en cours supérieures, ce qui était apparemment bien
modeste, mais lourd de signification quant à l'avenir. D'autant
que l'on étudiait la refonte totale de notre législation, afin de
substituer l'unité à la variété. Il en sortit, en 1667, la grande
ordonnance civile connue sous le nom de Code Louis, qui fut
suivie, en 1670, de l'ordonnance criminelle, en 1673 de l'ordonnance de commerce. Sans doute fut-il impossible, en dépit de
la volonté du roi et de celle de Colbert, d'abolir entièrement les
coutumes. Il faudra plus d'un siècle pour y parvenir et le Code
Napoléon pour donner une seule loi aux Français !

On le voit, les années qui succédèrent à la prise de pouvoir
par Louis XIV, furent bien remplies en ce qui concerne la
politique intérieure ; le programme que Louis XIV s'était fixé,
en partie suivant les conseils de Mazarin, avait été respecté. La
réforme de l'administration répondait à l'ambition de ce monarque et à son goût novateur. On peut soutenir qu'elle était
l'instrument nécessaire à une monarchie absolue. Mais, tout
aussi bien et sans doute, avec plus de pertinence, peut-on soutenir que cette administration et ces premières grandes codi-
fications étaient celles d'un Etat déjà moderne ! Les Jacobins
de l'An II, le Bonaparte du Consulat ne feront pas autre chose
que de perfectionner et d'étendre ce système qui, par bien des
aspects, survit encore de nos jours, apparent ou sous-jacent.

Louis XIV était donc à la fois le metteur en scène des jeux
du Carrousel et des Plaisirs de l'Ile Enchantée, et le promoteur
actif, attentif et impatient de ce train de réformes. Une sorte
de roi-Protée....

VII

LA GUERRE DE DÉVOLUTION

Mazarin continuait d'inspirer notre politique extérieure. Aux yeux de Louis XIV, l'empereur, très affaibli par la ligue du Rhin, n'était pas à craindre. Par contre, en dépit du traité des Pyrénées et du mariage avec l'infante Marie-Thérèse, l'Espagne restait l'ennemie. La dot de l'Infante n'ayant pas été versée, Louis demanda que les droits de son épouse à l'héritage de Philippe IV lui fussent restitués. L'Espagne refusa, bien qu'elle fût incapable d'acquitter sa dette envers la France. Ses ressources s'épuisaient. Elle devait entretenir une armée dans les Pays-Bas et, simultanément, soutenir une lutte sans merci contre les Portugais révoltés. Louis XIV continua son aide aux rebelles. Il facilita même, pour accroître l'embarras de son beau-père, le mariage du roi d'Angleterre, Charles II, avec une princesse de Bragance, laquelle reçut en dot la place de Tanger. Charles II était à la fois prodigue et besogneux, en butte à la méfiance de son Parlement. Pour tout dire, il était constamment à court d'argent, ce que Louis XIV n'ignorait pas. Il était en particulier obligé de solder les garnisons occupant Dunkerque et Mardyck, et désormais Tanger. Louis proposa de racheter Mardyck et

Dunkerque pour quatre millions. L'offre fut si promptement acceptée qu'en vrai maquignon il obtint un rabais de cinq cent mille livres ! Cromwell dut se retourner dans sa tombe. L'acquisition de ces deux villes était un premier pas. Le roi guignait les provinces « belges ». Déjà résolu à soutenir, au besoin par les armes, les droits de Marie-Thérèse, il ne savait encore s'il s'emparerait de la totalité des Pays-Bas espagnols pour en rétrocéder ensuite une partie à la Hollande, ou s'il se rendrait seulement maître des places-frontières, en érigeant les provinces belges en république placée sous le contrôle français.

Des négociations secrètes s'ouvrirent avec les Hollandais, mais deux factions divisaient ce petit peuple, l'une prétendant restaurer le stathoudérat des Orange, l'autre soutenant le Pensionnaire Jean de Witt. De façon générale, les Hollandais étaient hostiles au voisinage d'une république aux ordres du roi de France. Par ailleurs leur flotte commerciale était alors la plus puissante d'Europe, où elle exerçait une sorte de monopole du fret. Colbert était pour sa part décidé à abattre cette concurrence. On ne pouvait donc s'entendre et Louis XIV n'insista pas, mais il conçut, dès ce moment, une sorte de haine méprisante à l'encontre de Jean de Witt et de ses marchands.

Toutefois il agissait encore avec une prudence de loup, bien qu'il fût impatient d'utiliser la belle armée que Le Tellier et Louvois lui mettaient sur pied, et d'acquérir la gloire des armes (sans laquelle un prince est dédaigné par la postérité). Toutefois ses « coups de maître » destinés à le faire connaître et à asseoir son prestige devenaient de plus en plus menaçants. Le 20 août 1662, éclata une misérable bagarre entre les valets de Créqui, notre ambassadeur, et la garde corse du pape. Louis XIV exigea une réparation immédiate. La Curie atermoya, selon son habitude. Le roi fit expulser le nonce apostolique et expédia des troupes en Italie. Le pape Alexandre VI capitula. Il envoya un légat porter ses excuses à Fontainebleau et licencia sa garde corse. En outre un monument expiatoire (une pyramide) fut élevé sur les lieux mêmes de la bagarre.

L'année suivante, le duc de Lorraine recommença à s'agiter, au mépris de ses engagements, le roi s'en fut à la tête d'une armée occuper Marsal. Le duc s'empressa de confirmer l'union de la Lorraine à la France, sous condition que les siens aient rang de princes du sang, simple satisfaction d'amour-propre. Dans le même temps, Lionne et ses diplomates s'employaient à endormir la méfiance des Etats voisins. Cependant le roi permettait au maréchal de Schomberg et à un corps expéditionnaire de débarquer au Portugal.

On revint ensuite à l'affaire espagnole, pivot de notre politique extérieure dans cette partie du règne. N'ayant pu obtenir l'accord des Provinces-Unies sur le partage des Pays-Bas, bien que les Hollandais fussent nos alliés, Louis XIV, invoquant à nouveau le non-paiement de la dot de son épouse, demanda carrément à Philippe IV de reconnaître le « droit de dévolution » de celle-ci. Qu'était-ce que ce droit ? et quel était son champ d'application ? A la vérité il se limitait au seul Brabant et ne s'appliquait qu'aux simples particuliers, non pas aux princes. Il disposait que les enfants d'un premier lit héritaient de préférence à ceux du second. En foi de quoi, Louis XIV réclamait cette province et ses territoires annexes, du chef de Marie-Thérèse, à la mort de Philippe IV. Les juristes des deux pays disputèrent à l'envi sur cet hypothétique droit, sans conclure !

Atteint d'une anémie pernicieuse et se sentant près de la mort, Philippe IV ordonna dans son testament de verser les 500 000 écus d'or dus à la France, afin d'aplanir le différend. En contre-partie, il confirma la renonciation de la reine de France à tous ses droits sur les possessions espagnoles. Laissant pour héritier un enfant de quatre ans, tard venu et débile, il décida qu'en cas de disparition de ce dernier, le trône passerait à l'Infante Mar-guerite, pour l'heure âgée de quatorze ans, mais déjà fiancée à l'empereur Léopold ! Il mourut le 17 septembre 1665 ,précédant de peu sa sœur Anne d'Autriche, laquelle, atteinte d'un cancer, s'éteignit le 20 janvier 1666.

Il faut lire, dans les mémoires de Mme de Motteville, le récit de la longue et pieuse agonie d'Anne d'Autriche ; ce qu'elle dit du comportement exemplaire de Louis et de son chagrin. Ne retenons que ce bref passage ; il présente le double intérêt de montrer la sollicitude du roi et les sentiments d'admiration que sa personne inspirait alors aux gens de cour : « Le roi la veilla plusieurs nuits de celles où l'on craignait que ces accès ne fussent les plus violents. Il se faisait apporter un matelas qu'il faisait mettre à terre sur le tapis de pied du lit de cette prin-cesse, et tout habillé se couchait quelquefois dessus. J'en ai passé une de celles-là auprès de lui et de la reine sa mère ; et l'ayant longtemps regardé dormir, j'admirai la tendresse de son cœur, avec tant de grandes qualités qui ne se rencontrent guère souvent avec tant de bonté ; et, malgré ma tristesse et l'inquié-tude que j'avais, il me souvint en le voyant de ces héros que les romans représentent couchés dans un bois ou sur le bord de la mer. »

Or, tant que sa mère avait vécu et bien que son influence politique fût très diminuée, elle s'était efforcée de maintenir la paix entre l'Espagne et la France. Par respect envers elle (mais aussi parce qu'il tâtait le terrain), Louis était resté sur le *statu quo ante*. Anne d'Autriche disparue, qui lui rappelait sans cesse le traité des Pyrénées, il se sentait les mains libres. Quant aux avis de l'insignifiante et docile Marie-Thérèse, il n'en avait cure. L'Espagne était alors gouvernée par une régente étrangère, Marie-Anne d'Autriche, situation que la France n'avait que trop éprouvée ! Mais la différence entre les deux pays tenait à l'exténuation de l'Espagne, incapable de rétablir ses finances et par conséquent de reconstituer son armée. Elle achevait même de se ruiner en luttant contre les rebelles portugais. Où était la terrible puissance de Charles Quint et de Philippe II ? Il n'en subsistait que la façade : ces possessions immenses et dispersées qu'elle était bien incapable de maintenir sous son joug. L'empire espagnol mourait de son gigantisme ! Cependant Louis XIV contenait son impatience ; il estimait habile de différer. A quoi l'on peut objecter qu'il suivait probablement les conseils de Lionne. Il n'écoutait en réalité que les avis conformes à sa volonté, du moins sur les grandes choses. S'il laissait volontiers Colbert prendre des initiatives, il était le maître absolu de sa politique étrangère, non sans profiter il est vrai de l'expérience et de la sagacité de Lionne. En fin de compte, il assumait pleinement la fonction royale, en orientant et en coordonnant les démarches de ses diplomates, les travaux de Le Tellier et de son fils Louvois.

Le plan d'invasion de la Flandre était d'ores et déjà fixé, lorsqu'une guerre maritime éclata entre l'Angleterre et la Hollande. La cause de ce conflit tenait à la rivalité commerciale entre les deux nations, les Hollandais razziant le fret jusque dans les ports anglais. Elle tenait aussi au fait que Charles II soutenait son neveu Guillaume d'Orange contre le Pensionnaire Jean de Witt et la faction républicaine. Les Hollandais, prenant prétexte d'une querelle entre leurs navires et des navires anglais sur la côte d'Afrique, se prétendirent attaqués. Ils sollicitèrent l'appui de Louis XIV, puisqu'ils étaient nos alliés. Mais Jean de Witt avait irrité le roi dans les circonstances que l'on a dites. De plus, celui-ci n'était point chaud de combattre Charles II, alors que l'Espagne aux abois sollicitait son alliance. Louis XIV, exactement renseigné sur les dispositions des républicains hollandais à son égard, se dit qu'il avait intérêt à laisser les deux meilleures marines d'Europe s'entrebattre. Il proposa donc sa médiation, sachant parfaitement qu'elle serait refusée, mais c'était un moyen de gagner du temps. Sur ces entrefaites, un reître allemand, l'évêque de Münster, se mit en devoir d'attaquer la Hollande par la terre : peut-être Charles II l'avait-il soudoyé. Louis XIV envoya un corps de troupe qui permit aux Hollandais de repousser l'évêque. Les Etats Généraux crurent alors que

la France entrait en lice. Louis ne voulait ni décevoir entièrement les Hollandais, ni se mettre les Anglais à dos. Il promit le
concours de notre flotte, mais celle-ci, commandée par le duc
de Beaufort, ne sortit pas de la Manche, laissant les vaisseaux
anglo-hollandais se livrer quatre grosses batailles sans résultat
positif. Au début de 1667, la Suède offrit sa médiation, chaleureusement appuyée par la France. On convint de se rencontrer
à Bréda. Les flottes belligérantes avaient subi des pertes énormes. Si les Hollandais avaient pu, par un coup d'audace, remonter la Tamise jusqu'à Chatham, ils auraient encore plus souffert
que les Anglais. Inversement, la peste décimait l'Angleterre. Les
deux adversaires n'avaient d'autre issue que de traiter. La paix
fut signée le 31 juillet.

Mais Louis XIV n'avait pas attendu la fin des négociations
pour agir. Il avait adressé aux souverains européens un manifeste
pour justifier ses prétentions : la régente d'Espagne les ayant
rejetées, il se donnait le droit d'occuper les territoires dont la
reine Marie-Thérèse aurait dû hériter, à savoir : le duché de
Brabant, le marquisat d'Anvers et le Limbourg, les comtés
d'Artois et de Namur, le duché de Cambrai, le Hainaut, une
partie de la Franche-Comté et du Luxembourg ! L'émotion fut
extrême et générale. Les Etats s'étaient endormis dans une
fausse sécurité ; ils avaient presque tous réduit leurs forces
militaires. Depuis 1661, Louis XIV entretenait plus de cent mille
hommes, tenus en haleine par de fréquentes manœuvres et par
des inspections périodiques. Il disposait d'une bonne artillerie
et de magasins échelonnés sur la frontière du nord.

Le marquis de Castel-Rodrigo, qui gouvernait les Pays-Bas
espagnols, ne comptait guère que vingt mille hommes, mal
approvisionnés par suite de la disette d'argent. Il ne fut pas
sans remarquer la concentration des troupes françaises, mais
sollicita vainement des renforts : Madrid ne voulait pas croire
à une attaque de Louis XIV.

Ce dernier divisa son armée en trois corps : le principal
(35 000 hommes) fut commandé par Turenne ; les deux autres
par le maréchal d'Aumont qui devait progresser en Flandre
maritime et par Créqui qui devait barrer les routes d'Allemagne.
Le 24 mai, Turenne s'empara d'Armentières. Le 2 juin, il entra
sans combat à Charleroi que Castel-Rodrigo avait renoncé à
défendre. Tournai et Douai eurent le même sort, cependant que
le maréchal d'Aumont prenait Bergues et Furnes. Le roi, qui
avait accompagné un moment l'armée de Turenne, partit pour
Amiens y recevoir la reine et la cour (que suivait évidemment
Louise de La Vallière !). Il prétendait montrer ses conquêtes à
Marie-Thérèse et aux dames. A la vérité, ce n'était pas une cam-

pagne, c'était une parade militaire. « Tout ce que vous avez vu de la magnificence de Salomon, écrivait Coligny à son ami Bussy-Rabutin, et de la grandeur du roi de Perse, n'est pas comparable à la pompe qui accompagnait le roi dans son voyage. On ne voit passer par les rues que panaches, qu'habits dorés, que chariots, que mulets splendidement harnachés... »

On assiégea Lille qui se rendit au bout de neuf jours, le 27 août, bien que la cavalerie espagnole eût désespérément tenté de forcer le blocus. On projetait d'enlever Gand, mais le sage Turenne jugea la saison trop avancée et préféra fortifier les places que l'on avait conquises.

La parole était désormais aux diplomates, car, en prévision de la campagne suivante, il importait d'empêcher à tout prix que l'Europe ne se ressaisît et que l'Espagne ne parvînt à contracter d'utiles alliances. Elle avait accordé au Portugal une trêve de quarante ans, pour ne pas perdre la face, ce qui équivalait à reconnaître l'indépendance de cette nation. Elle avait de même conclu un traité de commerce avec l'Angleterre et ses agents attisaient la méfiance des Hollandais. Elle essayait surtout d'obtenir une intervention de l'empereur. L'Angleterre n'avait pas d'intérêt immédiat à entrer en conflit avec la France. L'empereur n'en avait pas encore les moyens. Quant à la Hollande, effrayée par les victoires françaises, elle émit néanmoins des prétentions inacceptables, notamment l'engagement de Louis XIV de renoncer à poursuivre la guerre. A demi rassurée, l'Espagne se décida à envoyer l'armée « du Portugal » pour couvrir les Pays-Bas.

La parade de Louis XIV stupéfia l'Europe. L'usage commandait alors de cesser les hostilités avant la mauvaise saison, et de prendre ses quartiers d'hiver jusqu'au printemps. Dès le mois de novembre 1667, le prince de Condé fut envoyé dans son gouvernement de Bourgogne sous couleur de présider les Etats de cette province, en réalité pour y organiser des cantonnements. Des agents secrets (c'étaient des officiers déguisés) sillonnèrent la Franche-Comté pour relever le plan des quatre principales places fortes : Besançon, Dôle, Gray et Salins. En janvier, dix-huit mille soldats se rassemblèrent sur les rives de la Saône. On répandit le bruit qu'ils seraient expédiés dans le midi, qu'on se proposait d'envahir la Catalogne. Campagne d'intoxication, agents secrets, tout cela vous a un avant-goût de guerre moderne !

Pour s'assurer la neutralité de l'empereur, Louis XIV lui avait proposé un partage amiable de l'empire espagnol, lui offrant la péninsule ibérique et les « Indes » et réclamant pour la France les Pays-Bas, la Franche-Comté, l'Italie ! Il n'obtint en définitive que les Pays-Bas, la Franche-Comté, Naples, la Sicile, la Navarre et diverses colonies espagnoles. Cet extraordinaire partage (un Yalta avant la lettre !) fut signé en février 1668. Il resta sans effet, mais Louis avait atteint son but, qui était de paralyser l'Allemagne.

La conquête de la Franche-Comté ne fut aussi qu'une promenade. Le 3 février 1668, Condé franchit la frontière, avec le duc de Luxembourg pour lieutenant. Le 6, Luxembourg entrait sans combat à Senlis. Le 7, Besançon ouvrait ses portes à Condé. Dôle offrit quelque résistance, mais capitula le 14 et Gray, le 19. Louis XIV vint en personne assister à la reddition de Gray. Il fit une entrée superbe, et assista au *Te Deum*. Il n'avait fallu qu'une douzaine de jours pour s'emparer de cette belle province, dotée d'excellentes fortifications. Louis XIV se révélait d'emblée l'égal des anciens empereurs de Rome ! Rien ne semblait pouvoir dès lors freiner son ambition. Jetant le masque et dévoilant l'envers de sa courtoisie, il écrivit cette insolente lettre-circulaire aux évêques et gouverneurs du royaume :

« Je me persuadai qu'allant en personne dans le comté de Bourgogne avec partie de mes troupes et la noblesse la plus qualifiée de mon royaume qui me suit ordinairement, je pourrais peut-être réveiller mes ennemis de la léthargie où il semble qu'ils étaient tombés pour ce qui regarde la paix, et les faire repentir, possible, par d'insignes marques, d'avoir refusé une suspension (1) qui aurait mis en pleine sûreté leurs plus importantes places pendant l'hiver. »

Ce triomphe un peu lourd n'eut pas les lendemains escomptés. Charles II n'avait aucune envie de voir son bon « frère » Louis s'installer dans les Pays-Bas. Les Hollandais étaient de plus en plus inquiets, pour le même motif. Charles II dépêcha le chevalier Temple auprès de Jean de Witt. L'Angleterre, la Hollande et la Suède signèrent une Triple Alliance défensive, visant à obliger l'Espagne et la France à traiter.

Louis XIV tenait prêtes trois armées plus nombreuses que l'année précédente. Il avait résolu d'achever la conquête des Pays-Bas, qui lui parut assurée. Pourtant il hésita devant la menace de la Triple Alliance et la raison finit par l'emporter sur l'ambition. Il consentit à négocier avec l'Espagne, mais avec l'arrière-pensée de dissoudre la coalition par ce moyen et de régler ultérieurement ses comptes, en particulier avec la Hollande. Ce qui ne l'empêche pas d'écrire dans ses Mémoires : « Rien ne me sembla plus nécessaire que de m'établir chez mes

---

1. Castel Rodrigo, le gouverneur espagnol, tablant sur la mauvaise saison, avait en effet refusé une suspension d'armes de trois mois.

plus petits voisins dans une estime de modération et de probité
qui pût adoucir en eux ces mouvements de frayeur que chacun
conçoit naturellement à l'aspect d'une trop grande puissance. »

La paix qui fut signée le 2 mai à Aix-la-Chapelle lui donnait,
conformément à l'accord anglo-hollandais, les villes que nous
avions prises : Bergues, Furnes, Armentières, Menin, Courtrai,
Lille, Douai, Tournai, Audenarde, Ath et Charleroi. Mais il dut
restituer la Franche-Comté à l'Espagne.

L'opinion française se récria. Elle accusa les ministres d'être
jaloux de Turenne et de Condé, reprocha au roi son amour des
plaisirs. Mais ce fut surtout contre les marchands de Hollande
qu'elle se déchaîna. Pour le roi ce n'était que partie remise,
première manche d'un combat dont il ne doutait pas de sortir
victorieux. Il maintint son armée sur pied de guerre et chargea
Vauban de fortifier les villes conquises.

VIII

LA MONTESPAN

« Jamais cour ne fut si galante que celle de Louis-le-Grand, écrit Bussy-Rabutin. Comme il était de complexion amoureuse, chacun se fit un devoir de suivre l'exemple de son Prince... Les femmes devinrent faciles. Mme de Montespan passait pour une des plus belles personnes du monde. Cependant elle avait encore plus d'agrément dans l'esprit que dans le visage. Mais toutes ces belles qualités étaient effacées par les défauts de l'âme, qui était accoutumée aux plus insignes fourberies, tellement que le vice ne lui coûtait plus rien. Mme de Montespan, qui n'avait souhaité d'être mariée que pour pouvoir prendre l'essor, ne fut pas plutôt à la cour qu'elle fit de grands desseins du cœur du roi. »

Ce portrait sans indulgence donne une assez bonne idée de la causticité des gens de cour. Il demande cependant quelques retouches.

Mme de Montespan était née le 5 octobre 1642, au château de Lussac. Son père, Gabriel de Rochechouart, duc de Mortemart, prince de Tonnay-Charente, seigneur de Vivonne et pair de France, avait été gentilhomme de la chambre et conseiller de Louis XIII. Son orgueilleuse maison avait pour devise : « Avant

que la mer fût au monde, Rochechouart portait les ondes. »
Sa mère, Diane de Granseigne, était dame d'honneur d'Anne
d'Autriche. Mme de Montespan avait reçu à son baptême le pré-
nom de Françoise ; elle s'était donné celui d'Athénaïs. On la
nommait, avant son mariage, Mlle de Tonnay-Charente. En 1663,
elle épousa le marquis de Montespan, son cadet d'un an. Il appartenait à la vieille Maison languedocienne des Pardeillan de
Gondrin. En dépit de leur généalogie brillante et de la richesse
de leurs familles respectives, les Montespan n'avaient à eux deux
que vingt mille livres de rente, le goût de la dépense et la passion
du jeu. Ils habitaient l'hôtel d'Antin, près de Saint-Sulpice, et
menaient grand train. Leur situation devint rapidement difficile,
bien qu'ils n'eussent que 150 000 livres de dettes, mais leur crédit
était fort mince ! Déjà l'on insinuait que la marquise accordait
ses faveurs à Péguillin (Puyguilhen, le futur Lauzun) et même
au frère du roi.

Etant dame du Palais, elle n'avait pas été sans remarquer que
la faveur de Louise de La Vallière décroissait. Mais le roi, bien
qu'il jetât des regards fort éloquents sur la princesse de Monaco
et quelques autres dames, était homme d'habitude. Ayant proclamé naguère sa liaison avec Louise, en offrant à celle-ci les
« Plaisirs de l'Ile enchantée », première grande fête de Versailles,
il n'était point disposé à changer de favorite. Pourtant les états
d'âme de Louise, ses plaintes, ses langueurs, le halo romanesque
dont elle s'entourait, commençaient à le lasser. Il était plein de
sève, il crevait de santé et voulait, exigeait, que l'on montrât en
toute circonstance alacrité et gaieté. Louise, fatiguée par ses
grossesses, humiliée par ses accouchements clandestins, obsédée
par son état de pécheresse, ne l'amusait plus. En outre, elle se
décharnait, alors que la mode était aux dames bien en chair,
sinon dodues, avec des appâts bien apparents ! La Montespan,
qui était une superbe cavale à crinière blonde et qui, par surcroît,
possédait l'esprit ironique des Mortemart, sans parler de leur
appétit de vivre, perçut fort bien la sorte d'intérêt que lui portait
le roi. Mais c'était une fine mouche, et une manœuvrière incomparable. Elle prit, froidement, la résolution de supplanter la
pauvre La Vallière. Pour ferrer le gros poisson, ne point le laisser
échapper, elle adopta l'attitude qui suit : en même temps qu'elle
édifiait la reine sur sa vertu et ses bons sentiments (en commu-
niant chaque semaine), elle s'ingéniait à devenir la très chère
amie de Louise de La Vallière. Aimée par l'innocente reine,
recherchée par Louis, elle voyait constamment le roi « qui n'était
pas insensible pour elle ». Il ne tarda pas à éprouver « quelque
chose de très tendre » pour la marquise. Il était ravi de la voir
tous les jours chez La Vallière. Et celle-ci se réjouissait des assi-

duités de sa nouvelle amie, imaginant dans sa candeur qu'elle lui devait les visites quotidiennes de son amant. Le reine Marie-Thérèse ignorait tout de ce manège, à vrai dire peu digne d'un souverain. Mais les courtisans, toujours à l'affût des nouvelles, colportaient déjà que le roi « songeait » à Mme de Montespan, dont on louait, à tout hasard, l'esprit et la beauté. Le roi déclarait alors à Louise, pour la rassurer :

— Regardez donc Mme de Montespan. Elle voudrait que je l'aimasse, mais je n'en ferai rien.

Il prétendait encore se gouverner, mais pouvait-il maîtriser ses sens ? Mme de Montespan mettait tout en œuvre pour le séduire, l'attirer et le distraire. « C'est une chose surprenante que sa beauté, notait Mme de Sévigné. Elle était tout habillée de point de France, coiffée de mille boucles ; les deux des tempes lui tombent fort bas sur les joues, des rubans noirs à sa tête, des perles de la maréchale de l'Hôpital, embellie des boucles et des pendeloques de la dernière beauté ; trois ou quatre poinçons, point de coiffe, en un mot une triomphante beauté à faire admirer à tous les ambassadeurs. »

La beauté et la bijouterie d'une sultane en effet ! Mais voici bien ce qui plaisait au roi. La Vallière languide et maigriote n'était qu'une violette des bois, triste, à demi cachée ; elle ne faisait pas honneur à son amant ! Au contraire, Françoise-Athénaïs était digne d'être reine, fût-ce par la main gauche ; on avait plaisir à l'exhiber : elle était la plus belle femme du royaume (ou passait pour telle). Possible que le roi lût dans son jeu, mais il ne lui déplaisait pas de rencontrer une dissimulation égale à la sienne. Il n'était point dupe en tout cas de l'ardeur « animale » de sa belle partenaire. Voulant l'enfermer et le retenir dans ses rêts, elle se faisait désirer, mais, peut-être, de son côté la faisait-il languir. Ils étaient bien de la même espèce avide et dangereuse : le centaure avait trouvé sa cavale et la parade des amours ne pouvait se prolonger indéfiniment.

Restait La Vallière... Le roi n'avait point de méchanceté ; il ne voulait point faire de peine à celle qui l'aimait comme au premier jour. La Montespan se prenait à son jeu et sentait les pointes de la jalousie. Elle n'avait ni les scrupules, ni l'indulgence de Louis. Songea-t-elle à empoisonner sa rivale ? A « ensorceler » le roi par des pratiques de magie noire ? En 1680, le lieutenant de police La Reynie écrira à Louvois, lors de l'Affaire des Poisons : « Il résulte de l'interrogatoire de Lesage et de Mariette que, dès 1667, Mme de Montespan était entre les mains de la Voisin qui avait déjà fait pour elle des conjurations contre la Vallière et fait passer quelques poudres sous le calice par Mariette (1). La Voisin fit connaître Lesage à Mme de Montespan. La Voisin, Lesage, Mariette et d'autres s'étaient déjà concertés : Mariette et Lesage étaient allés au château de Saint-Germain au début de 1668, dans le logement occupé par Mme de Thianges (2). Ils avaient fait des cérémonies qui avaient le sacrilège pour base, et Mme de Montespan récitait pendant ce temps une conjuration que Lesage et Mariette avaient écrite. Le roi y était nommé avec Mme de Montespan et Mlle de La Vallière. Mme de Montespan avait donné à Mariette deux cœurs de pigeon pour qu'il y dise la messe dessus et les faire passer sous le calice. Cette messe fut dite à Saint-Séverin devant Mme de Montespan ; puis elle alla dans la chambre de Mariette, où les mêmes cérémonies qu'à Saint-Germain furent dites. Lesage dit que l'on apporta des os de mort aux cérémonies pour faire mourir La Vallière. »

Lesage avoua en effet au procureur du Châtelet et au lieutenant-criminel, « qu'il y avait des gens de qualité qui cherchaient à faire des pactes avec le diable, de leurs propre sang, pour détrôner La Vallière » et que la Voisin préconisait alors de lui donner du poison !

Quelle était l'attitude du marquis de Montespan vis-à-vis de sa femme ? Certains, jugeant sans doute d'après eux-mêmes, l'accusèrent de complicité intéressée. « M. de Montespan, écrit Mme de Caylus, ne songea d'abord qu'à profiter de l'occasion pour son intérêt et sa fortune. Ce qu'il fit ensuite ne fut que par dépit de ce qu'on ne lui accordait pas ce qu'il voulait... » La vérité est celle-ci : Montespan défendit autant qu'il le put son honneur d'époux, il battit sa femme comme plâtre et osa défier publiquement le roi ; exilé par celui-ci, il continua ses menaces en dépit des pressions, voire des oppressions et des brutalités de Louvois. Peut-être n'aimait-il pas tellement sa femme, mais il estimait que le roi l'avait grandement offensé. Il eut le tort d'afficher théâtralement son infortune, de chercher le scandale, dans une société attentive à dissimuler ses faiblesses sous une vertu et une dévotion de façade (dont le roi était le modèle !). Un soir, pour empêcher Athénaïs de monter dans le carrosse de Louis, il l'agonit d'injures grossières et la roua de coups, comme un palefrenier. Elle courut se mettre sous la protection de Sa Majesté ! Un autre jour, il vint, en grand deuil faire ses adieux dans un carrosse drapé. Le roi lui demanda :

---

1. Il s'agit d'un prêtre sacrilège.
2. Sœur aînée de Mme de Montespan.

— De qui êtes-vous en deuil ?
— De ma femme, Sire.
Une chansonnette courait alors les rues :

> *On dit que La Vallière*
> *S'en va sur son déclin.*
> *Ce n'est que par manière*
> *Que le roi va son train.*
> *Montespan prend sa place,*
> *Il faut que tout y passe*
> *Ainsi, de main en main.*

Lorsque Louise fut faite duchesse de La Vallière, les courtisans ne doutèrent plus du triomphe de La Montespan. Louise eût préféré rester dans l'ombre, mais conserver l'amour du roi. Ce fut au contraire pour elle le commencement d'une vie atroce et qui durera de 1667 à 1674. Sans doute espérait-elle reconquérir son amant et, dans cette utopie, accepta-t-elle la pire humiliation : partager les faveurs du roi, n'être plus que la favorite en titre, alors que la faveur de Mme de Montespan éclatait au grand jour ! Louise ayant osé se plaindre d'être délaissée, le roi lui avoua qu'il aimait Mme de Montespan, mais qu'il ne laissait pas d'avoir pour elle tout l'amour qu'il lui devait. Il lui avait acheté la terre de Vaujours ; il avait légitimé les enfants qu'elle lui avait donnés, donc selon lui, acquitté sa dette amoureuse. Louise obéit. Le roi put donner libre cours à sa polygamie : il était parfaitement à l'aise entre sa femme et ses deux maîtresses. Désespérée, Louise décida de renoncer au monde ; elle s'enfuit au couvent de Sainte-Marie-de-Chaillot. Mais le roi avait besoin de sa présence, ne fût-ce que pour exciter le zèle de sa rivale ! Il la fit ramener à la cour par Colbert. On se réconcilia, avec des larmes et des promesses. Le malicieux Bussy notait alors : « C'est pour son propre intérêt et pure politique que le roi a fait revenir Mme de La Vallière. Le roi a besoin d'un prétexte pour Mme de Montespan. » En effet Louis ne pouvait se rendre « officiellement » que chez La Vallière, mais la chambre de celle-ci communiquait avec la chambre de la Montespan. Promiscuité incroyable, dîners et promenades à trois, la maîtresse n'épargnant pas ses railleries à la favorite et le roi riant de ses saillies : on croit rêver ! Des enfants naquirent qui furent confiés aux bons soins de la dame Scarron, future marquise de Maintenon, et, bien entendu, eux aussi légitimés. Le roi se désintéressait des fils et de la fille qu'il avait eus de La Vallière. Ecœurée du monde et accablée de remords, Louise demanda au roi son congé et courut s'enfermer au Carmel. Elle y reçut le nom de Louise de la Miséricorde. La reine vint la visiter, en compagnie de la Montespan qui osa demander à son ancienne rivale si, tout de bon, elle était aussi aise qu'on le prétendait.

— Non, répondit la carmélite, je ne suis point aise, mais je suis contente.

La Montespan lui demanda alors si elle voulait faire dire quelque chose au roi.

— Tout ce que vous voudrez, madame, tout ce que vous voudrez.

Jusqu'à sa mort, en 1710, sœur Louise de la Miséricorde expia sa honte et ses péchés, précipitant sa fin par les plus cruelles macérations.

Athénaïs, que Mme de Sévigné surnomme l'Incomparable, la Merveille, la belle Madame, Quantova et Quanto, régnait en maîtresse sur le cœur du roi et sur la cour. Si l'on s'était moqué de la discrétion de Louise de La Vallière, on profita des largesses de la marquise et celle-ci profita pleinement de la faiblesse de son amant. Ce dernier cédait à tous ses caprices, la comblait de cadeaux et d'argent. Elle exigeait des appartements vastes et somptueux, plus grands que ceux de la reine. Le contrôleur des Bâtiments, Colbert lui-même, étaient à ses ordres. Mansart lui bâtit le château de Clagny. « C'est le palais d'Armide, s'exclamait Mme de Sévigné. Le bâtiment s'élève à vue d'œil. Les jardins sont faits. Vous connaissez la manière de Le Nôtre... Il y a un bois d'orangers dans de grandes caisses... et pour cacher les caisses, il y a des palissades toutes fleuries de tubéreuses, de roses, de jasmins, d'œillets ; c'est assurément la plus belle, la plus surprenante et la plus enchantée nouveauté qui se puisse imaginer. »

Passons sur les dons fastueux en argent, sur les cassettes ouvragées garnies de perles et de diamants, sur le remboursement des dettes de jeu par le trésor royal. La Montespan n'était point Armide, mais Danaé. Tous les efforts tentés pour détacher le roi de cette perfide créature furent vains. En 1679, elle fut nommée surintendante de la maison de la reine et reçut le brevet de duchesse, avec les pensions y attachées.

« S'il arrive, écrivait cependant Louis XIV, que nous tombions malgré nous dans quelques-uns de ces égarements, il faut du moins, pour en diminuer la conséquence, deux précautions que j'ai toujours pratiquées et dont je me suis bien trouvé.

« La première est que le temps que nous donnons à notre amour ne soit jamais pris au préjudice de nos affaires, parce que notre premier objet doit être la conservation de notre gloire et de notre autorité, lesquelles ne se peuvent absolument maintenir que par un travail assidu.

« Car, dans quelque transport que nous puissions être, nous devons (pour le propre intérêt de notre passion), considérer qu'en diminuant de crédit dans le public, nous diminuions aussi d'estime dans l'esprit de la personne pour qui nous nous serions relâchés.

« Mais la seconde considération, qui est la plus délicate et la plus difficile à pratiquer, c'est qu'en abandonnant notre cœur nous demeurions maître de notre esprit ; que nous séparions les tendresses d'amant d'avec les résolutions du souverain, et que la beauté qui fait nos plaisirs, n'ait jamais la liberté de nous parler de nos affaires, ni des gens qui nous servent. »

IX

L'ORDRE DU TABLEAU

Depuis 1668 Louvois assumait seul les fonctions de secrétaire d'Etat à la guerre. Ayant deux ans de moins que Louis XIV, il lui plut en raison de la conformité d'âge, mais aussi d'une intelligence et d'une capacité peu communes. Sa puissance de travail et sa volonté sans faille égalaient celles de Colbert et le temps ne tarderait guère où ils entreraient en conflit. Car Louvois avait par surcroît des talents de courtisan que n'avait point Colbert ; en contrepartie, il était moins servile.

Il lui appartenait de rendre l'armée capable d'exécuter les projets belliqueux du roi. Il y réussit parfaitement, encore qu'on lui prête généralement des innovations dont il ne fut point l'auteur. De même que Colbert reprit, avec l'assentiment de Louis XIV, nombre de projets ébauchés par Richelieu, Louvois ne réforma pas d'un coup l'armée ; il perfectionna ce que Louis XIII, roi-soldat, avait ébauché.

C'est ainsi que Louis XIII avait supprimé diverses charges — dont celle de connétable — conférant à ceux qui les détenaient une dangereuse autonomie. De même, il avait placé les armées sous la subordination unique d'un secrétaire d'Etat, créé des intendants militaires, accru la compétence des commissaires des guerres. Il avait essayé également d'améliorer le recrutement, le logement et la subsistance des soldats, sans oublier les malades et les blessés, naguère abandonnés sur le terrain. Sous son règne, par suite de la durée du conflit et d'un début d'organisation militaire, l'état de soldat tendait à devenir un métier, et non plus un service volontaire et momentané, mis à part les mercenaires étrangers.

Louvois institua la permanence de l'état militaire par des règlements successifs, d'abord établis en fonction des événements et des nécessités qui en résultaient, ensuite prenant un caractère définitif. Après la Paix des Pyrénées, on avait licencié la plupart des hommes de troupe, mais en conservant les officiers et bas-officiers (sous-officiers). Après la paix d'Aix-la-Chapelle, on conserva cinquante mille fantassins et quinze mille cavaliers. Après la paix de Nimègue, ces chiffres seront doublés. Il est évident que l'entretien de cette armée coûtait cher et qu'il eût été impossible si Colbert n'avait, de son côté, trouvé les ressources budgétaires équivalentes, ce qu'il fit. Aucun souverain d'Europe ne disposait alors d'une force semblable. En cas de conflit, la mode était alors de lever hâtivement des troupes, de recruter des mercenaires à prix d'or et de convoquer la noblesse pour encadrer ces éléments disparates et de valeur combative très inégale. L'avantage de Louis XIV était donc identique à celui de Napoléon au début de son règne : une supériorité numérique écrasante et immédiate. Une fois de plus, on aperçoit le « modernisme » de la conception. Il convient en outre de souligner que les initiatives de Louvois n'auraient pas eu d'effets, si le roi ne les avait pas approuvées, en les orientant parfois et parfois en leur donnant plus d'ampleur. Si Louis XIV n'était pas, comme son père, un roi-soldat, il apportait un soin constant et méticuleux aux affaires militaires. Ce n'est pas pour rien que Saint-Simon le qualifie ironiquement de « roi des revues ». Il disposait donc à tout moment d'une forte armée, dont les cadres, rompant avec les habitudes séculaires, avaient acquis le sentiment du devoir et, surtout, de la discipline. Sous Louis XIII encore, et malgré les efforts si ce n'est l'exemple de ce prince, le vice essentiel de l'armée tenait à l'individualisme de la noblesse, dont la vanité, les querelles de préséance, les liens personnels envers les grands seigneurs, ultimes débris du monde féodal, nuisaient à l'obéissance, quand ils n'aboutissaient pas à l'insurbordination caractérisée ! Louvois, soutenu par Louis XIV qui gardait bonne mémoire de la Fronde, voulut ignorer systématiquement grands seigneurs et courtisans sous l'uniforme. Il limita, autant qu'il le put, la vénalité des charges militaires et le trafic des grades subalternes. Il découragea les amateurs par des obligations sévères. Les jeunes nobles, qui voulaient servir, durent effectuer un noviciat en qualité de simples soldats dans les compagnies dites de la Maison du Roi, avant d'être nommés officiers dans un régiment. On offrit des avantages à ceux qui acceptaient un commandement dans l'infanterie, dont l'importance dans les batailles apparaissait de plus en plus grande. Il accrut les attributions de l'Intendance. Commissaires, inspecteurs, intendants militaires eurent désormais la charge, non seulement d'approvisionner l'armée, mais de l'administrer ; ils devinrent rapidement des personnages considérables, malgré l'hostilité des officiers supérieurs et des généraux. On tenta de généraliser le port de l'uniforme, réservé jusqu'ici aux corps d'élite et de refréner la fantaisie des officiers en introduisant les insignes correspondant aux différents grades. La nourriture, l'habillement, l'hébergement du troupier furent améliorés. C'était désormais l'Etat qui passait les marchés de fournitures. On mit sur pied le train des équipages, afin de n'avoir plus à traiter avec les entreprises privées, idée que Napoléon reprendra à son compte. On se préoccupa de la vieillesse du soldat en instaurant un système de pensions et en bâtissant l'Hôtel des Invalides (1670).

L'armement évolua moins vite. On ne fit guère que substituer la baïonnette à la pique et le fusil au mousquet. Mais alors que les régiments comprenaient à la fois des piquiers et des « mousquetaires », ils se spécialisèrent. On créa des compagnies de grenadiers et de canonniers recevant une formation particulière, ainsi qu'un corps de capitaines-ingénieurs placé sous les ordres de Vauban qui avait, lui-même, rang de maréchal de camp (général de brigade).

L'ordonnance de 1629 prévoyait qu'un simple soldat pût s'élever par son mérite jusqu'au grade de capitaine et même au-delà. Louvois institua l'Ordre du Tableau, c'est-à-dire le tableau d'avancement, que fustige Saint-Simon ! Le génial écrivain croyait naïvement qu'il suffisait d'être « né » pour savoir commander, mais la stratégie et les techniques avaient évolué et les batailles cessaient d'être une succession cahotique de combats individuels. L'Ordre du Tableau suscita parmi les officiers une émulation bénéfique. Saint-Simon et ses pareils n'y voyaient qu'une disposition visant à favoriser la roture !

Sous l'impulsion de Colbert, devenu surintendant de la marine, notre puissance navale eut un essor comparable. Nous n'avions guère plus de trente bâtiments de guerre, en 1661 ; nous avions en 1667 cinquante-deux gros vaisseaux et cinquante et un croiseurs légers ; en 1672, notre flotte comptait cent quatre-vingt-seize unités ; les ports de Brest, de Rochefort, de Lorient, de Toulon, de Dunkerque, du Havre avaient été agrandis et fortifiés. Pour composer les équipages, Colbert créa, dès 1665, l'inscription maritime assurant le recrutement des matelots dans les provinces côtières. Les inscrits maritimes recevaient solde complète pendant les campagnes sur mer, et demi-solde à terre. Nous eûmes ainsi trente-six mille marins professionnels dès 1670, auxquels s'ajoutaient en moyenne vingt mille volontaires. Précédemment on affectait des officiers de terre dans les escadres, désastreux expédient. Colbert estima judicieusement que les officiers de marine devaient former un corps autonome, ayant reçu une instruction particulière. Il créa les gardes de la marine qui en furent la pépinière et, plus tard, des collèges de marine, des écoles d'artillerie et d'hydrographie.

Il faut dire ici que Louis XIV avait peu de goût pour le monde de la mer. Il ne fit donc qu'entériner les décisions de son ministre, tout en comprenant parfaitement qu'une forte marine lui était indispensable pour accomplir ses projets.

Les réalisations de Colbert en ce domaine forcent l'admiration, car il partit de rien ou de presque rien et, dans l'indifférence générale, modernisa les ports et leurs défenses, créa des arsenaux et des chantiers de constructions navales, des casernes et des hôpitaux, veilla aux approvisionnements, à l'entretien des navires, inventa des règlements si élaborés que plusieurs restent en vigueur, au moins partiellement. Mais son chef-d'œuvre est sans conteste la grande ordonnance de 1681 sur la marine, inspirée de la vieille Coutume d'Oléron, reprise sur bien des points par notre droit maritime moderne et imitée par de nombreux pays étrangers. A partir de 1672, son fils, le marquis de Seignelay, l'aida dans cette tâche quasi surhumaine.

Cette jeune flotte fut mise à l'épreuve au cours d'une expédition envoyée au secours des Vénitiens de Candie assiégés par les Turcs. Elle était commandée par Navailles et transportait un corps de débarquement placé sous les ordres de Beaufort et de Vivonne. Mais, quand elle fut en vue de Candie, il était trop tard. Après plusieurs combats meurtriers et inutiles, Navailles rapatria la flotte. Beaufort avait disparu dans des conditions mystérieuses : ainsi finit cet étrange personnage que l'on avait surnommé « le roi des halles », « l'amiral du port-au-foin ». L'envoi de cette force expéditionnaire s'insérait dans la politique générale de Louis XIV ; c'était sa participation prudente à la croisade contre les Turcs réclamée par le pape.

Son objectif principal, le centre de ses préoccupations, le but de tous ses efforts, ceux de Louvois à la Guerre, de Colbert à la Marine et de Lionne aux Affaires Etrangères, c'était en effet l'attaque de la Hollande, ou plutôt son châtiment ! Car Louis ne pouvait lui pardonner la Triple Alliance, ni la restitution de la Franche-Comté qui en avait été la conséquence. Stimulé par le bellicisme de Louvois et par les encouragements de Colbert (qui voyait en cette guerre le moyen d'en finir avec la concurrence commerciale de ce petit pays), il brûlait d'en découdre, plus encore d'acquérir aisément de la gloire. Mais la superbe et l'ambition la plus déraisonnable se doublaient chez lui d'habileté.

La Paix d'Aix-la-Chapelle n'avait point dissous la Triple Alliance. En raison de la puissance navale de l'Angleterre, c'eût été une folie d'attaquer la Hollande. Il importait donc de s'assurer d'abord de la neutralité britannique. En adhérant à la Triple Alliance, Charles II avait cédé à son Parlement, à une opinion hostile à la France depuis la perte de Dunkerque. Mais il se lassait d'être un roi constitutionnel et rêvait d'une monarchie analogue à celle de son bon « frère » Louis. Toutefois tenter d'imposer un pouvoir absolu à l'Angleterre, c'était courir le risque d'une nouvelle révolution. Ce risque, la présence d'une force armée l'eût annulé. Mais Charles était trop démuni pour financer l'opération, à moins que la France ne lui consentît une avance. Vis-à-vis de la Hollande, il avait une position « nuancée » Nonobstant le traité d'alliance, il ne pouvait s'empêcher de déplorer la concurrence redoutable des armateurs d'Amsterdam et personnellement il détestait les partisans de Jean de Witt.

Louis XIV n'ignorait pas les intentions de Charles II, mais il le savait sans esprit de suite, sans vraie pensée politique et sans caractère. Il prit les devants et lui dépêcha deux ambassadeurs : Colbert de Croissy et Ruvigny. Le secret absolu dont s'entourèrent les négociations, la correspondance privée qu'échangèrent les deux rois, les infimes et fastidieux détails qui durent être réglés (telle la grave question du salut des pavillons !), retardèrent la conclusion du traité. Mais Louis XIV connaissait le prix de la patience... La dernière condition, avancée par Charles II, fut que Madame (1) viendrait en ambassadrice extraordinaire signer le traité. Louis XIV accepta. Que n'eût-il pas accepté, pour arriver à ses fins !

Ce fut au retour de ce voyage que Madame fut terrassée par le choléra-morbus et mourut en quelques heures. On se souvient du cri de Bossuet : « Madame se meurt, Madame est morte ! » Cette disparition fut si rapide, si tragique, que l'on crut à un empoisonnement. Elle faillit rompre le pacte avec Charles II.

Ce pacte, signé secrètement le 1er juin 1670, prévoyait que

---

1. Henriette d'Angleterre, sœur de Charles II.

l'année suivante, les Anglo-Français attaqueraient la Hollande et, la victoire acquise, partageraient son territoire. Ce traité de partage était en somme la réplique du traité de 1668, avec l'Empereur.

Les Hollandais, craignant les entreprises de Louis XIV, mais redoutant une volte-face de Charles II, peut-être renseignés par leurs agents sur les négociations entre Paris et Londres, firent l'impossible pour obtenir l'appui de l'empereur. Ils prétendaient, à juste raison, que Louis XIV menaçait l'équilibre européen. L'Espagne s'inquiétait aussi. L'empereur crut trouver un moyen terme en proposant une alliance catholique, unissant l'empire, la France et l'Espagne, contre l'Europe protestante. Louis XIV se déroba, mais son ambassadeur, Grémonville, parvint à signer avec la cour d'Autriche, le 1ᵉʳ novembre 1670, un traité secret par lequel les deux souverains se promettaient neutralité réciproque.

Poursuivant sa politique, Louis XIV acheta la neutralité de la Suède. Il occupa à nouveau la Lorraine militairement, pour mettre fin aux agissements de son duc. Le Pensionnaire Jean de Witt ne pouvait que constater les échecs successifs de ses agents. Il devait faire face à un double danger, extérieur et intérieur. Les partisans de Guillaume d'Orange ne cessaient en effet d'intriguer contre lui, afin de restaurer le stathoudérat : ils croyaient ainsi détacher Charles II de l'alliance avec la France. Witt fut quasi contraint d'appeler le jeune prince au Conseil. Il demanda aux Etats l'autorisation de mettre soixante-dix mille hommes sur pied et de fortifier diverses places.

De son côté, Colbert pratiquait une guerre des tarifs afin de porter le plus de dommages possible au commerce hollandais. Bientôt la paix coûta plus cher aux Etats que la guerre. Pour faire bonne mesure, Louis XIV se rendit en Flandre, avec une « escorte » de trente mille hommes. Affolés, les Etats généraux votèrent les subsides demandés par Jean de Witt et contractèrent un énorme emprunt. C'était précisément, ce qu'avait calculé Louis XIV. Avec une perfidie consommée, il souhaita que les Hollandais prissent l'initiative des opérations. Il écrivait, en avril 1671 : « Pour une attaque des Etats généraux, non seulement je ne la crains pas, mais je ferais volontiers un beau présent à qui m'apporterait la bonne nouvelle qu'ils voulussent bien se charger de la gloire de l'agression, que je leur céderais de bon cœur tout entière. » Et Lionne, faisant chorus : « Contentons-nous de paraître l'enclume et n'omettons pas de tâcher à devenir le marteau. »

Louis XIV enfant
Portrait par Mignard,
(Château de Versailles)

Mazarin
par Mignard,
(Musée Condé à Chantilly)

Marie Mancini
par Mignard,
(Musée de Berlin)

Marie-Thérèse et le Grand Dauphin
par Mignard,
(Musée du Prado, Madrid)

Mme de Montespan
par Nocret,
(Musée de Versailles)

Turenne
par Lebrun,
(Musée de Versailles)

Colbert
(Château de Versailles)

Mme de Maintenon
par Mignard,
(Château de Versailles)

X

LA GUERRE DE HOLLANDE

Au début de 1672, les Etats-Généraux de Hollande dépêchèrent un ambassadeur à Louis XIV pour l'assurer de leurs bonnes intentions. Le roi répondit qu'il armait pour se préserver des coalitions qu'ils tentaient de nouer contre la France. « Nous vous dirons même, déclara-t-il sans rire, que nous augmenterons nos armements par terre et par mer, et que, lorsqu'ils seront en l'état où nous avons projeté de les mettre, nous en ferons l'usage que nous estimons convenable à notre dignité, dont nous ne devons compte à personne. »

Il disposait alors de 117 000 fantassins et de 27 000 cavaliers. Le roi d'Angleterre avait armé 70 vaisseaux, augmentés d'une escadre française de 30 vaisseaux commandés par d'Estrées. Les Hollandais choisirent de rester sur la défensive. Ils armèrent une flotte qui fut confiée à Ruyter, levèrent une milice qu'ils répartirent dans les place fortes les plus exposées et formèrent un corps de troupe de 25 000 hommes placés sous les ordres de Guillaume d'Orange. La disproportion des forces terrestres s'aggravait du fait que les officiers étaient improvisés. Seul Ruyter était en mesure de tenir tête aux Anglo-Français.

Parti de Saint-Germain, le 28 avril, Louis XIV arriva le 5 mai, à Charleroi et prit le commandement de l'armée principale, avec pour « lieutenants » Turenne et Monsieur. La campagne commença, brillante et facile : qui pouvait contenir ce déferlement d'hommes et de chevaux ? Guillaume d'Orange, médiocre stratège, n'essaya même pas d'empêcher le passage du Rhin. Ce fait d'armes, célébré par Boileau et par le peintre Van der Meulen, ne fut en réalité qu'une opération assez mal conduite et qui eût tourné à la catastrophe si peu que l'adversaire eût résisté. Mais, comme frappés de stupeur, les Hollandais refluaient vers l'intérieur. Le prince de Condé proposa de foncer vers Amsterdam avec quelques escadrons et de s'emparer par surprise de cette ville, ce qui eût terminé la guerre. Il avait raison. Mais, dans cette éventualité, que fût-il advenu de la gloire que se promettait le roi ? Louis voulait faire durer le plaisir, jouer avec la petite Hollande, comme le chat avec la souris. Il aimait les sièges menés dans les règles, avec creusement de tranchées, construction de gabionnages, canonnades au tir savant, pour en finir par la reddition : cérémonie grandiose, offerte en spectacle aux dames de la cour et à l'admiration de la postérité. Un armement si formidable, succédant à quatre années de luttes diplomatiques, et la campagne se fût trouvée close au bout de quelques semaines ? Il ne pouvait se donner ce ridicule. Louvois partageait son avis, dont l'intérêt était de prolonger une guerre gagnée d'avance et de flatter le Maître ! On perdit donc un temps précieux à assiéger des places, qui d'ailleurs tombaient comme châteaux de cartes. Le 29 juin, les Français avaient pris une trentaine de villes, ils atteignaient Utrecht, mais ne purent se maintenir à Muyden qui, malheureusement, contrôlait les écluses du Zuiderzee. Sur mer, les deux flottes s'étaient canonnées une journée entière, sans résultat décisif ; cependant Ruyter avait empêché le débarquement projeté par les Anglais.

Les Hollandais, se jugeant néanmoins perdus, chargèrent leur ambassadeur à Paris de demander la paix. On commit l'erreur de repousser cette offre, dans l'illusion que nos armées poursuivraient leur avance, ou plutôt on exigea qu'avant toute discussion l'ambassadeur partît pour La Haye afin d'y demander les pleins pouvoirs. Il trouva la ville en pleine révolution. Les orangistes réclamaient le rétablissement du stathoudérat, pour sauver la patrie, injuriaient Jean de Witt et ses partisans. Ces convulsions internes ne changeaient rien à la situation et l'ambassadeur obtint les pouvoirs de négocier. Il proposa à Louvois Maëstricht, tout ce que la France avait conquis en Brabant et en Flandre, plus une indemnité de guerre de six millions. Pomponne, qui avait succédé à Lionne (mort à la tâche), était d'avis d'accepter. Louis XIV crut que la Hollande ne tarderait pas à capituler sans condition. Il exigea donc vingt-quatre millions, les territoires de Brabant et de Flandre, ceux de la rive gauche du Rhin, y compris Nimègue. De telles exigences suscitèrent la fureur des Etats et de la plupart des villes. Elles eurent pour conséquence immédiate la proclamation de Guillaume d'Orange comme stathouder. Faute capitale, au sujet de laquelle Louis XIV écrivait dédaigneusement : « Je ne me justifierai point auprès de la postérité. L'ambition et la gloire sont toujours pardonnables à un prince et particulièrement à un prince jeune et aussi bien traité de la fortune que je l'étais. »

Turenne s'empara de Nimègue, Crèvecœur et Bommel. Mais l'inondation immobilisa son armée, car le stathouder avait fait ouvrir les écluses, métamorphosant son pays en une multitude d'îles fortifiées. Des tueurs à gages assassinèrent Jean de Witt et son frère Corneille. Le parti républicain n'existait plus. Guillaume d'Orange restait le seul maître. Courageux, ambitieux, doué d'une intelligence pénétrante, il résolut de sauver sa patrie. Rien ne pouvait abattre son courage, ni désarmer sa haine. Louis XIV se méprit du tout sur ce caractère à la vérité déconcertant. Il se félicitait même d'être débarrassé de Jean de Witt et de ses républicains et d'avoir désormais affaire à un prince, c'est-à-dire à l'un de ses semblables ! Il oubliait que Guillaume d'Orange venait d'être porté au pouvoir par une révolution et que, pour s'y maintenir, il devait absolument renchérir sur le patriotisme de ses partisans.

Ayant stoppé l'invasion française, Guillaume eut une activité diplomatique intense. Il exploita supérieurement l'inquiétude que l'ambition de Louis XIV éveillait en Europe. Il conclut une alliance défensive avec l'empereur Léopold et l'Electeur de Brandebourg, Frédéric-Guillaume, que l'on appelait le Grand-Electeur. L'Espagne craignant de perdre les Pays-Bas, inclinait de plus en plus à la guerre. Une coalition s'ébauchait, dont le stathouder était l'âme. Ce fut en vain que Louis XIV donna l'assurance à l'empereur et aux princes allemands que le traité de Westphalie serait respecté. Quarante mille impériaux, commandés par Montecuculli, marchèrent vers la Meuse. Leur objectif était de couper les communications de notre armée. Guillaume d'Orange tenta de son côté de prendre Charleroi, mais, faute de matériel ne put mener le siège à bonne fin. On était en décembre. Le maréchal de Luxembourg avançait vers La Haye, mais le dégel fit fondre les glaces et le força à battre en retraite. Turenne poursuivait les Impériaux qui n'avaient pu franchir la Meuse et s'étaient retirés en Westphalie. Déçu dans ses espérances, le Grand Electeur signa une paix séparée. L'Electeur de Cologne et le duc de Hanovre l'imitèrent. Ainsi la coalition se dissolvait au premier échec ; Louis XIV pouvait se flatter de n'avoir plus rien à craindre de l'empereur. Néanmoins il devait admettre que la campagne de 1672 avait échoué, puisque la petite Hollande résistait. On avait manqué l'effet de surprise ; c'était, malgré les apparences, une lourde bévue à laquelle la conquête de trente villes, des victoires nombreuses, ne changeaient substantiellement pas grand-chose.

La Suède proposa sa médiation. Louis XIV, ne doutant point d'être finalement victorieux, maintint ses exigences. Disons plutôt qu'il laissa les plénipotentiaires disputer, tout en poursuivant les opérations militaires. La campagne de 1673 commença, deuxième figure d'un gigantesque ballet qui devait se prolonger jusqu'en 1678 ! Les Impériaux reformaient leur armée, mais Turenne les tenait en respect. Condé commandait l'armée de Hollande, dont la *furia* cavalière ne servait à rien contre des villes-citadelles gardées par la mer et par des flottilles armées. On décida d'assiéger Maëstricht. Louis XIV était à son affaire. Il s'y rendit en personne pour assumer le commandement en chef, il est vrai avec l'aide discrète de Vauban. Maëstricht capitula le 30 juin, après trois semaines de résistance.

Nouveau triomphe pour le Roi-Soleil, qui voulait aussi la réputation d'un héros, afin d'égaler César Auguste ! Il venait cependant de commettre une autre faute, car, pour assiéger Maëstricht, il avait prélevé les meilleurs éléments de l'armée, qui auraient été mieux employés ailleurs. Mais il n'entreprenait rien, en personne, qui ne fût assuré du succès !

Sur mer, les amiraux Ruyter et Tromp tinrent en échec, pendant trois mémorables jours, la flotte anglo-française. Les Britanniques soupçonnèrent Louis XIV d'avoir recommandé à l'amiral d'Estrées de ménager ses navires : première faille dans le pacte d'alliance maintenu par des subsides de plus en plus importants. Guillaume d'Orange venait de faire un bond de géant, en obtenant l'alliance de l'Espagne, de l'Allemagne et même du duc Charles de Lorraine, toujours aussi acharné à perdre, regagner et reperdre son duché. Louis XIV se trouvait cette fois devant une véritable coalition. Il décida de faire face. On dégarnit l'armée de Hollande pour renforcer Turenne sur le Rhin, en sorte qu'on ne put empêcher les Hollandais d'opérer leur jonction avec les Impériaux. Turenne et Montecuculli s'annulèrent l'un l'autre par des manœuvres savantes. Bonn tomba néanmoins aux mains des coalisés. La mauvaise saison suspendit les hostilités. Le bilan de la campagne faisait assez mal augurer de l'avenir.

LA GLOIRE D'UN RÈGNE

En janvier 1674, sous la pression du Parlement et d'une opinion de plus en plus anticatholique, Charles II signa une paix séparée. Stimulés par l'empereur, les princes allemands adhérèrent à la coalition. En Hollande, les Etats-généraux déclarèrent le stathoudérat héréditaire.

Devant cette situation nouvelle, Louis XIV modifia ses plans. Il abandonna les places conquises en Hollande, ne conserva sur la Meuse que Maëstricht et Grave. « Tant d'ennemis puissants, explique-t-il, m'obligèrent à prendre plus garde à moi et à penser à ce que je devais faire pour soutenir la réputation de mes armes, l'avantage de l'Etat, et ma gloire personnelle. » Il avait en effet grand besoin de songer au salut du royaume et de remporter quelque succès éclatant pour justifier l'augmentation des impôts. Il prit donc l'initiative des opérations et, devançant les Impériaux qui avaient déjà pris leurs quartiers d'hiver, s'empara de la Franche-Comté. Ce lui fut l'occasion d'effectuer une entrée solennelle à Besançon, après quoi il regagna Paris. L'armée fut ensuite divisée en deux corps : le premier, sous les ordres du prince de Condé, devait arrêter les coalisés de Guillaume d'Orange dans les Pays-Bas ; le second, sous les ordres de Turenne, barrer la route aux Impériaux. En août 1674, Condé livra la furieuse et sanglante bataille de Senef et vainquit, difficilement, Guillaume d'Orange. Il avait perdu 7 000 hommes dans ce carnage, dont mille officiers ! Cependant Grave tomba aux mains des Hollandais, cependant que les Espagnols envahissaient le Roussillon.

Turenne s'était établi dans le Palatinat, afin d'empêcher la jonction des armées impériales. Pratiquant la tactique de la terre brûlée, il incendia une trentaine de villages, détruisit moissons et récoltes, en prenant prétexte de quelques attentats contre les Français. L'Europe cria au scandale ! Le but de Turenne ne visait qu'à priver la cavalerie impériale de fourrages, et les hommes de subsistances. Il avait une telle infériorité numérique, face aux puissantes formations allemandes ! Son unique chance tenait à ce que le général Montecuculli combattait alors les Turcs aux confins orientaux de l'empire et que les coalisés étaient commandés par Bournonville. Ce dernier ne parvenait point à imposer sa volonté à ses lieutenants, ni à coordonner les mouvements des différents corps. Turenne sut tirer parti des fautes de l'adversaire et, par une succession de manœuvres habiles, le contraindre à repasser le Rhin. Il venait non seulement d'épargner une invasion au royaume, mais de sauver l'Alsace. Son retour à Paris fut triomphal. Tout au long de la route, les populations l'acclamaient, à juste raison, comme un sauveur. Louis XIV, qui n'aimait pourtant pas la gloire des autres, l'embrassa publiquement. Turenne, qui avait la modestie d'un vrai soldat, n'en demandait pas tant ; ce déversement d'éloges et de flatteries l'agaçait. Il savait d'ailleurs que le danger était seulement écarté.

En 1675, Louvois renouvela ses erreurs. Il concentra les troupes en Flandre, afin d'offrir à Louis XIV l'occasion de parader dans les villes conquises. On ne pouvait alors espérer vaincre Guillaume d'Orange et, par là, désarticuler la coalition. Toutes les occasions de négocier en position forte avaient été gâchées par outrecuidance et les impériaux menaçaient toujours notre frontière de l'Est. Montecuculli était de retour, prêt à affronter Turenne en Alsace. Après une succession de manœuvres, Turenne allait enfin l'emporter, quand, à Salzbach, un boulet de canon le coupa en deux. Cette mort équivalait à une défaite. Louis XIV ordonna que la dépouille mortelle du grand homme fût inhumée à Saint-Denis, comme celle de Du Guesclin, insigne honneur ! Pour stimuler le zèle de l'armée, il promut d'un coup huit maréchaux, que l'on appela malicieusement « la monnaie de Turenne ». Mais il fallut envoyer Condé à l'armée d'Alsace. Quel désastre sans remède eût provoqué le prince, s'il avait cédé à sa fougue bien connue ! Mais, par un revirement étrange et qui témoigne de son génie, Condé adopta pour ainsi dire la prudence de son prédécesseur. Il parvint à immobiliser Montecuculli et sauva une fois de plus l'Alsace. Puis, perclus de goutte, il se retira du service. Triste année qui avait enlevé au royaume ses deux meilleurs généraux. Mais la situation intérieure n'était guère plus favorable. Pour financer la guerre, Colbert faisait feu de tout bois ; il aliénait certains droits domaniaux, supprimait des exemptions, taxait les maisons des faubourgs de Paris, les postes, le tabac, le papier timbré, la vaisselle d'or, d'argent et d'étain, affermait les impôts à des traitants (comme l'avaient fait Nicolas Foucquet et quelques autres). Le Parlement murmura. On restreignit brutalement ses prérogatives, en ne permettant les remontrances qu'après enregistrement des édits. Il en fut de même pour les parlements provinciaux. Des émeutes éclatèrent à Angoulême en 1674, au Mans en 1675, à Bordeaux et dans sa région, puis en Bretagne, puis en Franche-Comté. Elles furent durement réprimées. La fiscalité galopante et tatillonne de Colbert mettait le peuple en rage.

Messine s'était révolté contre les Espagnols. Duquesne, envoyé en Méditerranée, défit complètement la flotte hispano-hollandaise du grand Ruyter qui fut tué dans le combat. Cette victoire portait un coup sensible aux coalisés, mais ne résolvait rien et, peu après, nous dûmes renoncer à occuper la Sicile. Elle eut en tout cas pour résultat d'inquiéter l'opinion anglaise. Déjà Charles II se posait en médiateur, afin d'en finir avec une guerre désavouée par son peuple. Le principe d'un congrès qui se réunirait à Nimègue fut arrêté, mais la guerre continua !

1676 vit la répétition des sièges flamands, chers à Louis XIV et à Louvois. Il paraissait indispensable de rectifier la frontière d'Aix-la-Chapelle (toujours la hantise du « pré carré » !). Alors qu'on investissait Bouchain, Guillaume d'Orange osa se présenter avec son armée, offrir la bataille, lui, petit stathouder, au plus grand des rois ! Louis XIV avait une énorme supériorité numérique, l'occasion inespérée d'écraser enfin le plus irréductible de ses ennemis ! On délibéra gravement, à cheval, le Roi-Soleil au milieu de ses maréchaux. De la hauteur d'Urtebise où l'on se trouvait, on pouvait observer les mouvements de Guillaume. Mais le roi allait-il aventurer sa fortune en une seule bataille ? Qu'arriverait-il dans l'éventualité d'une défaite ? Tout autre que Louis eût pris le risque. Il jugea préférable de s'abstenir. Il lui parut indécent de jouer son trône en une rencontre fortuite. On imagine ce qu'eût fait Henri IV en pareille circonstance ! Bouchain capitula, mais Orange put se retirer à son gré, et même se vanter d'avoir vainement défié le Roi-Soleil. Dans tout cela Louvois avait joué le rôle le plus néfaste. Mieux en cour que jamais, il prétendait désormais conduire les opérations sans tenir compte des avis de ses généraux. Turenne et Condé n'étaient plus là pour s'opposer à ses initiatives. Ayant négligé l'armée du Rhin, il provoqua la perte de Philippsburg.

En 1677, la fortune changea de camp. Devançant la saison, nous prîmes Valenciennes, Cambrai et Saint-Omer. Le 10 avril, Orange se fit battre à Cassel, où Monsieur révéla un courage et des talents que son frère Louis n'avait pas ! Jamais plus il ne reçut de commandement : la gloire ne se partage pas ! Sur le front du Rhin, les Allemands, qui tenaient Strasbourg et Philippsburg, crurent faire une bouchée de l'Alsace ; ils se flattaient d'envahir ensuite la Champagne. Mais le général Montecuculli s'était retiré du service, comme le prince de Condé. On l'avait remplacé par le jeune duc de Lorraine, Charles V. Le maréchal de Créqui, digne émule de Turenne, le contraignit à la retraite et lui infligea une suite de revers. Guillaume d'Orange, qui prétendait diriger les armées coalisées, fut tenu pour responsable de ces échecs. Le pacifisme gagnait les Hollandais eux-mêmes, las de verser des subsides aux princes allemands et aux Espagnols. Alors Guillaume fit lui aussi « un coup de maître ». Il se rendit à Londres, demanda et obtint la main de la princesse Marie, fille du duc d'York. Le mariage eut en Angleterre l'am-

pleur d'une fête nationale ! Il n'aurait eu qu'un intérêt anec-
dotique si Charles II, qui ne comptait plus ses bâtards, avait
eu un enfant légitime ! L'héritier présomptif du trône était donc
sa nièce, Marie d'York, désormais l'épouse du pire ennemi de
la France...

Au début de la campagne de 1678, l'armée française dépassait
200 000 hommes. Elle mit une dizaine de jours à s'emparer de
Gand, puis marcha sur Ypres qui capitula au bout d'une semaine.
Le roi rentra à Saint-Germain, fort satisfait de lui-même et ne
doutant pas d'imposer ses conditions après ces deux succès.
Au surplus l'heure était venue de négocier. Après diverses
péripéties, la paix fut signée à Nimègue, le 10 août 1678. Elle
fut suivie de traités particuliers avec les principaux belligérants,
notamment avec l'empereur qui tenta un dernier effort sur le
Rhin et fut à nouveau battu par Créqui.

Louis dut restituer plusieurs places fortes et territoires conquis
de haute lutte, mais il conserva à titre définitif Saint-Omer,
Cassel, Aire, Bailleul, Poperinghe, Ypres, Werwick, Warneton,
Cambrai, Bouchain, Valenciennes, Condé, Bavay, Maubeuge et,
surtout, la Franche-Comté. La nouvelle frontière, appuyée sur
ce chapelet de places fortes, fermait le royaume de Dunkerque
à la Meuse. Le duc Charles V récupéra la Lorraine, à l'exception
de Nancy et d'un droit de passage pour joindre le duché de
Clèves.

Ainsi la France avait-elle tenu tête à l'Europe coalisée. Victorieuse sur terre et sur mer, elle avait mis fin à la guerre. Si
la Hollande avait à peu près sauvé son territoire et son
commerce grâce à l'énergie de Guillaume d'Orange, Louis XIV
sortait grandi de l'épreuve. « Il s'était, écrit Choisy, désarmé
lui-même au milieu de ses victoires et, se contentant de ses
conquêtes, il avait donné la paix à l'Europe aux conditions qui
lui avaient plu. » La réalité était un peu différente. Néanmoins
les échevins de Paris décernèrent au vainqueur le titre de
Louis-le-Grand. Les historiographes de service publièrent son
invincibilité. On éleva sa statue équestre, en empereur romain,
place des Victoires. Il atteignait le zénith de sa gloire.

XI

VERSAILLES

Louis XIV avait quarante ans, qui fut l'âge de sa plénitude. Ses portraits montrent qu'il s'était alourdi. Mais, s'il avait perdu la sveltesse musclée de sa jeunesse, il avait gagné en robustesse. Malgré l'énorme labeur, les plaisirs, les excès de table, il gardait une vigueur exceptionnelle, entretenue par les promenades et les chevauchées au grand air. Le visage du jeune faune était devenu, peu à peu, léonin, l'immense perruque tenant lieu de crinière. Sous les lourdes paupières, le regard, brillant et noir, appuyait et scrutait : on le disait insoutenable ; on veut croire qu'il l'était tant à ce sujet les témoignages abondent et concordent. Tout était majestueux en lui : la démarche étudiée, le geste, l'expression, la parole appropriée à chaque circonstance, la gravité, la politesse, l'élégance naturelle. Fascinante majesté, à laquelle personne ne restait insensible et qui était l'aboutissement d'une longue maturation. Louis XIV se voulait roi non seulement dans les manifestations officielles, mais à chaque instant de son existence, au point qu'il oubliait, et faisait oublier, qu'il n'était qu'un homme. Ayant accepté l'idée qu'un prince ne doit pas s'appartenir, il était en représentation perpétuelle, sans d'ailleurs que cela lui coûtât. « La chaleur que l'on a pour la gloire, écrivait-il, n'est point une de ces faibles passions qui se ralentissent par la possession. Ses faveurs, qui ne s'obtiennent jamais qu'avec effort, ne donnent aussi jamais de dégoût, et quiconque se peut passer d'en souhaiter de nouvelles est indigne de toutes celles qu'il a reçues. » Jusqu'à la paix de Nimègue, nonobstant les erreurs que l'on a soulignées, le bon sens, si ce n'est le sens politique, avait dans une certaine mesure balancé l'appétit de gloire. La prudence, la dissimulation, un réalisme qui touchait parfois au cynisme, refrénaient souvent un instinct belliqueux attisé par Louvois et quelques autres. Or, victorieux de la coalition ourdie par Guillaume d'Orange et devenu par là même arbitre de l'Europe, rien n'arrêta plus son infatuation. Il aimait les louanges. Dès lors, elles le submergèrent, occultant la réalité des choses, provenant de tous les milieux, mais surtout de la cour ! Les écrivains officiels l'encensaient continuellement. Pellisson osait écrire qu'il était « un miracle visible ou le plus roi de tous les rois ». Comme César Auguste, Louis accepta d'être déifié de son vivant. L'adoration dont il fut bientôt l'objet procédait de quelque rite païen. Saint-Simon : « Les louanges, disons mieux, la flatterie, lui plaisaient à tel point que les plus grossières étaient bien reçues, les plus basses encore mieux savourées. Ce n'était que par là qu'on s'approchait de lui. » L'irascible duc exagère toujours. On a vu cependant plus haut comment Louvois, pour garder la faveur royale, inventait des sièges dignes de mémoire.

François Ier voulait être le premier gentilhomme du royaume ; Henri IV, le plus populaire des rois ; Louis XIII, un roi soldat. Louis XIV se voulait LE ROI, le modèle du genre, le premier des souverains de son temps. A force d'entendre dire et de lire qu'il était le plus grand roi du monde, il croyait l'être. Il croyait que les rayons du Soleil éclairaient les confins de la terre et que toute lumière émanait de lui. Le culte qu'il avait suscité l'égarait sur ses propres mérites et sur ses possibilités. Sa réussite le grisait, en dépit de certaines zones d'ombre dont il restait néanmoins conscient. Les humiliants souvenirs de la Fronde l'avaient conduit à domestiquer la noblesse et ç'avait été une profonde pensée politique que de marquer la distance entre sa personne et le premier prince du sang, que de contraindre les ci-devant Frondeurs à se disputer les faveurs du maître, à s'exténuer en viles intrigues de préséance. D'où ces raffinements d'étiquette, plus ou moins calqués sur l'étiquette espagnole, ces tabourets de duchesse suscitant d'âpres querelles et ces justaucorps à brevet que l'on se disputait à prix d'or. Mais la cour de 1678 n'était plus celle de 1661 ; les jeunes seigneurs impétueux et brouillons avaient vieilli ; beaucoup d'entre eux étaient morts, emportant avec eux les velléités d'indépendance. La nouvelle cour avait abdiqué la fantaisie, l'originalité, l'individualisme. Elle se coulait dans un monde uniforme, où chacun abdiquait sa personnalité, s'insérait dans une hiérarchie factice, d'autant plus rigoureuse, adhérait aux statuts d'une société très fermée, obéissait à des règlements d'une fastidieuse précision. Désormais les courtisans n'étaient plus que les acteurs d'un spectacle dont l'auteur-metteur en scène était le roi. Il distribuait les rôles, et les retirait, à son gré. Ces princes, ces ducs, ces marquis (dont le titre s'était dévalué à force de se multiplier), quel que fût le lustre de leur Maison, ne songeaient plus à s'attribuer une importance que Louis n'aurait pas lui-même accordée. « Il m'importait, déclarait-il, qu'ils ne conçussent pas eux-mêmes de plus hautes espérances que celles qu'il me plairait de leur donner. » Le faste qu'il entretenait à grands frais, les fêtes somptueuses qu'il ordonnait, s'inscrivaient dans la même politique, tout en satisfaisant, on s'en doute, les penchants personnels du roi : il aimait recevoir, c'est là un aspect de son caractère rarement noté, cependant évident ; il aimait que l'on copiât ses inventions, qu'on l'imitât même, sachant bien que la copie n'atteindrait jamais le modèle... Eblouis par ce luxe, persuadés qu'ils détenaient une infime parcelle de cette grandeur, les courtisans s'endettaient pour paraître, négligeant leurs terres et leurs maisons : des générations avaient peiné pour enrichir les demeures familiales, elles tombaient en ruine faute d'entretien. Etre chassé de la cour, c'était pour ces créatures presque cesser de vivre : une traversée du désert !

Toute grâce venait du roi. N'être plus aperçu de Sa Majesté rayonnante équivalait à tomber pour jamais dans les ténèbres, renoncer à tout avenir, perdre toute considération.

« C'est un beau spectacle, écrivait Primi Visconti, de le voir sortir du château avec les gardes du corps, les carrosses, les chevaux, les courtisans, les valets et une multitude de gens tous en confusion, courant avec bruit autour de lui. Cela me rappelle la reine des abeilles, quand elle sort des champs avec son essaim. » Mais Louis était trop fin psychologue pour se contenter de la gloire quotidienne ; il n'oubliait pas la postérité, montrant par ce trait qu'il était exactement le contraire de Louis XIII. Dès le début de son règne personnel, il s'était assuré le concours indirect et bienveillant des poètes, des historiens, des tragédiens, des peintres, des sculpteurs et des musiciens. « Ces grands hommes, charmés de se voir dans une si puissante protection, et qui estiment la reconnaissance pour la première de toutes les vertus... », lit-on dans un mémoire de Colbert. Le roi les pensionna généreusement. Les Académies des inscriptions et belles-lettres, des beaux-arts, des sciences, furent alors fondées. L'Académie française prit un nouvel essor. Sans doute les récompenses, les distinctions étaient-elles réservées à ceux qui célébraient les vertus et les exploits du Maître. Il n'en reste pas moins que le Grand Siècle, le classicisme français, sont nés, pour une large part, de cette sollicitude, ou de cette mainmise, sur les arts. Encore faudrait-il s'entendre sur cette notion de classicisme. Ce n'est point Louis XIV qui l'a inventée. Le Grand Siècle, qu'il incarne, n'est point réellement son œuvre. Il commence à la fin du règne d'Henri IV, se développe sous Louis XIII et donne ses fruits sous Louis XIV. Qu'on y réfléchisse : Corneille, Pascal, Descartes, Poussin, Le Sueur, La Tour, les Le Nain, Puget ont été les contemporains de Louis XIII ; ils appartiennent à la première moitié du xviiie siècle ; ils ont préparé ce que l'on appelle le Grand Siècle. Racine, Molière, La Fontaine, Mme de Sévigné, Bossuet, La Rochefoucauld furent les continuateurs. Ils ont porté à la perfection le style élaboré par leurs devanciers. Pour comprendre mieux l'évolution qui s'est opérée, il suffit de comparer Corneille et Racine. Dans Corneille, qui exprime en quelque sorte un sentiment national, les aspirations d'un peuple à dominer l'Europe, il y a conflit entre le devoir dans son acception la plus haute et les passions de l'individu. Dans Racine, conflit entre les convenances et les sentiments individuels ; il ne s'agit plus que d'une tragédie de cour. C'est que, désormais, les quelques milliers de personnes qui gravitent autour du roi, donnent le ton, font la mode, bien entendu avec l'approbation du Maître ! Molière lui-même s'est efforcé de plaire aux courtisans ; très souvent, il parle leur langage et véhicule leurs idées. Par bonheur, Louis XIV avait le goût exquis ; il choisissait d'instinct le meilleur et savait, avec un extraordinaire à-propos, charmer ceux qu'il protégeait et stimuler leur zèle. Il savait aussi que tout ce qui s'écrivait, en vers et en prose, lui élevait par ce moyen un monument impérissable. Voulant que son règne fût le plus grand, effaçât ceux de ses prédécesseurs, il lui paraissait logique que poètes et prosateurs fussent aussi les plus grands, gloire suprême dont rêva Napoléon Ier, mais qu'il ne put atteindre. Si bien que le rôle de Louis XIV consista essentiellement à orienter la création, à son profit. On doit admettre que la « reconnaissance » obligatoire des créateurs ne nuisit pas trop à leurs œuvres !

Le rôle de Louis XIV, en tant que protecteur des beaux-arts, est encore plus marqué, car il fut à la fois l'inspirateur et le promoteur, pour tout dire un amateur passionné. Il avait, mieux que son père, compris que, pour briller aux yeux de la postérité, il était nécessaire de construire des palais, d'embellir les cités, bref de laisser les témoignages matériels de sa grandeur. De même qu'il l'avait fait en politique, il procéda avec prudence ; il essaya ses talents. Pendant des années, il se contenta d'agrandir ses maisons (le Louvre, Saint-Germain), d'ordonner ses jardins grâce au talent de Le Nôtre, de doter sa capitale de quelques monuments. Mais à mesure que son goût s'affirmait, il sentit le besoin obsédant de bâtir un palais à sa mesure.

Ce palais fut Versailles. On peut dire qu'il y travailla tout au long de son règne, en dépit des revers et des difficultés financières, obstiné à réaliser lui aussi un chef-d'œuvre destiné, d'abord à stupéfier ses contemporains, mais surtout à étonner les siècles. Ce fut son lyrisme personnel. Ce fut aussi la preuve qu'il n'était pas seulement un grand politique et un César triomphant, mais un roi artiste, bien mieux : le premier artiste de son époque, puisqu'il créait un style dégagé de l'influence italienne, typiquement français, c'est-à-dire conservant équilibre et mesure dans la grandeur, élégance et grâce dans l'énormité.

Il ne pouvait, faute de place, agrandir le Louvre, mais il aurait pu transformer Fontainebleau ou Saint-Germain, ou choisir quelque espace vierge à proximité de Paris. Le choix de Versailles ne fut pas immédiat. En 1661, Versailles n'était encore qu'un modeste village, avec une étendue de forêt trouée d'étangs et de marécages, et un « petit château de cartes ». Cette « chétive maison », à peine digne d'un gentilhomme champêtre, avait été le pavillon de chasse et le lieu de retraite du mélancolique Louis XIII. Là, s'était dénouée la fameuse Journée des Dupes. Là, ce martyr du devoir avait pleuré naguère son amour perdu pour Louise de La Fayette. Pourquoi Louis XIV s'intéressa-t-il à ce petit manoir ? Peut-être fut-il séduit par la grandeur du paysage, ou, plus simplement, par la proximité d'une forêt giboyeuse. Dès 1661, l'architecte Le Vau commença la première campagne de construction, qui dura jusqu'à 1668. Ce second château respectait et englobait, par la volonté formelle de Louis XIV, le manoir paternel. On s'interroge sur ce tardif respect filial : jamais le roi-Soleil ne parla de Louis XIII ; cependant il bâtit le plus grand palais du monde autour de cette relique. Il chargea celle-ci de dorures, mais voulut que le toit d'ardoises, les briques et le chaînage de pierre blanche de la façade fussent maintenus, au risque de l'écraser ou d'introduire une fausse note. Le manoir de Louis XIII, quand on vient de Paris et que l'on considère l'ensemble du palais, ressemble au noyau rouge d'un énorme fruit doré ; il prend à ce contraste une sorte de préciosité, l'attrait mystérieux d'une châsse.

Dans ce second Versailles, déjà doté de jardins magnifiques et de bassins, furent donnés, en 1664, les Plaisirs de l'Ile Enchantée, offerts à Louise de La Vallière. Les six cents invités eurent l'honneur d'assister à la première de *Tartuffe* dans sa version originale, celle qui est perdue ! Versailles abritait alors les amours discrètes de Louise et du jeune monarque. En 1668, après la paix d'Aix-la-Chapelle, nouvelle fête encore plus grandiose, cette fois en l'honneur de la marquise de Montespan.

A partir de 1668 et jusqu'en 1678, Le Vau et Dorbay enveloppèrent le second château. De 1678 à 1714 Mansart construisit le quatrième château. Trente-six mille ouvriers, selon Dangeau, travaillaient en permanence, creusant les fondations, gâchant le mortier, taillant la pierre, sculptant les frontons, roulant et érigeant les statues, aplanissant le sol, comblant les marécages, abattant les arbres, plantant les massifs, tout cela au milieu des chevaux de trait, des chariots, des échafaudages, des gravats, des baraques élevées à la diable pour abriter les compagnons, cependant qu'au-delà des grilles dorées la nouvelle ville de Versailles sortait de terre. La rêverie du roi-artiste tournait au gigantisme. Colbert s'arrachait les cheveux. L'opinion dénigrait. Mais rien ne pouvait s'opposer à la volonté farouche de l'architecte couronné. Il était le seul à savoir que c'était au fond sa propre image qu'il laissait à la France ; que celle-ci serait à jamais plus grande d'avoir bâti ce palais. Quand, de nos jours, on observe la foule cosmopolite qui se presse dans les appartements, photographie l'orgueilleuse façade, parcourt les allées de Le Nôtre, et, d'aventure, navigue sur le grand canal, on se sent porté à l'indulgence envers Louis ! Que dis-je, on se sent complice... Et l'on ne peut s'empêcher d'imaginer sa majestueuse personne, le chapeau sur la tête et la canne à la main, errant au milieu des échafaudages et ne croyant point déchoir en parlant aux tâcherons. Cette « vie délicieuse » que l'on savourait à la cour, c'était aussi pour le roi le plaisir de visiter des chantiers.

TROISIÈME PARTIE

LES OMBRES
1680-1697

I

LA JOURNÉE DU ROI-SOLEIL

Il faut, pour imaginer le roi à cette époque de plénitude, regarder attentivement le buste sculpté par Coysevox[1] et daté de 1681. Le marbre semble vivant, dans son élégance altière. Il s'éclaire de l'intérieur. Il rayonne d'intelligence. L'extrême distinction allège la robustesse, si l'on veut la lourdeur. La sensualité, l'instinct dominateur s'y tempèrent de majesté. Cette puissance est empreinte de sérénité. Aucune image, qu'elle soit peinte, crayonnée ou taillée dans la pierre, n'est plus proche de la conception que l'on se faisait alors d'un roi ; on comprend quel empire Louis XIV exerçait sur les esprits et pourquoi on le révérait quasi comme un dieu. C'est qu'il y avait dans ce large front et dans ce regard quelque chose d'olympien. Aucun des visages subsistants des Césars romains ne donne cette impression d'équilibre souverain, ne dégage cette aimantation. Ici les passions s'égalisent, l'âpreté s'adoucit, l'autorité devient courtoisie. Si peu que l'on s'attarde devant ce buste où Coysevox

---

1. Dans le salon de l'Œil-de-Bœuf, à Versailles.

a mis le meilleur de son génie, on perçoit jusqu'à l'évidence que c'est là le Maître de Versailles et l'inventeur du Grand Siècle. Il est, pour ainsi dire, le palais de Versailles fait homme, dans sa volonté de puissance, certes, mais aussi dans sa splendeur paisible.

Encore ne sait-on rien du timbre de sa voix. Faut-il préciser que l'on disait alors : « Messieurs, le Roué », et que l'on prononçait avec l'accent des Canadiens français d'aujourd'hui : ils sont les fidèles gardiens de notre langue du XVIIᵉ siècle, à des nuances près !

Pour compléter l'illusion, ou parfaire le tableau, il faudrait aussi remeubler le palais, redorer les ornements des toitures, les plombs des combles, les statues, les bassins, les dalles et conduites d'eau, repeupler avec les yeux d'un artiste historien ces salons, ces allées, d'habits chamarrés, de grandes robes chatoyantes, cette cour d'honneur de carrosses peints de vives couleurs et rehaussés de sculptures, et de toute une cavalerie piaffante superbement harnachée. Où règne le silence des pièces désertées, ce sont les violons du roi qu'il faut entendre jouant quelque allègre « sinfonie » de Jean-Baptiste Lulli.

Alors peut-être entendrait-on le merveilleux secret de Versailles suggéré par le roi lui-même : tout ce palais n'est qu'un grand salon au milieu des bois ! Il n'a aucun point de ressemblance avec les orgueilleux palais italiens, brutale affirmation de la domination d'une famille écrasant de leur masse les modestes maisons et jusqu'aux églises, et qui sont de véritables forteresses urbaines. Rien ne sépare Versailles de la nature. La broderie des parterres, l'alignement des ifs taillés et des jets d'eau invitent simplement le regard à glisser sur l'eau dormante du Grand Canal pour atteindre les infinis bleuâtres et le bord du ciel. De même les frondaisons géométriques, soumises à la volonté de l'homme, conduisent-elles insensiblement aux mouvances de l'horizon. La sauvage nature se civilise avant d'aborder le palais-musée. Les bassins domestiquent le ciel et le mêlent aux reflets de leurs bronzes. Les cascades déversent leurs scintillements dans les nappes immobiles, et répondent au pépiement des oiseaux. L'art français, c'est peut-être, précisément, ce mariage harmonieux du ciel et de l'eau, de l'arbre et de la pierre.

Encore le palais — quelle que soit l'affluence des visiteurs — n'est-il plus qu'un coquille vide ! La Maison militaire du roi ne comptait pas moins de dix mille hommes aux uniformes rouges et bleus (qui sont décidément les couleurs de la France !) : gardes du corps, gendarmes, chevau-légers, mousquetaires, grenadiers, gardes suisses et gardes-françaises. La Maison Civile rassemblait quatre mille personnes placées sous l'autorité de trois hauts dignitaires. Le grand aumônier commandait aux chapelains et musiciens de la chapelle. Le Grand Maître, aux maîtres d'hôtel, au grand panetier, au grand échanson, au premier écuyer tranchant, aux gentilshommes de la chambre, porte-manteaux, porte-arquebuses, médecins, barbiers, tapissiers et autres officiers du garde-meuble. Le Grand Ecuyer de France avait sous ses ordres le personnel de vénerie, de fauconnerie et des écuries ; il était responsable des chiens et des chevaux de Sa Majesté. La reine, les princes avaient chacun leur Maison particulière, distincte de celle du roi et la reproduisant en réduction. A cette multitude d'officiers s'ajoutèrent la foule des courtisans qui n'étaient pas logés au château et habitaient soit la ville de Versailles, soit Paris, et celle des visiteurs venus voir le roi, ou déposer quelque requête, ou recevoir l'insigne honneur d'être « présentés ». Cela à partir de 1682, où Louis XIV fit de Versailles sa résidence définitive et le siège du gouvernement...

Mais s'il est plus facile de voir le roi, et de fort près, qu'un chef d'Etat contemporain, l'ordre qui règne dans cette ruche royale a la régularité d'un ballet. L'étiquette a tout réglé, tout prévu. Chacun sait ce qu'il doit faire, le rang que lui assigne la préséance, l'heure où il doit paraître et celle où il doit se retirer, l'attitude qu'il convient d'observer en chaque circonstance. Louis XIV donne l'exemple. Sauf aux armées, la même règle absolue transforme chaque acte de la journée en cérémonie. Qu'on en juge plutôt !

Le roi est un couche-tard et un lève-tôt. La veille au soir, il a marqué l'heure à laquelle il entend qu'on l'éveille. L'aube point sur les frondaisons et les jardins. Une à une, les statues sortent de l'ombre. Un début de lumière allume les milliers de vitres. Le premier valet de chambre dort dans la chambre royale. Il se lève et va se vêtir dans l'antichambre. Un quart d'heure avant l'éveil du roi, il entre. En silence, un garçon de chambre allume le feu. D'autres ouvrent les volets des fenêtres ; ils enlèvent la bougie qui, pendant toute la nuit, est restée allumée. Ils emportent la « collation de nuit » (pain, vin, eau, tasse de vermeil, assiettes et serviettes), ainsi que le lit volant (le lit de veille) du premier valet de chambre. Ce dernier reste seul près du lit royal.

Sonne l'heure marquée. Il s'approche du lit et dit :
— Sire, voilà l'heure.

Entrent alors le Grand Chambellan et le premier gentilhomme de la Chambre qui est de quartier et, quand ils le désirent, le dauphin, avec les ducs de Bourgogne et de Berry. Lorsque le grand chambellan a tiré les rideaux, on introduit les princes du sang, les ducs et pairs et les hauts dignitaires.

Louis XIV est toujours au lit. Le premier valet de chambre lui verse de l'esprit-de-vin sur les mains. Le Grand Chambellan, et sinon le premier gentilhomme, présente un bénitier. Sa Majesté prend l'eau bénite et fait le signe de croix. C'est le moment privilégié où princes et grands seigneurs peuvent lui parler. Louis consacre ensuite un quart d'heure à la prière. Le barbier Quentin, gardien des perruques, en propose deux. Le roi choisit celle qui lui paraît le mieux convenir à son emploi du temps. Il se lève, chausse ses mules. Le Grand Chambellan, ou le premier gentilhomme, l'aide à enfiler sa robe de chambre que tient le premier valet.

Le roi, ainsi vêtu, franchit le balustre. Un des valets de la garde-robe enlève du fauteuil le haut-de-chausse et l'épée du maître. Le cérémonial du « petit lever » commence.

Le Grand Chambellan ôte le bonnet que Louis a gardé sur la tête. Un des barbiers peigne alors soigneusement Sa Majesté, à moins qu'elle ne préfère se peigner elle-même. Pendant ce temps, le premier valet de chambre présente un miroir. Cette besogne achevée, Louis demande « la première entrée ». Ce sont les officiers qui détiennent ce privilège en raison de leur charge ou qui sont titulaires du brevet d'entrée : secrétaires du cabinet, premiers valets de la garde-robe, lecteurs, contrôleurs de l'argenterie, intendant des meubles, médecin, chirurgien, apothicaire, etc...

Le roi coiffe sa perruque du jour, avec l'aide de Quentin. Il demande sa « Chambre ». Ce sont les autres officiers les plus directement attachés à sa personne : huissiers, valets de chambre, porte-manteaux, huissiers du cabinet, etc... Le premier gentilhomme de la Chambre lui indique les noms de ceux qui attendent dans l'antichambre : prélats, nonces, ambassadeurs, ducs et pairs, maréchaux de France, lieutenants-généraux, dignitaires de la magistrature et grands seigneurs. Le rôle de l'huissier de service est très important ; s'il aperçoit un inconnu, son devoir est de lui demander son nom et l'étiquette veut que l'on ne doive point trouver cela « mauvais ».

Le roi s'habille, sans se départir jamais de sa majesté, de son élégance de geste. Le premier valet de sa garde-robe lui présente ses chausses que le roi chausse lui-même. Il en est de même des hauts-de-chausses et des bas, dont la texture varie suivant les saisons. Un garçon lui met ses souliers à boucles de diamants. Louis attache ses jarretières. Les barbiers s'approchent alors quand c'est jour de barbe (un jour sur deux). Celui qui est de jour met le linge de barbe, savonne Sa Majesté, rase et enlève le savon avec une éponge. Son collègue mêle de l'esprit-de-vin à l'eau pure. Il tient le bassin. Le roi s'essuie lui-même le visage. Tant qu'il a porté sa singulière moustache (dont la petitesse contrastait avec l'énorme perruque), il l'enduisait lui-même d'une cire spéciale préparée par ses barbiers et la peignait.

Après le déjeuner (un bouillon ou une simple tasse de sauge), il ôte cérémonieusement sa robe de chambre et sa camisole de nuit. A cet instant, le plus grand roi du monde est en chemise de nuit et en haut-de-chausses. La chemise de jour est apportée par un prince du sang. Deux valets de chambre étendent la robe de chambre pour cacher le roi pendant qu'il retire sa chemise de nuit et enfile sa chemise de jour. Le grand maître de la garde-robe lui agrafe son épée et l'aide à passer sa veste. Il place en écharpe le large ruban moiré du Saint-Esprit, la croix de cet ordre pendant du côté de l'épée, avec la croix de Saint-Louis attachée à son ruban rouge. Il lui présente enfin son justaucorps brodé. Le roi noue lui-même la cravate qu'il a choisie. Il reste au grand maître de la garde-robe pour achever son office à présenter au roi sa canne, ses gants et son chapeau. S'il y a cérémonie, il pose un manteau sur les épaules de Louis et attache le grand cordon par-dessus. Une partie de l'année, cet étrange cérémonial a lieu aux bougies !

Etant habillé, le roi s'agenouille sur deux carreaux de velours placés dans la ruelle du lit. Il récite ses prières, en compagnie de son aumônier.

Tout en s'habillant, il a parlé à l'un ou l'autre, propos insignifiants mais interprétés comme des faveurs, des promesses d'avancement ou de pensions...

Le roi passe dans son cabinet, suivi par ses officiers de quartier. C'est pour distribuer ses ordres de la journée, avec une précision telle que chacun sait dès lors ce qu'à chaque instant fera le maître. Il reçoit ensuite ses bâtards, puis s'entretient de bâtiments avec un architecte.

Aussitôt après, audience confidentielle des ambassadeurs. Jamais il ne répond qu'évasivement, disant que le ministre responsable s'en chargerait, ou qu'il avait l'intention d'examiner plus avant la question.

Les courtisans attendent la fin de cette audience pour lui parler quand il se rend à la messe. Sauf de très rares exceptions, il ne répond jamais que par un « je verrai » qui n'est pas refus, mais prudence.

Après la messe, le conseil tenu dans la chambre royale, avec tout le sérieux que l'on sait et la même inflexible régularité.

Le dîner ou « petit couvert » est à une heure. Il a lieu dans la chambre, sur une table carrée. Le roi mange seul, sauf à l'armée et dans les festins de mariage. Il a l'appétit d'Henri IV. Il avale plusieurs potages fortement épicés, force salades, plusieurs plats de viandes, des melons et des fruits glacés, des assiettes de pâtisseries. Il boit du vin coupé d'eau. Jamais de liqueurs, ni de café, ni de chocolat. Les princes du sang, le dauphin, les cardinaux se tiennent debout ; ils le regardent manger ! Seul Monsieur se voit offrir un tabouret ; en contrepartie il présente la serviette à son auguste frère.

En sortant de table, le roi, suivi de son premier médecin, passe dans son cabinet. Il s'amuse ensuite à donner des biscotins à ses chiens couchants. Il change de vêtements, puis se rend dans la cour de marbre pour monter en carrosse.

C'est l'heure de la promenade. Le grand air est chez lui un besoin vital. Il est insensible à la chaleur, au froid, à la pluie. Il roule, toutes vitres baissées. Il va courre le cerf dans l'une de ses forêts, tirer ou se promener dans ses parcs, inspecter ses chantiers, plaisir sans pareil !

Au retour de ses promenades, il travaille avec un ou plusieurs ministres.

Le souper est servi à six heures. C'est le « grand couvert », en présence de la Maison Royale (fils et filles de France, avec leurs enfants) et d'une foule de courtisans se disputant l'honneur de voir Sa Majesté manger « prodigieusement ». Après le souper, le roi retourne à son cabinet et s'entretient familièrement avec ses enfants (légitimes et bâtards), son frère, et le dauphin, son fils : c'est le moment du père de famille ; le roi retourne à son particulier, mais hors la vue des courtisans.

Parfois il y a fête. La Galerie des Glaces avec ses miroirs et ses lustres compose un décor incomparable. Les jours « d'appartement », les courtisans en costume d'apparat dansent au son des violons ou, groupés par petites tables, jouent gros jeu. Parfois aussi, il y a loterie. Parfois encore, comédie.

Le roi ne se retire jamais sans une révérence aux dames, ni sans prendre congé de sa famille. Le bougeoir est ensuite donné à celui qu'il désigne : honneur insigne et dont on crève d'envie. Les valets ont préparé la chambre, bassiné le lit, préparé la collation de nuit (deux bouteilles de vin, une carafe d'eau, trois pains, etc...), étalé la robe de chambre et la camisole sur le fauteuil. Louis jette quelques biscotins à ses chiens, puis entre dans sa chambre. Les officiers de la garde-robe l'attendent. Le déshabillage se déroule aussi méthodiquement que le matin. Le cérémonial est le même, avec une graduation identique des faveurs. Bientôt, seul le premier valet de chambre reste avec le roi, qui se couche. Il tire les rideaux. Sa Majesté est enfin **tranquille**.

LES OMBRES

« Ceux-là s'abusent lourdement, écrivait-il, qui s'imaginent que ce ne soient là que des affaires de cérémonies. Les peuples sur qui nous régnons ne pouvant pas pénétrer le fond des choses règlent d'ordinaire leurs jugements sur ce qu'ils voient au-dehors, et c'est le plus souvent sur les préséances et sur les rangs qu'ils mesurent leur respect et leur obéissance. Comme il est important au public de n'être gouverné que par un seul, il lui est important aussi que celui qui fait cette fonction soit élevé de telle sorte au-dessus des autres qu'il n'y ait personne qu'il puisse ni confondre, ni comparer avec lui ; et l'on ne peut, sans faire tort à tout le corps de l'Etat, ôter à son chef les moindres marques de supériorité qui le distinguent des autres membres. »

II

JE NE VEUX PAS ÊTRE GÊNÉ

Il n'était point rare — les témoignages en font foi — que Louis XIV absorbât à un seul repas quatre assiettées de soupes différentes, un faisan entier, une perdrix, une assiettée de salade, du mouton au jus d'ail, deux épaisses tranches de jambon, une assiettée de pâtisseries diverses, du fruit et des confitures. Il éprouvait parfois des vertiges, signalés par ses médecins qui n'y entendaient goutte, vertiges peut-être aggravés par les poudrettes subrepticement mêlées au vin de Sa Majesté par la marquise de Montespan. Car le beau feu d'amour commençait à charbonner et les extraits de mouche cantharide ne lui rendaient qu'une vigueur momentanée. Le roi n'aimait plus autant la piquante marquise, dont l'esprit pétillait toujours comme vin de champagne et les rires cascadaient avec le même entrain, mais dont la blancheur liliale s'ourlait de graisse et dont le caractère tournait à l'aigre. Depuis le temps qu'elle régnait sur le cœur royal, elle se croyait assurée d'y vieillir, tablant un peu trop sur la sensualité du roi, sûre de le reprendre après chaque incartade galante, dont elle avait la finesse et le bon goût de rire. Elle s'alarma pourtant d'une liaison, supposée **ou** réelle, entre Louis et Mme de Soubise. Les soirs où M. de Soubise s'absentait, la belle arborait des pendants d'oreille en émeraude : c'était là le signe convenu. Les vieux amants s'expliquèrent et se remirent ensemble, persuadés qu'ils ne pouvaient se passer l'un de l'autre. Les courtisans stupéfaits la virent, un soir d'appartement, assise à une table de jeu et appuyant tout simplement sa tête bouclée sur le justaucorps du roi. Mais les vieux renards de la cour ne furent pas dupes. Ils gardaient bonne mémoire de la duchesse de La Vallière et se disaient qu'un excès de faveur ne réussissait pas aux dames que le roi aimait.

Puis vint Marie-Angélique, futur duchesse de Fontanges, celle dont Madame écrivait : « Belle comme un ange, avec un cœur excellent, mais sotte comme un panier. » Il convient de rectifier : « Sotte comme une provinciale aux yeux des gens de cour. » Fille de Jean Rigal, comte de Roussille et seigneur de divers lieux en Limousin, elle était née en 1661 et devint à dix-sept ans fille d'honneur de Madame. Les mœurs avaient évolué depuis l'époque où Mme de Navailles défendait la vertu de « ses » filles, fût-ce contre les entreprises de Sa Majesté. Désormais ces jeunes beautés usaient de leurs charmes pour réussir ; ce n'étaient pas les scrupules qui les embarrassaient, mais plutôt la concurrence. On connaissait les brusques prurits amoureux du roi et l'on ne craignait guère d'affronter la Montespan, reine par la main gauche, « reine des ambassadeurs » comme on disait. Mlle de Fontanges avait peut-être le « cœur excellent », mais son ambition ne cédait rien à celle de ses compagnes, d'autant qu'elle les surclassait en beauté. C'était en effet l'une de ces blondes resplendissantes, conformes à la mode et au goût de Louis, avec la taille flexible de la jeunesse et un port de tête, une allure, dignes de séduire un roi. Le bon La Fontaine, galant enthousiaste et impénitent — car enfin il écrivit autre chose que des fables ! — s'extasiait : « Votre beauté vient de la main de Dieu ! » On était alors en plein Olympe, on nageait au milieu des divinités et Jupiter, malgré ses excès de table et ses éblouissements passagers, gardait bon pied bon œil. Il remarqua la petite Fontanges. Qui ne l'eût remarquée ! Au surplus, ainsi que le note l'ambassadeur Spanheim : « Mlle de Fontanges vint à la cour dans l'année 1679, avec le dessein formé et les espérances fomentées même par ceux de sa famille, de faire du roi son amant... Le duc de La Rochefoucauld, un des courtisans les plus accrédités dans les bonnes grâces du roi, fut l'entremetteur de sa passion et n'eut pas de peine à y faire répondre agréablement la dame. » Saint-Simon, toujours prêt à mordre, ajoute cette perle ; il écrit que Louis XIV n'hésita pas à faire de La Rochefoucauld « son grand veneur pour avoir mis la bête dans ses toiles ».

Bientôt, Marie-Angélique se vit attribuer un appartement voisin de celui de Sa Majesté. Mme de Montespan ne savait encore si elle devait rire ou pleurer de cette nouvelle foucade. Selon certains, ayant jaugé sa rivale, elle l'estima moins dangereuse que Mme de Soubise et ses comparses. Mais comme le roi s'attardait à cette liaison qu'elle avait cru passagère, et que la belle affichait par trop son triomphe et jetait l'argent par les fenêtres, elle prit peur. Ou plutôt elle laissa éclater sa fureur et fit une scène effroyable au roi. Il l'écouta, imperturbable, puis laissa tomber ces mots :

— Je vous l'ai déjà dit, Madame, je ne veux pas être gêné.

S'établit dès lors une sorte de *modus vivendi* entre les deux rivales, pour l'amusement de la cour. Primi Visconti : « A Versailles, Mme de Montespan se met du côté de l'Evangile et l'autre sur les gradins élevés du côté de l'Epître ». Mais, en 1680, Marie-Angélique devint duchesse de Fontanges et fut pensionnée : « Mme de Montespan en pensa crever de dépit, et comme une autre Médée menaça le roi de déchirer ses enfants à ses yeux. » Louis XIV détestait les scènes pathétiques, surtout quand il se sentait fautif. Ces fureurs le tourmentaient ; elles risquaient de lui faire perdre son sang-froid. Pour s'apaiser, il s'en allait passer quelques instants avec une certaine Mme Scarron, gouvernante des bâtards Montespan. Mme Scarron s'insinuait doucement dans ses bonnes grâces. Ses propos lénifiants, ses conseils susurrés, étaient pour lui un véritable bain de jouvence. Il y avait dans ce caractère de roi, si altier, si inflexible, un penchant inavoué pour le confort bourgeois, les entretiens à deux avec une femme docile et sage. Mme Scarron progressait dans le cœur de Sa Majesté. Elle avait un art merveilleux pour dénouer les crises et raccommoder les deux amants. Ce faisant, elle discréditait peu à peu la Montespan, sa patronne, mais n'essayait pas de détourner le roi de la petite Fontanges. Meilleure psychologue que la véhémente marquise, elle avait compris que le caprice royal serait éphémère. Fort dévote, fort instruite dans la religion, elle murmurait aussi, dans les apartés, qu'il était moins grave de commettre un adultère simple qu'un double adultère, puisque la Montespan était mariée. Louis XIV prêtait une oreille attentive à ce murmure, qui ne le « gênait » pas, au contraire !

En janvier 1680, Fontanges fit une fausse couche dont elle ne put se remettre. « On la soigne, écrit Mme de Sévigné, d'une perte de sang très opiniâtre et très désobligeante, dont ses prospérités sont troublées. » Elle recouvra pourtant sa beauté et reparut à la cour, mais brièvement. « Blessée dans le service » (selon le mot affreux de Mme de Sévigné), elle devint languissante et se flétrit. Le roi n'aimait pas les femmes malades. Il se détacha d'elle. Le temps n'était plus où, comme un jouvenceau, il s'attifait de rubans bleus assortis aux robes de sa maîtresse. Où les dames de la Cour se coiffaient « à la Fontanges », pour plaire au roi. La malheureuse Fontanges, après avoir beaucoup pleuré, plus encore de l'insensibilité du roi que de sa maladie, se retira à l'abbaye de Chelles, « pour y mourir ». Tout de même, Louis condescendit, tardivement, à lui rendre visite et à verser quelques larmes de circonstance. On la transporta à l'abbaye de Port-Royal de Paris ; elle y mourut le 28 mars 1681 ; elle avait juste vingt ans. Louis XIV en fut informé par le duc de Noailles, auquel il répondit :

« Quoique j'attendisse, il y a longtemps, la nouvelle que vous m'avez mandée, elle n'a pas laissé de me surprendre et de me fâcher... Faites un compliment de ma part aux frères et sœurs, et les assurez que, dans les occasions, ils me trouveront toujours disposé à leur donner des marques de ma protection. »

L'oraison funèbre était un peu courte. On ne peut s'empêcher de penser que Louis XIV était las des galanteries et mûr pour la Maintenon.

Les ennemis de la Montespan, qui étaient de plus en plus nombreux, répandirent le bruit que la mort de la duchesse de Fontanges n'était point naturelle ; que sa fausse couche avait été provoquée par un poison versé dans son breuvage sur ordre de sa rivale. La Palatine précise l'accusation : « La Montespan était un diable incarné ; mais la Fontanges était bonne et simple, toutes deux étaient fort belles. La dernière est morte, dit-on, parce que la première l'a empoisonnée dans du lait ; je ne sais si c'est vrai, mais ce que je sais bien, c'est que deux des gens de la Fontanges moururent, et on disait publiquement qu'ils avaient été empoisonnés. »

Il est vrai que l'Affaire des Poisons venait de rebondir et que la Montespan s'y trouvait gravement compromise. Ce n'est point l'objet de ce livre et l'Affaire a par ailleurs été supérieurement étudiée par nombre d'historiens, en particulier par Georges Mongrédien[1]. Elle faillit cependant éclabousser Louis XIV qui, dans la conjoncture, sut à son habitude manœuvrer au plus juste. Par surcroît, elle peint assez bien l'envers de cette superbe cour, la dangereuse corruption dans laquelle nombre de ces oisifs titrés avaient sombré au mépris de l'honneur et de tradi-

---

1. Dans *Mme de Montespan et l'Affaire des poisons*.

tions ancestrales sans cesse invoquées. En sorte qu'en lisant les comptes rendus de Louvois et les mémoires du lieutenant de police La Reynie, Louis XIV put se dire qu'il n'avait que trop bien réussi à rabaisser la noblesse et constater amèrement quelle anarchie se dissimulait derrière la belle façade du siècle! L'Affaire remontait à 1677. L'arrestation de quelques « sorciers » révéla un véritable trafic de poisons, auquel se trouvèrent immédiatement mêlés de grands seigneurs, des magistrats, des prêtres véreux, de hautes dames, des prostituées, des filous, les nièces de Mazarin (la comtesse de Soissons et la duchesse de Bouillon), un maréchal de France (Luxembourg) et jusqu'à Racine accusé d'avoir empoisonné la Du Parc, sa maîtresse. Louvois en profita pour exercer des vengeances personnelles et frapper les amis de Colbert, son rival. On institua une Chambre ardente, devant laquelle comparurent les plus infâmes coquins et les plus grands noms de France, pour l'édification du peuple. Après l'exécution de la Voisin (le 22 février 1680, où Molière dut faire relâche faute de spectateurs!), ses complices accusèrent formellement Mme de Montespan de sacrilèges et de tentatives d'empoisonnement. Emoi de Louis XIV, mais aussi de Louvois, ami de la marquise! Sans doute le roi résolut-il dans l'instant de se venger d'Athénaïs, puis il raisonna, se ravisa et chargea La Reynie de diligenter l'enquête. Cependant, quel qu'en fût le résultat, sa résolution était prise de cesser ses relations avec la marquise. Louvois obtint toutefois que le roi accordât une entrevue à celle-ci. Ce fut l'occasion d'une scène véhémente, au cours de laquelle les larmes alternèrent avec les reproches. La Montespan ne perdit point son titre de favorite; elle cessa de l'être, c'est-à-dire de paraître telle. Pourtant elle ne fut pas poursuivie, car, en fin de compte, le roi n'avait pas retenu les accusations portées contre elle, du moins les plus graves. On accusait la marquise d'avoir administré depuis des années des « poudres d'amour » au roi, d'avoir fait célébrer des messes noires par le prêtre Guibourg, d'avoir tenté d'empoisonner la duchesse de Fontanges et le roi. Mais les dénonciations émanaient des complices de la Voisin; c'était pour ces misérables le moyen d'échapper à la roue ou au bûcher. On ne pouvait néanmoins douter que la marquise eût commis l'imprudence d'entrer en relations avec cette lie de la société. Et cela, Louis XIV ne pouvait le pardonner à celle qui, pendant tant d'années, avait été presque reine! Pareil scandale rejaillissait, non seulement sur la cour, mais sur l'entourage immédiat de la personne royale, sur la mère d'enfants légitimés et par là même quasi-princes du sang! Il tombait sous le sens que Mme de Montespan n'avait jamais songé à empoisonner le roi, source de sa fortune. Cependant laisser faire son procès, quand bien même la Chambre Ardente l'eût innocentée, pouvait provoquer une crise politique. Louis XIV mit fin aux travaux de la Chambre Ardente. L'infortuné Louis XVI aurait pu s'inspirer de la décision de son aïeul, lors de l'Affaire du Collier, au lieu de laisser des magistrats déshonorer Marie-Antoinette, qui était innocente.

Pour ménager l'opinion, Louis XIV régla l'éviction progressive de la favorite. Celle-ci ne fut point chassée de Versailles. Elle dut s'abstenir de paraître aux cérémonies, s'abîmer dans une discrétion de commande. Le roi continuait de lui rendre visite. Elle ne quitta la cour qu'en 1692, non point contrainte et forcée, mais volontairement, parce que, peu à peu, le repentir effaçait en elle les souvenirs glorieux. Pendant dix-sept ans elle pratiqua la prière, les macérations, la charité pour expier ses fautes. Ainsi l'impétueuse cavale, l'altière faunesse, finalement touchée par la foi, se donna une fin semblable à celle de la tendre Louise de La Vallière. Et cela témoigne, malgré tout, de la qualité des âmes de ce temps-là.

La duchesse de Fontanges disparue, la Montespan réduite à n'être plus qu'une figurante, Louis XIV se rapprocha de la reine. Il se montra soudain plein d'attention et même de tendresse. La pauvre Marie-Thérèse n'osait croire à son tardif bonheur. Elle était persuadée que ce retour du roi, c'était à la bonne influence de Mme de Maintenon qu'elle le devait :

— Dieu s'écriait-elle avec son incroyable naïveté, Dieu a suscité Mme de Maintenon pour me rendre le cœur du roi.

III

MADAME DE MAINTENON

Elle avait pour grand-père l'illustre Agrippa d'Aubigné, huguenot intransigeant, soldat talentueux et impitoyable, poète de
génie, l'un des plus fidèles compagnons d'Henri IV. Pour père,
Constant d'Aubigné, un dévoyé perdu de dettes et assez dénué
de scrupules, méprisé par Agrippa. Détenu au Château-Trompette,
Constant avait épousé Jeanne de Cardilhac, la fille de son geôlier.
Françoise d'Aubigné, future marquise de Maintenon, naquit en
1635, au donjon de Niort, où son père était à nouveau en prison.
Elle reçut le baptême catholique, mais ses parents, dénués de
ressources, la confièrent à sa tante, Mme de Villette, châtelaine
de Mursay et huguenote militante. A sept ans, les d'Aubigné la
reprirent et elle redevint catholique. Constant parvint à se faire
nommer gouverneur de Marie-Galante. Après sa mort, Françoise
revint à Mursay. Son séjour aux Antilles lui valut le surnom
d' « Indienne ». La légende veut que Mme de Villette, sans considération pour la naissance de sa nièce, l'ait contrainte à garder
les dindons dans les prairies autour du château et à exécuter
des besognes serviles. Ce fut alors que sa marraine, Mme de
Neuillant, prit de l'intérêt pour elle et, pour la soustraire à la

190

huguenoterie de sa tante, obtint d'Anne d'Autriche l'ordre de la retirer de Mursay. Mais Françoise, ayant peut-être hérité l'âpreté religieuse d'Agrippa, opposa un refus catégorique. Elle aimait mieux garder les dindons que d'entrer au cloître. On l'emmena de force et on l'enferma chez les Ursulines de Sainte-Anne. Elle brava les humiliations, mais céda à la douceur et, finalement, se laissa convertir.

Quel pouvait-être l'avenir d'une jeune fille sans biens, sans dot et sans espérances, par ailleurs séduisante ? Car Françoise d'Aubigné était fort bien tournée, de grande allure, malgré la pauvreté de ses robes, avec le teint mat d'une « indienne », les yeux noirs et les cheveux châtains. Très certainement elle inspirait le désir en raison de son charme exotique, et elle fut courtisée. Mais son intelligence, son esprit de calcul mûri par l'adversité et sa froideur, la défendirent contre les entreprises galantes. Mme de Neuillant protégeait Scarron. D'où lui vint l'idée bizarre de donner sa filleule à ce pauvre rimeur, si perclus de rhumatismes qu'on le portait de la chaise au grabat ? Il avait quarante-deux ans et Françoise, seize. Sentant bien que Mme de Neuillant cherchait à se débarrasser d'elle, elle accepta. « J'ai mieux aimé l'épouser qu'un couvent », avoua-t-elle. Pendant huit ans, elle s'efforça de tenir le ménage de ce grabataire, poète sur commande, ne croyant à rien, ne respectant rien, hormis cette belle jeune femme qui consentait à le soigner et à recevoir ses amis : « libertins » et bohèmes, hilares, buveurs, galants et débraillés. En 1660 — elle avait vingt-cinq ans — Mme Scarron était veuve et quasi indigente. Anne d'Autriche lui accorda une petite pension. Françoise s'installa chez les Ursulines du faubourg Saint-Jacques. Ecœurée de chansons et de propos libertins, elle avait choisi la dévotion et la meilleure société et trouvé définitivement sa voie. Vêtue simplement, mais dignement, elle fréquenta l'hôtel de Richelieu et l'hôtel d'Albret, se lia d'amitié intellectuelle avec Mme de Scudéry, Mme de Sévigné, la future princesse des Ursins et Mme de La Fayette. Insensiblement, la dévote consentit à plus d'élégance, pour « faire plaisir » à ses amies. Dès lors, le cercle de ses relations s'élargit. Faut-il admettre qu'elle en vint même à mener une double vie, rencontrant M. de Villarceaux dans une chambre prêtée par Ninon de Lenclos ? Saint-Simon l'affirme, mais rien n'égale son mépris pour l'épouse morganatique du roi ! Toujours est-il que Mme Scarron rencontra Mme de Montespan et pactisa avec elle : une ambition féroce était leur bien commun à défaut d'autres ressemblances. Quand la Montespan mit au monde le premier enfant du roi, en 1669, la chère Scarron assistait à l'accouchement. Elle emporta discrètement le nouveau-né — qui était une fille — dans une maison de la rue de Vaugirard. Elle s'y installa avec les nourrices. Elle procéda de même à la naissance du second bâtard (le futur comte de Vexin) en 1672, de Mlle de Nantes en 1673 et de Mlle de Tours en 1674. Mme Scarron veillait sur cette nichée d'enfants royaux, avec une constance et une tendresse quasi maternelles, qui furent remarquées par le roi. Au début, ce dernier, tout à ses amours brûlantes, à ses fêtes, à ses chasses, ne pouvait souffrir ce bas-bleu, par surcroît confit en dévotion. Il détestait les raisonneuses. Puis il se laissa gagner, peu à peu, par le sérieux de cette femme, par cette gravité si proche de la sienne, par la douceur et l'humilité de cette voix toujours égale et contrastant avec les éclats de la Montespan. Fin connaisseur, limier hors de pair, il flaira « l'exotisme » de l'Indienne et commença à regarder sans déplaisir cette belle chevelure couleur d'acajou. Mme de Montespan commença à s'émouvoir, donc à s'irriter, lorsque son amant rechercha la compagnie de Mme Scarron, sous prétexte de s'entretenir avec ses enfants.

Duel entre les deux femmes, mais à fleurets d'abord mouchetés. Elles étaient aussi redoutables l'une que l'autre. Cependant la marquise, méprisant sa gouvernante, ne pouvait croire qu'elle lui enlèverait son amant. Mais, précisément, l'amant se fatiguait des plaisirs et, davantage, des criailleries de la favorite. Les scrupules religieux lui venaient avec l'âge et avec les soucis. Le jeu subtil de Mme Scarron consistait à entretenir ces scrupules, à les attiser, à les orienter. Elle parlait du Ciel avec une voix tellement suave et un tel amour humide dans ses yeux noirs ! Elle savait si bien écouter les plaintes de Louis, ses confidences, et, quand il l'en priait (en insistant), émettre un avis timide, risquer un conseil prudent ! Son merveilleux artifice fut de le persuader qu'elle aimait son âme, d'un tel amour qu'elle se faisait un devoir d'assurer son salut. De sorte que, par ce biais, elle le détachait peu à peu de la Montespan, créature diabolique. Mais, comme la Montespan, en dépit de son état de pécheresse officielle et de ses collusions avec les sorciers et les devineresses, gardait une peur panique du diable, elle agissait pareillement sur elle, la menaçant, de sa même voix charmeresse, des supplices de l'enfer. La Montespan entrait alors en tremblements et la bonne Mme Scarron la consolait de son mieux. Tartuffe femelle ? Voire, de telles natures surabondantes se contredisent toujours, s'embroussaillent de nuances où le jugement s'égare. Pour une part, la gouvernante était sincère, car sa foi était indubitable et vive ; pour une autre, elle obéissait à son ambition ; pour une autre encore, elle suivait ponctuellement les conseils de son directeur de conscience. Enfin, elle restait assez femme pour percevoir qu'en raisonnant sur les passions humaines et les perspectives célestes, elle aiguisait les désirs du mâle. Pas un instant elle ne perdait cependant de vue son objectif, tout en déclarant, les paupières baissées, que la faveur croissante du roi, les bienfaits qu'elle recevait et de celui-ci et de Mme de Montespan, venaient du Ciel. A force de le dire, peut-être y croyait-elle tout de bon, et, sinon, elle se persuadait que Dieu inspirait son industrie.

« Voilà le compte que je vous dois de mes affaires spirituelles, écrivait-elle à son confesseur, après avoir trempé sa plume en quelque encre bénite, PASSONS AUX TEMPORELLES. J'ai une extrême envie d'acheter une terre et je n'y puis parvenir. M. de Montchevreuil est à Paris et je l'ai prié d'y travailler et de s'instruire de tout ce qui est à vendre. Je vous prie de le voir et de joindre toute la vivacité de l'amitié que vous avez pour moi pour me servir dans cette occasion, car il n'y en aura jamais une plus importante pour mon repos. Si vous voyez Mme de Richelieu, excitez-la à presser les gens à qui j'ai affaire à songer un peu à mon établissement. »

Louis XIV, dûment « pressé », lui donna cent mille livres. Elle put acheter la terre de Maintenon et prendre, avec l'autorisation narquoise du roi, le titre de marquise. C'était une assez belle revanche sur son passé de pauvresse. Cependant la nouvelle marquise ne pouvait faire oublier Mme Scarron à certains courtisans. On riait, sous cape, de cette promotion sans se douter le moins du monde de l'avenir qui se préparait. Le duel avec la Montespan se métamorphosa en guerre déclarée. Chacune avait ses partisans. Mme de Sévigné écrivait à sa fille : « Je veux vous faire voir un petit dessous de cartes qui vous surprendra ; c'est que cette belle amitié de Mme de Montespan et de son amie qui voyage est une véritable aversion depuis près de deux ans : c'est une aigreur, c'est une antipathie, c'est du blanc, c'est du noir ; vous demandez d'où vient cela ? C'est que l'amie est d'un orgueil qui la rend révoltée contre les ordres de l'autre. Elle n'aime pas obéir ; elle veut bien être au père, mais non pas à la mère ; elle fait le voyage à cause de lui, mais non pas pour l'amour d'elle ; elle lui rend compte et point à elle. On gronde L'AMI d'avoir trop d'amitié pour cette glorieuse. »

Mais l'orgueilleuse gouvernante n'avait pas encore partie gagnée. Le roi se raccommoda avec la Montespan. Deux bâtards naquirent de ce retour de flamme : le comte de Toulouse et Mlle de Blois. Bien que Mme de Maintenon aimât les enfants — ce fut d'ailleurs son seul véritable amour — elle ne put s'empêcher de détester ces tard-venus de l'amour ! Au contraire, elle vouait un véritable culte au petit duc du Maine auquel elle faisait écrire de touchantes lettres à son père et des niaiseries à sa mère.

On sait quel fut son comportement lors de la liaison avec Mlle de Fontanges et de la chute de Mme de Montespan. Elle était alors tellement avancée dans les bonnes grâces de Louis qu'il la voyait chaque jour. Mais elle eut l'adresse de le ramener à la reine, feignant l'oubli de soi avec une hypocrisie parfaite. Ce qui ne l'empêchait point de participer aux divertissements de la cour ; bals, comédies, promenades en carrosse (bien qu'elle craignît les rhumes), médianoches, etc... Tout en écrivant à la femme de son frère, récemment convertie : « Je demande tous les jours à Dieu, ma très chère enfant, qu'il vous conduise dans ses saintes voies. On ne fait pas ces vœux-là dans le monde. Je les fais au milieu de la cour, où il ne faut qu'être pour haïr le monde et ses plaisirs. J'y éprouve bien que Dieu seul peut remplir le vide du cœur de l'homme. Croyez, ma fille, que toutes les choses que vous vous figurez si délicieuses, et que vous m'enviez peut-être, ne sont que vanité et affliction d'esprit. »

Mais la pieuse affligée supporte allégrement l'atmosphère de Versailles. Le luxe, l'apparat, la bonne chère, les musiques profanes, le réseau d'intrigues qui enveloppe tout un chacun, les assiduités, peut-être les insistances du roi, ne tourmentent pas exagérément sa conscience. Il est vrai qu'elle peut se croire irresponsable et que ses fautes, il lui est loisible de les imputer à ses directeurs. Ils la poussent doucement et la guident dans le *cursus honorum*. A mesure que son influence grandit auprès de Louis XIV, ils font en sorte de l'utiliser adroitement. Il suffit à Mme de Maintenon de se plier aux ordres. La connaissant à fond, ses confesseurs en appellent à son esprit de « sacrifice », si peu qu'elle renâcle. L'Eglise est derrière elle, qui feint d'oublier combien elle manque de charité et d'amour pour être bonne chrétienne. N'importe, dûment chapitrée, elle sait à merveille tirer parti de chaque événement pour hâter la conversion du roi : le mariage du Dauphin avec la princesse Marie-Anne de Bavière, le mariage de l'aînée de ses bâtardes avec le prince de Conti, la naissance de son premier petit-fils, le duc de Bourgogne, en 1682, l'année de l'installation définitive à Versailles. Désormais, Louis prend figure de patriarche, dans son palais des Mille et une Nuits. Il éprouve le besoin de s'assagir, de se ranger ; il est grand-père, mais il n'a encore que quarante-quatre ans et l'on peut tout prévoir avec le sang bourbon.

En 1683, au retour d'un voyage en Franche-Comté, la reine Marie-Thérèse mourut d'un clou à l'aisselle, converti en septicémie par l'art médical. Les drogues de Fagon firent rentrer l'abcès qui « tomba sur le cœur » ; l'émétique qu'il lui admi-

nistra aussitôt lui donna des crises d'étouffement. Fagon décida
la saignée, l'ordonna au chirurgien Gervais. Celui-ci :

— Monsieur, y songez-vous bien ? Ce sera la mort de ma
maîtresse !

— Faites ce que je vous ordonne, Gervais.

Gervais, pleurant à chaudes larmes, dit encore :

— Vous voulez donc que ce soit moi qui tue la reine, ma
maîtresse ?

A onze heures, la reine fut saignée et tomba en faiblesse ; à
midi, elle reprit de l'émétique ; à trois heures, elle était morte.

On vit le roi courir, en larmes, à la chapelle pour demander
le saint viatique. Mais, dès que Marie-Thérèse eut expiré, il
retrouva son calme et prononça l'un de ces mots « historiques »
dont il avait le secret :

— C'est, dit-il, le premier chagrin qu'elle m'ait causé.

Ce fut alors que Mme de Maintenon montra elle aussi l'à-
propos dont elle était capable. Elle feignit de vouloir se retirer,
par discrétion. Le duc de La Rochefoucauld (qui avait misé sur
sa réussite et ne tenait pas à perdre sa mise) la poussa chez
le roi, quasi de force, en lui disant :

— Ce n'est pas le temps de quitter le roi, il a besoin de vous.

Elle se laissa faire violence et sut bercer le roi de paroles
célestes, entrouvrir les portes du paradis. Elle ignorait sans
doute que Louis avait fait son choix, arrêté sa décision. Abreuvé
d'amours faciles, las des têtes légères et des sautes d'humeur,
il épousait l'eau calme, mais aussi une intelligence solide et, au
fond, par bien des côtés, son double féminin, ne serait-ce que
par l'art de dissimuler. Outre cela, intervenait cette notion,
chez lui capitale, selon laquelle, sans quitter son piédestal, il
élevait jusqu'à lui une personne sortie de rien. La Montespan,
fille de grande race, quasi née avec un cœur de princesse, ne
s'estimait pas inférieure à un Bourbon. Au contraire, Mme de
Maintenon gardait les traces originelles de sa médiocrité. Il
était délicieux pour Louis de transformer en pseudo-reine l'ex-
Mme Scarron, l'ex-petite gardeuse d'oies de Mursay.

Un mois après la mort de Marie-Thérèse, Mme de Maintenon
fut logée dans un appartement voisin de celui du roi. Ce fut le
seul changement apparent. On glosera encore longtemps sur la
date de leur mariage célébré dans le plus grand secret.

IV

LE NOUVEAU THÉODOSE

La paix de Nimègue n'avait point atténué les ambitions de Louis XIV, encore qu'elle traduisît un demi-échec ; elle les avait plutôt exacerbées. Les plénipotentiaires s'étant dispensés de délimiter les nouvelles frontières avec précision, le roi se flatta de tirer de cette paix autant d'avantages que d'un conflit armé. Louvois, de plus en plus arrogant, le poussait dans cette voie. Au surplus, une grande partie de l'armée n'avait pas été démobilisée. Une conférence s'ouvrit à Courtray relativement aux Pays-Bas espagnols. Louis XIV en profita pour faire occuper militairement Hombourg et Bitche, qui relevaient du duché de Lorraine. Il fit prendre deux arrêts par le parlement de Besançon, l'un décidant l'annexion pure et simple de la principauté de Montbéliard, l'autre des quatre-vingts villages qui en dépendaient. Une Chambre de Réunion fut instituée près le parlement de Metz. La mission de cette Chambre était de rechercher les dépendances des Trois-Evêchés, à partir des anciennes chartes. En réalité, ces territoires relevaient de l'empereur d'Allemagne, pour une large part. Louvois, sur l'ordre de Louis XIV, simplifia la besogne des commissaires : ils durent prononcer la réunion de quatre-vingts fiefs, sans autre forme de procès, et l'annexion du comté des Deux-Ponts. De même le conseil souverain d'Alsace supprima-t-il les juridictions impériales. Strasbourg était une ville libre ; elle avait eu le tort de livrer passage aux Impériaux, pendant la première coalition. Cette ville était pour Louvois d'abord un pont sur le Rhin. Il fallait s'en assurer la possession définitive. Les catholiques strasbourgeois, plus ou moins stipen-diés, se montraient favorables au rattachement à la France. Pour couper court aux tergiversations, nous occupâmes la ville par surprise. Le 24 octobre 1681, le roi y fit son entrée.

En septembre, les Français étaient entrés à Casal. On se flat-tait de maîtriser plus tard le Piémont et, par là, d'établir une manière de protectorat sur les petits Etats italiens.

Simultanément Louis XIV pratiquait une politique de maria-ges tendant à adoucir la rigueur de sa diplomatie. Il sacrifia l'aînée des filles de Monsieur en la donnant à Charles II d'Espa-gne. Le dauphin dut épouser une princesse de Bavière, afin de fortifier l'alliance avec l'Electeur. La seconde fille de Monsieur fut mariée à Victor-Amédée de Savoie, pour des raisons identi-ques. Louis XIV n'avait point d'enfants à sa disposition : cinq étaient morts en bas âge, seul survivait le dauphin ; la pauvre reine Marie-Thérèse n'avait pas le sang très net.

L'Angleterre n'était pas à craindre, son roi, ayant toujours les mêmes besoins d'argent. Tel n'était pas le cas de la Hollande, plus exactement de son stathouder, Guillaume d'Orange. Il haïs-sait viscéralement, la France. Massillon le dépeint ainsi : « Habile à former des ligues et à réunir les esprits, plus heureux à exciter les guerres qu'à combattre, plus à craindre dans le secret du cabinet qu'à la tête des armées ; un prince ennemi, que la haine du nom français avait rendu capable d'imaginer de grandes cho-ses et de les exécuter, un de ces génies qui semblent nés pour mouvoir à leur gré les peuples et les souverains. » De fait, Guil-laume avait déjà porté un coup redoutable à Louis XIV en nouant la première coalition. Elle avait échoué, faute d'entente entre les alliés. Mais voici que le roi de France défiait, par son despotisme, à la fois l'Espagne qui ne pouvait accepter ses exi-gences, l'Allemagne qu'il avait spoliée et l'Italie qui, depuis l'affaire de Casal, se sentait menacée. L'Europe entière s'inquié-tait. Guillaume exploita cette situation. Il s'allia avec le roi de Suède et l'empereur, puis avec l'Espagne. Mais les Turcs mena-çaient alors sérieusement l'empire et la chrétienté. Louis XIV se donna le beau rôle, en renonçant provisoirement à ses conquê-tes, mais refusa son aide effective. Le grand vizir Kara-Musta-pha avait rassemblé une puissante armée, soutenue par une artil-lerie nombreuse. Il envahissait l'Autriche et marchait sur Vienne.

LES ROIS QUI ONT FAIT LA FRANCE

Le pape Innocent XI lança un appel solennel à tous les souverains catholiques. Le roi d'Espagne, les princes italiens envoyèrent des contingents. Les princes allemands réconciliés par le danger commun mobilisaient. Jean Sobieski, roi de Pologne et terreur des Turcs, amena une armée de secours. Déjà le grand vizir assiégeait Vienne, dont l'empereur avait fui. Jean Sobieski écrasa les Turcs, au Kahlosburg, le 12 septembre 1683. Louis XIV s'était contenté de bombarder Alger, pour faire diversion, en réalité pour terroriser les Barbaresques et nettoyer la Méditerranée des escadres pirates. Il se souciait si peu de Vienne, de l'appel du pape et du sort de la chrétienté que, le 1ᵉʳ septembre, profitant des embarras de l'Allemagne, il fit occuper la Belgique, pour accélérer les négociations de Courtray... L'Espagne nous déclara une guerre, qu'elle était incapable de soutenir. En 1684, nous prîmes, sans difficultés, Audenarde, Luxembourg et Trèves. L'Espagne demanda la paix. Elle fut signée à Ratisbonne et nous donna Luxembourg, Beaumont, Bouvines et Chimay (contre la restitution de Dixmude et de Courtenay). L'empereur reconnut « les réunions », y compris celles de Kehl et Strasbourg. Le Roi-Soleil dictait sa loi à l'Europe. Comme l'écrivait alors La Fare : « Il sembla avéré que l'empire de la France était un mal inévitable aux autres nations. »

Dans le même temps, Seignelay (fils et successeur de Colbert) bombarda Gênes, dont les banquiers s'intéressaient d'un peu trop près aux affaires d'Espagne. Le doge dut venir à Versailles, avec une délégation de sénateurs, présenter ses excuses. Il avait en vain supplié les autres puissances d'intervenir. Tout pliait donc sous la volonté du Roi-Soleil et l'on commençait à redouter qu'il cherchât à régner sur l'Europe entière, à la façon dont il agressait les faibles, défiait ses égaux et disposait des princes à marier ! Pourtant il faut admettre, comme une évidence, qu'agissant de la sorte et prenant d'année en année des risques accrus, Louis XIV s'appuyait sur une opinion largement belliciste. On applaudissait sans plus réfléchir à chaque « réunion », à chaque conquête juridique, diplomatique ou militaire, de territoires et de places fortes. Il semblait alors que rien ne dût arrêter l'expansion française et la domination de son roi. Les rayons du Soleil embrassaient l'Europe, avant de l'embraser. Temps superbe des illusions !

Dans la même perspective, Louis XIV avait bénéficié du soutien inconditionnel du clergé français. Bien que sa dévotion restât superficielle, il prétendit se mêler des questions religieuses, mais dans la seule intention de mettre le Saint-Siège au pas, en ne considérant que l'aspect temporel de celui-ci. Plusieurs conflits mineurs avaient déjà opposé le pape à la monarchie. Louis s'était efforcé de les régler à l'amiable, par respect pour la religion, tout en faisant sentir qu'il pouvait adopter une autre attitude si l'on s'opiniâtrait. L'affaire de la Régale fut plus grave, d'autant qu'elle s'insérait dans le mouvement gallican. La régale était le droit du prince de percevoir le temporel, c'est-à-dire les revenus d'un évêché vacant jusqu'à ce qu'il fût pourvu d'un titulaire. Droit évidemment contesté par le pape, puisqu'il privait l'Eglise d'appréciables revenus. Innocent XI, qui n'aimait pas la France, envenima le conflit, espérant amener le roi à commettre quelque faute. Il le menaça presque d'excommunication. Louis XIV garda son calme. Il suscita une assemblée du clergé, laquelle prit, chaleureusement et unanimement, position en sa faveur, en déclarant : « Nous sommes si étroitement attachés à Votre Majesté que rien n'est capable de nous en séparer... Il est bon que toute la terre soit informée que nous savons comme il faut accorder l'amour que nous portons à la discipline de l'Eglise avec la glorieuse qualité que nous voulons conserver à jamais, Sire, de vos très humbles, très obéissants, très fidèles et très obligés serviteurs et sujets. »

Ce qui signifiait en clair que le clergé plaçait sa subordination au roi très chrétien, avant celle qu'il devait au pape. Cette assemblée, qui fut suivie de plusieurs autres tout aussi solennelles et positives, semblait agir de sa propre autorité. Le roi feignait, très habilement, de se tenir en dehors de ses débats et, même, de refréner le zèle des prélats. En mars 1682, après une sublime envolée oratoire de Bossuet, l'assemblée vota quatre principes d'inspiration nettement gallicane. Ils limitaient le pouvoir du pape au domaine spirituel, tout en reconnaissant la validité des décrets œcuméniques à cet égard. Ils subordonnaient l'usage de la puissance pontificale aux constitutions du royaume et de l'Eglise de France, et les décrets du pape touchant la foi au consentement de l'Eglise. Ce qui revenait à affirmer substantiellement l'indépendance de l'Eglise gallicane. Innocent XI, furieux, cassa ces décisions. L'assemblée ne désarma point, répliquant que Rome violait continuellement les libertés de l'Eglise de France. Le roi se donna le rôle d'arbitre. Ayant montré sa force, indirectement, il n'en fit pas usage et, comme il ne voulait pas entrer en conflit avec une prélature aussi consciente de ses devoirs, il mit fin aux travaux de l'assemblée pour apaiser la colère du pape.

En même temps, et pour se redîmer aux yeux du Saint-Siège, il se préoccupait de la R.P.R. (la religion prétendue réformée). On se souvient que, dès le début de son règne personnel, il avait pris la décision de restreindre les privilèges accordés aux Protestants par l'Edit de Nantes ; qu'il exceptait ceux-ci de ses faveurs, voire des promotions auxquelles ils avaient droit ; qu'il n'osait pas cependant abolir l'Edit d'un trait de plume, malgré sa volonté d'unifier la religion. Il faisait fond sur l'ambition des nobles, lesquels, humiliés d'être tenus à l'écart, se convertissaient peu à peu au catholicisme. Il estimait que la conversion des Grands entraînerait fatalement celle de la bourgeoisie et du peuple. Selon la conjoncture, il relâchait ou resserrait son intolérance. Pendant la guerre de Hollande et la Première Coalition, il ne pouvait décourager les officiers protestants ! Mais, après la paix de Nimègue, il n'avait plus à ménager les récalcitrants.

On a écrit, répété, que l'influence néfaste de Mme de Maintenon l'avait amené à révoquer l'Edit de Nantes, parce que la nouvelle « reine » était l'instrument de l'Eglise. Que, sous son empire, le grand roi, naguère à demi païen, donnait furieusement dans la dévotion. Que la mort de Colbert avait privé les protestants de leur protecteur : on comptait parmi eux tant de commerçants avisés, d'armateurs, d'artisans, de banquiers, d' « ingénieux » (ingénieurs), d'ouvriers spécialisés, de chefs d'entreprises, qu'ils représentaient une puissance dans l'Etat ! En fait, le mariage de Louis XIV avec Mme de Maintenon, s'il avait accru les marques extérieures de sa dévotion, n'en affectait point le principe. Le roi restait le croyant qu'il avait toujours été, fort exact aux offices, mais sans aucun penchant pour le mysticisme, somme toute assez tiède. Simplement, du fait qu'il avait renoncé à l'adultère, la religion ne le « gênait » plus ! Au surplus point n'était besoin des murmures de Mme de Maintenon, pour l'inciter à supprimer la R.P.R. Les prélats dans leurs sermons, les assemblées du clergé dans leurs déclarations, n'avaient pas cessé de l'exhorter à extirper « l'hérésie ». Quant à Colbert, loin de prendre la défense des protestants, il avait trop de servilité pour ne pas encourager le roi à les convertir, au besoin par la force, et il envoya les ordres nécessaires aux intendants. Ceux-ci rivalisèrent de zèle pour s'avancer, renchérirent sur les instructions de Paris et rédigèrent des rapports insincères. Ils achetaient, avec des subsides, les pauvres gens, impressionnaient les hésitants par l'envoi de régiments, faisaient occuper la demeure des réfractaires. Rien n'était pis qu'une troupe vivant sur le pays, pillant les caves et les poulaillers. Il y eut des soulèvements en Dauphiné, dans le Vivarais, les Cévennes et le Languedoc. On les réprima durement. Louis XIV avait désapprouvé les sévices des soldats, mais il ne pouvait tolérer les rébellions : et les protestants s'étaient mis dans ce cas. Le chancelier Le Tellier se mêla de l'affaire. Il condamna les excès de son fils Louvois, obtint du roi qu'on remplaçât les dragons par des hommes de loi. De la sorte on put ruiner les protestants, les dépouiller « légalement » de leurs biens. Les conversions se comptèrent dès lors par milliers. Les intendants purent cette fois clamer victoire, écrire qu'il ne subsistait plus dans le royaume qu'une minorité insignifiante de réfractaires, Louis XIV ne demandait qu'à les croire. Puisque par ces moyens, on avait extirpé « l'hérésie », il ne restait plus qu'à révoquer l'Edit de Nantes. Ce qu'il fit, le 15 octobre 1685, en interdisant le culte protestant, en ordonnant la destruction des temples et la fermeture des écoles, et en menaçant des galères quiconque chercherait à fuir hors du royaume.

L'immense majorité des catholiques applaudit à cette mesure, à l'envoi des dragons dans le Midi. « Jamais aucun roi n'a fait et ne fera rien de plus mémorable », écrivait Mme de Sévigné. Et Bossuet s'exclamait : « Poussons jusqu'au ciel nos acclamations et disons à ce nouveau Constantin, à ce nouveau Théodose, à ce nouveau Marcien, à ce nouveau Charlemagne, ce que les six cents pères dirent autrefois dans le concile de Chalcédoine : Vous avez affermi la foi, vous avez exterminé les hérétiques ; c'est le digne ouvrage de votre règne, c'en est le propre caractère. Par vous, l'hérésie n'est plus... »

Mais, selon l'estimation de Vauban, le royaume perdit cent mille sujets emportant trente millions de livres, huit mille matelots qui furent enrôlés par les ennemis, six cents officiers valeureux, dix mille soldats aguerris, l'élite de ses manufacturiers.

Les dragonnades achevèrent de discréditer Louis XIV dans les Etats protestants. Des libelles, répandus dans toute l'Europe, le qualifiaient de « fléau de Dieu, tyran des âmes ». Le pape lui-même condamnait cet excès de zèle. Guillaume d'Orange exultait.

V

LE BISTOURI A LA ROYALE

Au moment où Louis XIV s'apprêtait à affronter une nouvelle fois l'Europe coalisée contre lui, à faire face aux plus grandes difficultés et aux plus graves dangers, à assumer presque seul le gouvernement, puisqu'il avait perdu Colbert et qu'il ne lui restait plus que Louvois, sa santé s'altéra si gravement que l'on put craindre pour ses jours. Il était bâti à chaux et à sable, fait pour vivre cent ans, telle était l'idée reçue. De fait sa constitution résista jusqu'à soixante-dix-sept ans aux soins des médecins de l'époque, ce qui représente une sorte de record. Par ailleurs, on l'a déjà dit, il détestait les poses alanguies, les soupirs et les visages souffreteux : il fallait pour lui plaire se farder abondamment, arborer un large sourire, quand bien même on frissonnait de fièvre ou que l'on était tourmenté par la colique. Tout devait resplendir et se colorer autour du Roi-Soleil ! Reportez-vous aux bonnes joues rouges des portraits et à l'éternelle gaieté des statues. Mais Louis avait la même dureté, les mêmes exigences envers lui-même : il ne voulait pas paraître malade, non plus que les affaires du gouvernement souffrissent du moindre retard. D'où cette légende de robustesse exceptionnelle qu'il s'appliquait à susciter et à entretenir. Un demi-lieu pouvait-il, à peine de déchoir, subir les atteintes communes aux autres hommes ? Mais, quand on feuillette le journal de ses médecins, la vérité rend un autre son ; on aperçoit un mortel débarrassé de sa majesté et soumis à de petites misères, qui plus est d'une étonnante fréquence ! A neuf ans, il faillit mourir de la petite vérole, maladie terrible mais, en ce temps, fort répandue. A vingt ans, ce fut la grande maladie de Calais : une fièvre thyphoïde dont il se tira difficilement. A vingt-cinq ans, il eut la rougeole. Tout au long de son existence, il souffrit de rhumes tenaces et de dévoiements d'entrailles. Plus tard, les accès de goutte le tenaillèrent et ses étourdissements, ses vertiges, ne cessèrent d'alarmer la Faculté.

Déjà, quand il était enfant — un enfant tard-venu, né d'un père valétudinaire — le médecin Vallot avait décelé en lui « une délicatesse de poitrine et une faiblesse d'estomac ». Antoine d'Aquin, qui lui succéda en 1672 estima au contraire que Sa Majesté était « dès sa naissance, d'un tempérament extrêmement chaud et bilieux ». Il imputait « à la chaleur excessive de son foie » la quantité d'érysipèles et de gales dont l'enfant-roi avait souffert. Il jugea qu'avec l'âge « la chaleur de son sang et la sensibilité de ses esprits » avaient accru cette faiblese bilieuse. Il substitua donc un verre d'eau fraîche au rossolis [1] que le roi buvait à son lever, « pour la consolidation de son estomac et autres parties nourricières ». Plus tard, Fagon, qui remplaça d'Aquin, opina dans un sens absolument contraire. Pour lui, le roi ne pouvait être le bilieux maladroitement soigné par son confrère. Il raisonnait sur l'appétit vorace de Louis et sur son teint : « Sa peau blanche, au-delà de celles des femmes les plus délicates, mêlée d'un incarnat merveilleux, qui n'a changé que par la petite vérole, s'est maintenue dans sa blancheur sans aucune teinte de jaune jusqu'à présent. » Il opinait donc pour une « humeur mélancolique », c'est-à-dire pour un état lymphatique.

En 1673 — il n'avait alors que trente-cinq ans ! — Louis XIV éprouva ses premiers étourdissements. C'était, selon d'Aquin, l'excessive chaleur des entrailles qui engendrait des vapeurs, lesquelles s'élevaient jusqu'au cerveau. Il purgeait donc son royal patient jusqu'aux « selles rouges ». Il l'eût volontiers saigné d'abondance, mais l'intrépide Louis avait horreur de voir son propre sang et cherchait par tous les moyens à se soustraire au

---

1. Le rossolis du roi était un sirop fait avec de l'eau-de-vie d'Espagne dans laquelle avaient macéré diverses graines et plantes (anis, fenouil, carotte, etc.).

zèle de son médecin. Ce dernier était trop bon courtisan pour insister.

Le 1ᵉʳ janvier 1674, il y eut une alerte plus grave. Le roi « fut contraint de chercher où se prendre et où s'appuyer un moment pour laisser dissiper cette fumée qui se portait à sa vue et affaiblissait les jarrets, par sympathie, en attaquant le principe des nerfs ». Ce n'était qu'une indigestion. Mais, par la suite et pendant des années, les accidents se reproduisirent, identiques, pour les mêmes raisons. Réflexions de d'Aquin sur les vapeurs du roi ; elles valent leur pesant d'or : « Elles se glissent par les artères au cœur et au poumon, où elles excitent des palpitations, des inquiétudes, des nonchalances et des étouffements considérables ; de là, s'élevant jusques au cerveau, elles y causent, en agitant les esprits dans les nerfs optiques, des vertiges, des tournoiements de tête, et, frappant ailleurs le principe des nerfs, affaiblissent les jambes de manière qu'il est nécessaire de secours pour se maintenir et pour marcher, accident très fâcheux à tout le monde, mais particulièrement au roi, qui a grand besoin de sa tête pour s'appliquer à toutes ses affaires. Son tempérament penchant assez à la mélancolie, sa vie sédentaire pour la plupart du temps passée dans les conseils, sa voracité naturelle qui le fait beaucoup manger, ont fourni l'occasion à cette maladie... » Mais le roi souffrait aussi de violents maux de dents que d'Aquin soignait avec de l'essence de girofle et parfois de thym : il avait une dentition très mauvaise et mâchait à peine ses aliments. Bref, quand on compare les journaux tenus par Sourches et Danjeau aux mémoires de d'Aquin, on constate que les festivités et les étourdissements du roi coïncident. Maux de cœur, maux de tête, nausées, frissons, nonchalances, pesanteurs à marcher, « chagrins et mélancolies », étouffements, inappétences sont la rançon des collations et des banquets.

Au début de 1686, le roi sentit les premières atteintes du mal qui allait mettre ses jours en danger. Il se plaignit « d'une petite tumeur devers le périnée, à côté du raphé, deux travers de doigt de l'anus, assez profonde, peu sensible au toucher, sans douleur ni rougeur, ni pulsations ». Tumeur qui ne l'empêchait d'ailleurs ni de marcher, ni de monter à cheval, mais qui ne tarda pas à grossir et à durcir.

D'Aquin, toujours sûr de son fait, ne s'émeut pas. Il infligea au malade un cataplasme de sa façon, composé de farines d'orobe, de seigle, de fèves, d'orge et de graines de lin bouillies dans l'oxicrat. Le roi fut obligé de garder le lit, et de subir divers emplâtres : de céruse cuite et de ciguë, de manus Dei, de toile Gaultier qui était un sparadrap enduit de gomme, d'essence de térébenthine et de baume liquidambar. Fort heureusement l'abcès creva, mais d'Aquin pour tourmenter un peu plus le patient, se fit un devoir de le cautériser à sa façon.

« Je ne sais plus où j'en suis, ma très chère, écrivait Mme de Maintenon. On dit toujours que le mal du roi va bien, et cependant on nous fait craindre encore un coup de ciseau. Je le reçois toutes les fois que j'y pense... » Elle n'avait pas la moindre confiance en d'Aquin, créature de Mme de Montespan, d'ailleurs suspect à toute la cour en raison de sa suffisance et de sa cupidité, et se défiait du chirurgien Félix de Tassy. Celui-ci, effrayé par la responsabilité qu'il assumait, n'osait pratiquer ses méthodes habituelles. Il ne se permettait que de timides incisions, élargissant la plaie avec des pierres de cautère, infligeant au roi de cruelles souffrances, et ne parvenant pas à vider entièrement l'abcès. Cependant Louis ne voulait point que son état influât sur la vie de la cour ; les divertissements, les fêtes continuèrent comme s'il avait été en parfaite santé. En réalité, malgré l'autosatisfaction des médecins, ses tourments s'aggravaient. Il avait le courage de n'en rien laisser paraître, par principe et par politique. Déjà, les courtisans s'agrégeaient au dauphin, assaillaient le faible garçon de leurs prévenances et de leurs flatteries. Aussi, dès que le mal lui laissait un répit, le roi faisait l'effort de se montrer, surtout aux ambassadeurs et aux étrangers. Nul ne devait savoir que sa vie était menacée, surtout par l'incompétence des médecins. Mme de Maintenon : « Le mal du roi ne finit point. Ceux qui le traitent me font mourir de chagrin ; ils le trouvent un jour à souhait, et le lendemain tout le contraire. M. Fagon a eu une conversation avec moi ce matin qui m'a serré le cœur pour tout le jour... Il ne faut rien dire de tout ceci. Continuez à prier et faire prier pour lui. »

Ne sachant comment réduire l'ulcère résultant de cet abcès — et qui était une fistule — les médecins conseillèrent une cure à Barèges. Louvois y envoya quelques fistuleux pour faire l'essai du traitement. Ils revinrent aussi malades. Immense soulagement de la cour : le séjour à Barèges ne souriait à personne, en raison des incommodités du voyage et de l'exiguïté de la ville. Où se fût-on logé ? A quoi eût-on passé le temps ? Mais le roi avait de meilleures raisons de ne pas s'éloigner de Paris pendant un tel laps de temps ; il redoutait les cabales et les désordres toujours possibles ; la politique réclamait impérieusement sa présence. Son mal lui accordant quelque rémission, il exigea que les fêtes reprissent leur cours habituel et, malgré une extrême chaleur, assista à un carrousel. Il se montrait à la comédie. Il se promenait dans les jardins de Versailles. Il allait à cheval, affichant une gaieté de commande.

Une dame de la Cour ayant affirmé que les eaux de Bourbon

guérissaient les fistules, Louvois fit renouveler l'expérience de Barèges, avec les mêmes résultats. Alors les charlatans commencèrent à se manifester. Un moine jacobin proposa une eau miraculeuse de son invention. Plusieurs autres apportèrent des onguents. Louvois s'était institué en quelque sorte gardien de la santé du roi. Il apportait à la guérison de ce dernier le même emportement brutal qu'il manifestait dans les affaires militaires. Il peupla son ministère de fistuleux, sur lesquels tout fut essayé, en présence de Félix. En désespoir de cause, il convoqua Bessières, chirurgien en renom. Bessières examina la fistule royale et conclut sans hésiter à l'opération. Mais un certain Lemoyne, médecin de Paris, s'était acquis la réputation flatteuse de guérir les fistules sans opération. Il appliquait un onguent corrosif qui approfondissait progressivement la plaie, jusqu'à en découvrir le fond. Les médecins alterquèrent. Félix, appuyé par Bessières, démontra au roi qu'une incision occasionnant une douleur de quelques minutes le soulagerait absolument, alors que l'onguent corrosif le ferait souffrir cinq à six semaines sans être assuré du résultat. D'Aquin, comme à son habitude, voletait de l'onguent à l'incision, tout en guettant les expressions du patient. Le roi se décida pour l'opération, que l'on appelait alors « la grande opération » tant elle était redoutée.

Félix, excellent chirurgien, fils et petit-fils de chirurgiens, ne l'avait jamais pratiquée. Il accepta cependant cette responsabilité, mais, pour se faire la main, il s'entraîna sur les malades des hôpitaux. On utilisait alors un instrument inventé par Galien et nommé syringotome (de *syrinx*, flûte) ; c'était un bistouri en forme de croissant, dont la pointe se terminait par un stylet flexible. Fort de son expérience, Félix modifia cet instrument et fabriqua « le bistouri à la royale », avec lequel on obtenait les mêmes résultats en provoquant de moindres dégâts.

L'opération eut lieu le 18 novembre 1687. Rien n'avait transpiré de la décision prise par le roi. Il manifestait la même égalité d'humeur. Le 17 novembre, les courtisans le virent monter à cheval et trotter par les allées de Versailles. Ceux qui avaient l'honneur de l'accompagner pendant cette promenade, notèrent sa tranquillité d'esprit et sa gaieté. Visitant ses chantiers, il donna ses instructions comme si de rien n'était. Il fallait un fameux courage pour adopter ce comportement. L'opération n'allait pas sans de très grands risques, en raison de l'absence d'asepsie, ni sans de violentes douleurs, faute d'anesthésie.

Vers sept heures du matin, le lundi 18, Louvois et Mme de Maintenon entrèrent dans la Chambre royale, où s'affairaient déjà Félix et son « garçon » (son aide) Laraye, quatre apothicaires qui venaient d'administrer un lavement à l'illustre malade,

d'Aquin, Bessières et Fagon. Le Père La Chaise se tenait près du roi qui, fort calme, demandait à Félix le nom et l'usage des instruments que ce dernier préparait. Louis récita une prière. Il dit :
— Mon Dieu, je me remets entre vos mains.

Puis il se remit entre celles de Félix et de son aide. On le fit placer sur le bord du lit, un traversin sous le ventre pour lui élever les fesses. Deux apothicaires lui maintinrent les jambes écartées. Félix fit une petite incision, introduisit son bistouri à la royale. Passons sur les détails... L'intervention dura plusieurs minutes. Louis XIV, souffrant le martyre, ne proféra pas un cri, ne s'autorisa pas une plainte. Tout au plus, soupira-t-il, en un certain moment. « Ah ! mon Dieu ! » Il serrait la main de Louvois. Mme de Maintenon s'abîmait en prières. Le front de Félix dégouttait de sueur. Il était si las et tremblant qu'il manqua la saignée, blessa profondément le bras du patient.

La nouvelle de la Grande Opération éclata comme un coup de tonnerre à Versailles. Elle stupéfia les princes, les courtisans. « La douleur parut sur tous les visages, lit-on dans *Le Mercure Galant*, et l'on eût dit à voir le roi, que ce monarque était le seul qui se portait bien. Ayant remarqué que l'on ne faisait aucun bruit, il ordonna que toutes choses se fissent à l'ordinaire, TINT CONSEIL DES LE JOUR MEME, et permit dès le lendemain aux ministres étrangers de le saluer. » Danjeau précise que, ce même jour, il y eut « appartement » et que le roi ordonna que l'on commençât le grand jeu de reversi. Cependant la plaie se cicatrisa trop vite ; il fallut inciser derechef le 7 décembre, toujours dans le plus grand secret.

Ravi d'être enfin délivré de cette infirmité, Louis XIV donna la terre des Moulineaux à l'habile Félix et ne distribua pas moins de 572 000 livres à la petite équipe médicale.

Félix était devenu célèbre. Tout le beau monde voulait passer entre les mains qui avaient sauvé le roi. « J'en ai vu plus de trente, écrivait Dionis, qui voulaient qu'on leur fît l'opération, et dont la folie était si grande qu'ils paraissaient fâchés lorsqu'on les assurait qu'il n'y avait point nécessité à le faire. »

La fistule était devenue à la mode, et quasi-marque de noblesse !

VI

JE MAINTIENDRAI

L'ombre fugitive de la mort n'avait point assagi Louis XIV. La révocation de l'Edit de Nantes n'avait point apaisé le pape Innocent XI. Ce dernier, désireux de remettre un peu d'ordre dans la ville de Rome, avait décidé de supprimer le droit de franchise dont jouissaient les ambassadeurs. C'était une sorte de droit d'asile limité au quartier des ambassades, conforme à la notion actuelle d'extraterritorialité. Les voleurs et meurtriers de tout acabit fleurissant dans la capitale de la chrétienté utilisaient ce droit pour se soustraire aux poursuites de la police. Ainsi le privilège accordé aux ambassadeurs aboutissait-il à des abus intolérables. La plupart des Etats acceptèrent volontiers d'y renoncer. Le duc d'Estrées, ambassadeur de France étant mort, le pape demanda au roi de renoncer, lui aussi, au droit de franchise. Refus hautain de Louis XIV, affirmant qu'il était accoutumé à donner des ordres, non pas à en recevoir. Sur cette insolente mercuriale, il expédia Lavardin, le nouvel ambassadeur, avec des instructions précises. Lavardin entra dans la Ville Eternelle avec une escorte de deux cents cavaliers, qui se firent un plaisir de disperser la garde pontificale. Provocation gratuite,

dont le seul résultat fut l'excommunication immédiate de Lavardin et un redoublement de fureur du Saint-Père. Louis XIV
menaça d'occuper Avignon, terre papale, fit casser la bulle
d'excommunication par le Parlement, et brandit à nouveau la
menace gallicane, au risque de provoquer un schisme.

Sur ces entrefaites, l'archevêque-Electeur de Cologne, titulaire
de plusieurs évêchés, dont celui de Liège, mourut. En prévision
de la guerre qui menaçait, Louis XIV avait le plus grand intérêt
à ce que le nouvel Electeur-archevêque fût sa créature. C'était
le plus sûr moyen d'éviter que Liège et Cologne ne tombassent
aux mains de l'adversaire. Mais il avait indisposé le pape. Ce fut
en vain qu'il tenta de lui imposer le prince de Furstemberg. En
août 1688, les Français occupèrent Cologne. Le pape répliqua
en nommant un prince de Bavière archevêque-Electeur. Louis XIV
fit jeter le nonce en prison et occuper le Comtat Venaissin. La
guerre était *ipso facto* déclarée avec le Saint-Siège, comme elle
l'était avec les puissances coalisées par Guillaume d'Orange. On
observera que celles-ci étaient en majorité protestantes. Le roi
très chrétien entrait donc en lutte avec le chef de l'Eglise catholique et avec le défenseur des Eglises réformées, situation pour
le moins singulière !

Cependant il n'ignorait rien des embarras de Guillaume
d'Orange. Si ce dernier avait rapidement formé la coalition
contre la France, il avait plus de mal à l'organiser : trop d'intérêts restaient divergents et le passé pesait trop lourd pour que
l'on acceptât les diktats du stathouder et le principe d'un
commandement unifié. La chance de Louis XIV tenait à ce que
l'empereur eût envoyé ses meilleures troupes conquérir la Hongrie. Le roi voulut devancer l'adversaire, frapper un grand coup,
afin de diviser et de décourager les alliés. D'ailleurs Louvois le
poussait tant qu'il le pouvait à parfaire la frontière d'Allemagne : il prévoyait le retour prochain des armées victorieuses des
Hongrois. Le 25 septembre 1688, Louis XIV fit connaître aux
Impériaux sa résolution de pourvoir à sa sûreté en occupant
Philipsbourg et Fribourg. Deux jours après, le siège de Philipsbourg commençait. Louis XIV, fatigué par les séquelles de la
Grande Opération et, peut-être, renonçant aux lauriers des impé-
rators, avait confié le commandement de l'armée d'Allemagne au
dauphin, avec pour lieutenants, Duras, Vauban, Catinat, Mont-
clar et Chamlay. « En vous envoyant commander mon armée, dit-il
à son fils, je vous donne des occasions de faire connaître votre
mérite ; allez le montrer à toute l'Europe, afin que, quand je
viendrai à mourir, on ne s'aperçoive pas que le roi est mort. »

Mais, précisément, le « mérite » du prince était si mince qu'il
confinait à la médiocrité. Non point que son père eût négligé

son éducation ; au contraire, il lui avait donné les meilleurs précepteurs ! Mais ils avaient taillé de si bonne besogne qu'ils avaient à jamais dégoûté le dauphin de la lecture. A vingt ans, il avait à peu près oublié ce qu'ils lui avaient assené à coups de discipline. L'aimable prince semblait peu doué pour les affaires. Il n'avait eu pour maîtres ni Mazarin ni les événements vécus, ne voyant du métier de roi que les fêtes. Ce fut probablement un bonheur pour la France qu'il ne régnât pas. Il tenait de sa mère la paresse incoercible et l'inintelligence. Mais c'était le garçon le plus poli du monde. La seule vue de son père le mettait en tremblements. Et Louis était de ceux qui savourent le plaisir de jeter le trouble dans les âmes faibles.

Les généraux dont le dauphin était entouré, ne valaient ni Condé ni Turenne, mais enfin Vauban pouvait les suppléer. Rondement menées, les opérations commencèrent bien. Liège, Kaiserslautern et Spire furent occupées quasi sans résistance. Philipsbourg se défendit âprement. Louvois qui voulait s'assurer du Palatinat en prévision d'une attaque des Impériaux, contraignit l'électeur de Mayence à recevoir une garnison française, fit occuper de même Dourlach, Heilbronn et Heidelberg, et bombarder Trèves. Philipsbourg capitula après un siège difficile et meurtrier.

Le dauphin, que l'on appelait « Monseigneur », avait la bravoure des Bourbons ; il ne redoutait donc ni les intempéries ni les boulets ; là s'arrêtaient ses talents. Il savait aussi se faire aimer des soldats, qui l'avaient surnommé « Louis le Hardi », fraterniser sous la tente. A son retour, le roi lui fit une manière de triomphe. Bien qu'il eût une attaque de goutte, il voulut se rendre au devant de lui, et le serrer publiquement dans ses bras, non comme son fils, mais comme le vainqueur de Philipsbourg. Chacun se louait du plein succès de cette campagne du Rhin et en attribuait le mérite à Monseigneur. On crut même que ce qu'on appelait dédaigneusement la Ligue d'Augsbourg serait sans lendemain.

Hélas ! les compliments de Louis XIV masquaient de graves soucis. L'Angleterre lui échappait, ce qu'il avait su toujours éviter en exploitant la cupidité de Charles II. En fait ce roi n'avait guère cessé de nager entre deux eaux, ménageant l'opinion britannique, ménageant le Parlement, ménageant son « bon » frère Louis et lui vendant fort cher une neutralité relative. Il était mort en 1685, laissant le trône à son frère, le duc d'York, qui devint Jacques II. Charles II avait été, à sa manière, un politique non dénué de subtilité, en tout cas connaissant ses limites. Jacques II était son contraire : un caractère entier et étroit, par surcroît catholique militant, soumis aux conseils pernicieux d'une poignée de moines. Il ne pouvait concevoir que le défunt roi eût accepté de n'être qu'un monarque constitutionnel. Il lui parut urgent de restaurer le catholicisme dans ses Etats, de se donner une armée permanente et de porter atteinte à certaines lois fondamentales du Royaume-Uni, à commencer par l'habeas corpus. Autrement dit, il rêvait, lui aussi, d'absolutisme et crut y parvenir en recherchant l'alliance de Louis XIV. Lorsque ce dernier révoqua l'Edit de Nantes et expédia ses dragons-missionnaires dans le Midi, l'Angleterre protestante craignit pour ses libertés. Jacques II fit machine arrière et condamna hautement la persécution des huguenots français. Mais Guillaume d'Orange veillait, qui, dès lors, se posait en défenseur des libertés religieuses. Ses agents n'eurent pas grand mal à monter l'opinion contre le catholique Jacques II. Quelques déclarations bien nettes de celui-ci eussent probablement suffi à rassurer les Anglais, qui n'avaient pas la moindre envie de se jeter dans une nouvelle révolution. Jacques II accumula les maladresses par ses défis. Il avait négligé un détail d'importance : Guillaume d'Orange ayant épousé l'une de ses filles, la princesse Marie, était l'héritier présomptif du trône. Les Anglais espéraient fermement qu'il succéderait à Jacques II. Or, celui-ci s'étant remarié à Marie de Modène, eut un fils. La perspective de voir un nouveau Stuart régner sur l'Angleterre acheva de dégrader la situation. On répandit le bruit que le petit prince de Galles était un enfant supposé. Guillaume d'Orange prétendit alors réconcilier son beau-père avec ses sujets et, par là, gagner l'alliance de l'Angleterre. Il arma une flotte dans le plus grand secret. Mais l'espionnage était actif et Louis XIV fut promptement averti des préparatifs. Il offrit l'appui de la flotte française à Jacques II, qui rejeta dédaigneusement cette offre, faisant répondre qu'il n'acceptait pas d'être traité comme l'Electeur de Cologne. Il se refusait à admettre que son entourage même le trahissait, que le pays entier attendait la venue de Guillaume. De son côté, Louis XIV crut l'entreprise au-dessus des moyens du stathouder ; il se félicita par avance de l'opposition qu'il rencontrerait. Il lui semblait que le chef de la Ligue d'Augsbourg, en se jetant dans cette aventure inextricable, s'annulait lui-même. Pas un instant il ne pensa que Jacques II comptait aussi peu de partisans. Fâcheuse erreur d'appréciation !

Guillaume s'embarqua cependant que l'armée de Monseigneur assiégeait Philipsbourg. Il disposait de soixante vaisseaux de guerre, de sept cents navires de transport, et d'une petite armée comptant dans ses rangs trois régiments anglais. Il avait résolu de se présenter aux Anglais, non comme un conquérant, mais comme le défenseur de leurs libertés, le mari de la princesse

Marie et le neveu de Jacques II. Sur ses drapeaux, il avait fait broder la vieille devise : « Je maintiendrai. » Le manifeste qu'il avait rédigé se limitait à demander la convocation d'un parlement libre.

Il eut la chance d'éviter une rencontre, qui lui eût été fatale, et toucha terre à Torbay. Sa présence mit le feu aux poudres. Instantanément, dans toutes les villes anglaises, la colère du peuple contre Jacques II se manifesta. Les hésitants, les grands seigneurs, emportés par le mouvement, se rallièrent. Jacques II ne songea pas à faire usage des armes, non par manque de courage, mais par crainte d'être trahi par ses généraux ; il préféra négocier, pour gagner du temps. Ses derniers fidèles l'abandonnèrent ; il eut la plus grande peine à assurer la fuite de Marie de Modène et du prince de Galles, chargeant le duc de Lauzun de les conduire en France. Il était trop tard, lorsque, jugeant enfin la situation désespérée, il prit la décision de s'embarquer. Arrêté, ramené à Londres et mis en prison, il risquait sa tête. Mais Guillaume d'Orange facilita son évasion, sachant bien qu'en fuyant son beau-père lui donnait le trône. Le calcul s'avéra juste. Une convention réunie en hâte, déclara le trône vacant et l'octroya conjointement à la princesse Marie et à Guillaume d'Orange, son époux. Ainsi se termina cette révolution de 1688, qui n'avait été qu'une marche triomphale et aboutissait à l'éviction des Stuarts. D'ailleurs Guillaume d'Orange s'empressa de tenir ses promesses : il restaura le parlement et étendit ses attributions, rendit ses privilèges à l'église anglicane, tout en rassurant le parti catholique. Ainsi jeta-t-il, magistralement, les bases du gouvernement parlementaire anglais et assura-t-il à sa nouvelle patrie la puissance qu'elle ambitionnait d'exercer. En Europe, ce fut une explosion de joie. L'entrée de l'Angleterre dans la coalition était un gage certain de victoire.

L'accession de Guillaume d'Orange au trône d'Angleterre — sous le nom de Guillaume III — était aussi le plus grave échec subi par Louis XIV. Il en mesurait parfaitement les conséquences, dont la moindre était que le chef de la Ligue d'Augsbourg disposait désormais des flottes anglaise et hollandaise et qu'il prenait rang parmi les princes les plus considérables d'Europe. Cependant Louis XIV se disait que la marche au pouvoir de Guillaume avait plus d'éclat que de solidité. Déjà, l'idée l'effleurait de susciter et d'entretenir une contre-révolution. Il accueillait à bras ouverts la malheureuse Marie de Modène et Jacques II Stuart, auquel il déclara :

— Monsieur mon frère, que j'ai de plaisir de vous voir ici, je ne me sens pas de joie de vous voir en sûreté.

Il donna pour résidence aux souverains déchus le château de

Saint-Germain, leur disant avec toute la grâce dont il était capable :

— Voici votre maison ; quand j'y viendrai vous m'en ferez les honneurs, et je vous les ferai quand vous viendrez à Versailles.

Il les combla de cadeaux, et leur accorda une énorme liste civile, croyant par là faire un bon placement. A court terme, ses pronostics se révélèrent exacts. Les Anglais s'aperçurent rapidement que Guillaume III n'était qu'un aventurier heureux. Il dut recourir promptement à des lois d'exception pour se maintenir. Le vice-roi d'Irlande, Tyrconnel, refusait de reconnaître l'usurpateur ; il envoya une délégation à Saint-Germain pour exhorter Jacques II à prendre la tête de la révolte. Le pauvre Stuart n'avait jamais douté de son bon droit, ni d'un retour de fortune. Il prit gaiement congé de Louis XIV qui lui dit :

— Mon cousin, ce que je peux souhaiter de mieux, c'est de ne plus vous revoir.

Jacques II était si jaloux de son autorité, et si peu réaliste, qu'il crut possible de reconquérir l'Angleterre avec les seuls Irlandais. Il ne demanda qu'une escadre, de l'argent, des munitions et quelques officiers expérimentés. Les Irlandais l'acclamèrent, persuadés qu'ils pourraient se venger des oppresseurs anglais. Mais Jacques II ne put oublier qu'il était lui-même anglais et ménagea maladroitement ses compatriotes. Ses divergences de vues avec ses conseillers et les militaires que lui avait prêtés Louis XIV, ajoutèrent à la confusion. Il importait au plus haut point de s'emparer de Londonderry avant l'arrivée des secours anglais. Mais, pour enthousiaste qu'elle fût, l'armée de Jacques II manquait de discipline, de matériel et de munitions. Le siège de cette ville dura plus de cent jours et aboutit à un échec. Les Orangistes eurent tout loisir de débarquer. Un temps déplorable empêcha Jacques II de livrer une bataille qui pouvait être décisive. Chacun rentra dans ses quartiers d'hiver. Un quart de l'Irlande restait aux mains des Orangistes. Rien n'était résolu, mais il était facile de deviner que la cause de Jacques II laissait peu d'espoir, à moins d'une intervention massive de la France. L'opinion n'y était pas favorable, si tant est qu'il faille limiter celle-ci aux salons de Paris et à quelques milliers de courtisans. Jacques II, par sa roideur et sa vanité, indisposait ses partisans les plus résolus. Sa mesquinerie, ses silences envers un roi qui, somme toute, lui donnait asile, heurtèrent la susceptibilité des gens de cour. On le jugea « commun ». Il était Anglais et ne pouvait admirer que son pays. Les magnificences de Versailles, apparemment, ne l'impressionnaient guère. Cependant il était un atout entre les mains de Louis XIV qui n'entendait que se servir de lui, pour « gêner » Guillaume III.

VII

L'INCENDIE DU PALATINAT

Louis XIV n'attachait d'ailleurs qu'une importance secondaire à l'affaire d'Irlande. Il était évident que le sort de la guerre se jouerait sur le Rhin. Cependant nos diplomates encourageaient les Turcs à poursuivre la guerre. La Hongrie n'était pas entièrement conquise. La cour de Vienne hésitait : Hongrois et Turcs pouvaient prendre l'empire à revers. Louvois mit ces atermoiements à profit. Nous occupions le Palatinat et Philipsbourg. Notre frontière était protégée par une ceinture de places-fortes suffisantes pour arrêter l'envahisseur, mais nécessitant des garnisons trop nombreuses, donc impliquant la dispersion d'une partie de nos forces. Il résolut de détruire les places inutiles et de pratiquer la tactique de la terre brûlée. Ainsi notre territoire serait-il protégé par une double ligne de défense : un vaste boulevard ruiné de fond en comble, autour de forteresses bien pourvues d'hommes et de munitions. Les assiégeants éventuels ne trouveraient à proximité ni fourrages ni vivres d'aucune sorte.

Sans doute Louvois avait-il obtenu l'accord de principe de Louis XIV, mais il s'était gardé de préciser les ravages systématiques qu'il s'apprêtait à perpétrer avec ce zèle furieux qui le

214

caractérisait. A la fin de 1688, il fit détruire à la mine les murailles d'Heilbronn et mettre à sac le Wurtemberg. On détruisit ensuite la ville et le château d'Heidelberg : 432 maisons brûlèrent. On rasa pareillement Mannheim, après avoir évacué la population. La dévastation la plus sauvage s'étendit ensuite à tout le Palatinat et aux possessions des trois Electeurs ecclésiastiques. Rien ne fut épargné, ni le superbe château de l'Electeur palatin, ni les églises, ni les couvents, ni les hôpitaux, ni les villages, ni les manoirs, ni les fermes disséminées dans cette riche campagne. On arracha les vignes. On coupa les arbres fruitiers. Partout les flammes des incendies jalonnaient l'itinéraire de nos troupes qui pillaient avant de brûler ! Les pauvres gens fuyaient cette tornade de feu, non pas vers l'Alsace, où l'on était censé les accueillir, mais vers l'Est. Et l'apparition de leurs bandes affamés et loqueteuses soulevait l'indignation et attisait les désirs de vengeance.

Le 20 mars 1689, la princesse Palatine, seconde épouse de Monsieur, écrivait : « Dût-on m'ôter la vie, il m'est cependant impossible de ne pas regretter, de ne pas déplorer d'être pour ainsi dire le prétexte de la perte de ma patrie... » Louis XIV avait en effet invoqué les droits de sa belle-sœur pour occuper le Palatinat. « ... Je ne puis voir de sang-froid détruire d'un seul coup dans ce pauvre Mannheim tout ce qui a coûté tant de soins et de peines au feu prince-Electeur mon père. Oui, quand je songe à tout ce qu'on y a fait sauter, cela me remplit d'une telle horreur que, chaque nuit, aussitôt que je commence à m'endormir, il me semble être à Heidelberg ou à Mannheim, et voir les ravages qu'on y a commis... Ce qui me désole surtout, c'est que le roi a précisément attendu pour tout dévaster que je l'eusse imploré en faveur de Heidelberg et de Mannheim. Et l'on trouve encore mauvais que je m'en afflige ! »

Et, le 14 avril : « Bien que je ne veuille aucun mal à l'Electeur Palatin, ce qui m'afflige, ce n'est pas qu'on ait tant maltraité le pauvre Palatinat depuis qu'il est entre ses mains, mais qu'on se soit servi de mon nom pour tromper les pauvres habitants ; que ces braves gens, dans leur innocence et par affection pour l'Electeur notre défunt père, n'ont cru ne pouvoir mieux faire que de se soumettre volontairement, pensant qu'ils m'appartiendraient et vivraient plus heureux que sous l'Electeur actuel car je suis encore du sang de leurs maîtres légitimes. Ce qui m'afflige, c'est que, non seulement ils ont été déçus dans cette espérance et que leur affection a été mal récompensée, mais encore qu'ils sont tombés par là dans la misère et dans un malheur éternel. Et ce qui met le comble à mes chagrins, c'est que ceux même qui ont

causé les désastres de ma pauvre patrie me persécutent personnellement ; il n'est pas de jour qui ne m'apporte quelque nouvel
ennui. Et dire qu'il faut passer sa vie jusqu'à la fin avec ces
gens-là ! »

Mais on ne ménageait pas plus la Palatine que l'Electeur.
Worms, Oppenheim et Spire furent livrés aux flammes. La célèbre cathédrale, renfermant les tombeaux de huit empereurs, ne
fut même pas épargnée. L'Europe entière condamna ces destruc-
tions. L'Empire nous avait officiellement déclaré la guerre en
février 1689, l'Angleterre et la Hollande en mars, le Brandebourg
en avril, l'Espagne en mai. Loin d'avoir terrorisé les Alliés, l'incendie du Palatinat resserrait au contraire les liens, faisait l'unanimité contre Louis XIV, rapprochait les princes allemands des
deux confessions et portait à son paroxysme la haine des populations contre les Français. Mais l'armée coalisée était une gigantesque machine, composée de pièces hétérogènes difficiles à
engrener. L'esprit méthodique des Allemands retardait l'organisation générale et laissait à Louvois le temps de prendre ses dispositions. Rompant avec ses habitudes, ce fut la prudence qu'il
recommanda à ses généraux. D'entrée de jeu, nous renoncions à
l'invasion du territoire ennemi et nous adoptions la tactique
défensive, changement capital ! Mais Louvois avait compris que
l'adversaire n'était plus celui de la première coalition, qu'il avait
crû en nombre et en détermination. A vrai dire, les Alliés
n'avaient qu'un bon général : le duc de Lorraine. Il vint assiéger
Mayence, défendue par Huxelles. Nonobstant les ravages perpétrés par nos soldats, les Impériaux parvinrent à se loger et à
s'approvisionner. Les secours envoyés par Louvois arrivèrent
trop tard. Huxelles capitula avec les honneurs de la guerre. Peu
après, Asfeld, qui défendait Bonn, subit le même sort. A Charleroi, le prince de Waldeck battit le maréchal d'Humières. Cette
bataille avait été fortuite ; elle était de peu de conséquences.
Néanmoins, la campagne de 1689 se soldait pour la France par
une série d'échecs, dont le principal était évidemment la perte
de Mayence. Louvois en fut tenu pour responsable. N'ayant sous
ses ordres que des généraux de second plan, il prétendait diriger
les opérations de son cabinet de Versailles évidemment au nom
du roi. Il ne tenait aucun compte des avis ou suggestions. Maître
absolu de l'armée, il se plaisait à terroriser ses contradicteurs.
Colbert n'était plus là pour faire contrepoids, et ramener ce
furieux à la raison. Mais Louvois ne comptait pas que des amis
parmi les courtisans. La rumeur publique commença à l'accuser
de ruiner l'Etat par sa démesure, de perpétrer la guerre à son
profit, d'abuser le roi par ses faux rapports et ses flatteries et,

crime impardonnable aux yeux de Louis XIV, de s'être approprié les fonctions de premier ministre. On lui reprochait ses erreurs : il n'avait pas su intercepter le convoi conduisant Guillaume d'Orange en Angleterre, ni soutenir Jacques II en Irlande ; il avait saccagé le Palatinat, soulevant l'indignation en Europe, mais laissé perdre la ville de Mayence. Les pamphlets que Guillaume III faisait répandre l'accusaient d'avoir accaparé le gouvernement et qualifiaient Louis de prétendu Roi-Soleil, de Phaëton incendiant la terre. Par surcroît notre politique romaine largement inspirée par Louvois, échouait, bien que Louis XIV eût à peu près tout cédé sur la régale et les franchises, et offert de rendre le comtat Venaissin. Le nouveau pape Alexandre VIII, sans rejeter la transaction, préféra se tenir sur l'expectative : faire sa paix avec le roi de France, c'était offenser les princes catholiques de la coalition. La caution morale du Saint-Siège manqua donc à Louis XIV qui, fort subtilement, y voyait un germe de division. En quelque domaine que ce fût, les conseils, les méthodes tyranniques de Louvois se révélaient néfastes. Pour autant, Louis XIV pouvait-il le sacrifier ? Même pour complaire à Mme de Maintenon ? Il adopta une attitude chez lui lourde de menaces, en prenant systématiquement la défense de son ministre. Mais il regrettait d'avoir aveuglément suivi ses conseils et il fit en sorte que la subordination des secrétaires d'Etat à Louvois prît fin. C'était pour ce dernier le commencement du déclin. Il dut accepter le regain de faveur de Seignelay, le départ du contrôleur général Pelletier et son remplacement par Pontchartrain, créature de Colbert. Il dut aussi sacrifier d'Humières et donner le commandement de l'armée du Nord au duc de Luxembourg qu'il détestait. Faut-il accepter pour véridique la scène extraordinaire relatée par Saint-Simon :

« Louvois, qui avait le défaut de l'opiniâtreté, et en qui l'expérience avait ajouté de ne douter pas de l'emporter toujours en ce qu'il voulait, vint à son ordinaire travailler avec le roi chez Mme de Maintenon. A la fin du travail, il lui dit qu'il avait bien senti que le scrupule était la seule raison qui l'eût retenu à une chose aussi nécessaire que l'était le brûlement de Trèves qu'il croyait lui en rendre un essentiel de l'en délivrer en s'en chargeant lui-même ; et que pour cela, sans lui en avoir voulu reparler, il avait dépêché un courrier avec l'ordre de brûler Trèves à son arrivée.

« Le roi fut à l'instant, et contre son naturel si transporté de colère, qu'il se jeta sur les pincettes de la cheminée et en allait charger Louvois, sans Mme de Maintenon qui se jeta aussitôt entre eux, en s'écriant : « Ah ! Sire, qu'allez-vous faire ? » et lui ôta les pincettes des mains. Louvois cependant gagnait la porte. Le roi cria après lui pour le rappeler, et lui dit, les yeux étincelants : « Dépêchez un courrier tout à cette heure avec un contre-ordre et qu'il arrive à temps, et sachez que votre tête en répond, si on brûle une seule maison. » Louvois, plus mort que vif, s'en alla sur-le-champ... »

Ce qu'il y a de certain, c'est que Louis XIV toléra le caractère abrupt de Louvois, tant que celui-ci resta l'organisateur de la victoire et l'ordonnateur des Entrées dans les villes conquises. Désormais, le ministre peinait à mettre sur pied un système défensif dont on apercevait déjà les failles. Louis XIV ne pouvait aimer que les enfants de la fortune. Et puis l'effet de surprise passée par ce fol était manqué ; la guerre s'amplifiait et le Trésor semblait si démuni que le Roi-Soleil avait envoyé à la fonte sa vaisselle d'or formant une collection unique. Les amateurs d'art haïssent ceux qui les dépouillent.

Ce fut Louis XIV lui-même qui choisit le duc de Luxembourg, ancien Frondeur, compromis dans l'Affaire des Poisons, pour faire pièce à Louvois.

— Monsieur, lui dit-il à sa manière incomparable, je me fie à vous parce que vous êtes heureux.

Et l'autre, qui avait des usages, répondit :

— Qui ne le serait au service de Votre Majesté ?

Mais sous cette courtisanerie se cachait un esprit original, capable de concevoir et d'exécuter de grandes choses et même d'avoir parfois des éclairs de génie. Il passait pour le meilleur élève du Grand Condé.

Sa mission consistait à arrêter les tentatives d'invasion du prince de Waldeck commandant une armée composée d'Impériaux, de Hollandais et d'Espagnols. Waldeck campait sur la Sambre, en attendant les renforts de l'Electeur brandebourgeois. Luxembourg devança cette jonction. Il franchit la Sambre et, à Fleurus, entra en contact avec l'armée de Waldeck, mais il avait divisé ses troupes, de manière à l'attaquer simultanément de front et de flanc. Quand Waldeck découvrit la ruse, il était trop tard ; il n'eut pas le temps de modifier son ordre de bataille. L'attaque française bouscula tout. Des milliers de prisonniers, des centaines de canons, les tentes mêmes de l'ennemi tombèrent entre nos mains. Une charge de cavalerie, lancée au moment opportun, avait décidé de la journée. Waldeck eut grand mal à se replier avec les débris de son armée. Mais, si Luxembourg avait le coup d'œil du stratège, il ne savait pas exploiter sa victoire. Par manque d'esprit de suite et légèreté, il laissa Waldeck, rejoint par les Brandebourgeois, réoccuper ses positions sur la Sambre. Néanmoins la victoire de Fleurus (2 juillet 1690) avait trop affaibli l'adversaire pour qu'il pût rien entreprendre sur la frontière du nord.

Sur la frontière de l'Est, où commandait Monseigneur, il ne se passa rien. On resta de part et d'autre sur l'expectative.

En Irlande, la lutte continuait. Louis XIV avait décidé d'épauler sérieusement Jacques II dont l'informe armée piétinait, quoique très supérieure en nombre. Mais la flotte anglaise de l'amiral Torrington tenait la Manche. Tourville reçut l'ordre de la balayer. Il appareilla de Brest, le 28 juin, avec soixante-dix-huit vaisseaux et chercha Torrington. L'amiral anglais n'avait que cinquante-huit vaisseaux, mais ses équipages étaient plus homogènes et mieux entraînés que ceux de Tourville, ceci compensant cela. Il était capital qu'il battît Tourville, car Guillaume III, pour en finir avec Jacques II, s'était décidé à passer en Irlande avec un corps expéditionnaire : il jouait son trône ! La rencontre entre les deux escadres eut lieu le 10 juillet, en vue de la pointe Beachy-Head (le cap Bévéziers), sur la côte du Sussex. Torrington subit de telles pertes qu'il dut rompre le combat et s'abriter dans l'estuaire de la Tamise. La division hollandaise que Torrington avait placée en première ligne, avait particulièrement souffert : on imagine les récriminations, les suspicions ! En Angleterre, l'émotion fut à son comble. On ne pouvait admettre pareille défaite et l'on parlait de trahison. De fait, c'était désormais la France qui détenait la maîtrise de la mer et le contrôle de la Manche.

Mais, le 10 juillet, à La Boyne, Guillaume III faisait une bouchée de la misérable armée de Jacques II. Ce dernier n'essaya même pas de redresser la situation. Il s'abandonna au désespoir et conseilla lui-même la soumission des Irlandais à l'usurpateur. Puis il s'embarqua sur une frégate et regagna la France. « Ceux qui aiment le roi d'Angleterre, écrivait Luxembourg à Louvois, doivent être bien aises de le voir en sûreté, mais ceux qui aiment sa gloire ont bien à déplorer le personnage qu'il a fait. » La défaite de La Boyne annulait celle de la flotte anglaise. Quoique vainqueur, Tourville ne pouvait songer à débarquer en Angleterre pour faire diversion. Il se contenta de brûler Tigumouth et de prendre quelques vaisseaux.

En 1689, les exigences de Louvois avaient acculé le duc de Savoie, Victor-Amédée, à la résistance et quasi contraint pour sauver ses territoires à adhérer à la coalition. Louis XIV donna le commandement de l'armée d'Italie à Catinat, qui remporta la brillante victoire de la Staffarde. Mais, faute de renforts, ne put poursuivre.

Ainsi, la campagne de 1690, se soldait par de grandes victoires inutiles (Fleurus, Bévéziers et Staffarde). Elles comptaient certes moins que la défaite de Jacques II à La Boyne. Maître incontesté des îles Britanniques, Guillaume III pouvait désormais s'occuper d'aller « brûler Versailles ».

VIII

LA HOUGUE

En janvier 1691, Guillaume III se rendit en Hollande. Il tint à La Haye un congrès international auquel participèrent les délégués de tous les Etats coalisés. Il entendait ainsi reprendre en main la coalition, lui insuffler un esprit nouveau et coordonner les opérations. Pendant que les congressistes palabraient et se régalaient aux frais de la Hollande festoyant son stathouder-roi, Louvois mobilisait. Sentant la fortune l'abandonner, on peut même dire qu'il se surpassait et parfois atteignait au génie de l'organisation. Mais il usa ses dernières forces à préparer cette campagne qu'il voulait décisive, ne doutant point de frapper l'ennemi au cœur. Le 15 mars, Mons se trouva brusquement investie par les Français. Une partie des officiers de la garnison assistaient aux fêtes de La Haye. Louis XIV arriva, brillamment escorté, le 21. Louvois savait que Mons ne pourrait soutenir un long siège : il se flattait d'offrir à son maître le spectacle confortable d'une capitulation, que suivrait l'inévitable Entrée triomphale. C'était, du même coup, ridiculiser l'entreprenant roi d'Angleterre. Meilleur juge que Louvois, Louis XIV redoutait au contraire une intervention de Guillaume III. Louvois eut le tort de traiter cette éventualité de « vision ». Le 8 avril, Mons se rendit, mais Guillaume III était à quelques lieues de la ville avec une armée de cinquante mille hommes rassemblée en hâte. Guillaume n'osa pas attaquer, mais Louis XIV en voulut à Louvois d'avoir ainsi aventuré sa fortune et, dès lors négligea ostensiblement ses avis, tout en continuant à se servir de lui.

Hormis le brûlement de Hall, près de Bruxelles et le bombardement de Liège, l'armée du Nord en resta là. L'armée de Catinat s'était emparée de Nice et progressait en Italie. L'armée du Rhin, commandée par de Lorges et celle de Catalogne, commandée par Noailles, se tinrent simplement sur la défensive.

Le 16 juillet, Louvois fut pris d'un malaise alors qu'il travaillait avec le roi. Il demanda l'autorisation de se retirer et s'en fût mourir chez lui. Saint-Simon : « Je voulus voir la contenance du roi à un événement de cette qualité. J'allai l'attendre et le suivis toute sa promenade. Il me parut avec sa majesté accoutumée, mais avec je ne sais quoi de leste et de délivré... »

Un officier de Jacques II vint lui offrir les condoléances de son maître :

— Monsieur, lui répondit Louis, faites mes compliments et mes remerciements au roi et à la reine d'Angleterre, et, dites-leur de ma part que j'ai perdu un bon ministre, mais que mes affaires et les leurs n'en iront pas moins bien.

Barbezieux, second fils de Louvois, succéda à son père dans la charge de secrétaire d'Etat à la guerre. Pomponne fut rappelé. Le roi donna encore plus de temps aux affaires ; tenant à écrire de sa main aux généraux. Les courtisans se répétaient l'épitaphe que l'on avait composée sur la mort de Louvois :

> *Ci-gît sous qui tout pliait,*
> *Et qui de tout avait connaissance parfaite,*
> *Louvois que personne n'aimait*
> *Et que tout le monde regrette.*

Elle résumait assez bien la situation, car Barbezieux ne valait pas son père et les ordres manuscrits de Louis XIV n'obtinrent pas les résultats escomptés.

En 1692, il prit la décision d'attaquer l'Angleterre, sous couleur de restaurer Jacques II. Cette entreprise se fondait sur les informations selon lesquelles le parti jacobite relevait la tête et préparait l'éviction de l'usurpateur, et sur notre supériorité navale évidente depuis la défaite de Torrington. Jacques II, qui avait servi comme amiral pendant le règne de son frère Charles II, se croyait adoré des marins anglais et pensait, ingénument, qu'ils baisseraient pavillon à sa seule approche. Prenant ses désirs pour des réalités, il s'exagérait le nombre des Jacobites et l'importance de leurs complots. Louis XIV commit la faute de le nommer généralissime du corps expéditionnaire. Jacques II s'en fut à Brest recevoir des régiments venus d'Irlande, toujours aussi enthousiastes et désordonnés. Puis il rallia le maréchal de Bellefonds en Cotentin où l'armée se rassemblait. Pendant tous les mois de l'hiver 1691-1692 et ceux du printemps, on avait, au prix d'un incroyable effort, armé les vaisseaux de Ponant et réuni trois cents bateaux de transport. Faute d'un nombre suffisant de matelots, on ne put armer que quarante-quatre vaisseaux mais Tourville attendait l'arrivée de l'escadre de Méditerranée avec d'Estrées. Les deux escadres devaient entrer dans la Manche et en chasser les flottes anglaises, puis couvrir le débarquement de Jacques II en Angleterre. Louis XIV, irrité par le retard de l'escadre du Levant, donna l'ordre à Tourville d'appareiller sans plus attendre et, s'il rencontrait la flotte anglaise, de la combattre absolument. Tourville, auquel on reprochait de n'avoir pas exploité la victoire de Bévéziers, s'inclina. Il appareilla avec ses quarante-quatre vaisseaux, en espérant que les Hollandais n'auraient pas le temps de rejoindre les Anglais. Le 19 mai, au large de Barfleur, ce furent quatre-vingt-cinq Anglo-Hollandais qui furent signalés. Tourville pouvait refuser un combat aussi inégal, sans se déshonorer. Il l'accepta, pour obéir à l'ordre du roi. Lorsque l'amiral anglais, Russel, vit les Français s'approcher, il crut à une ruse, se dit qu'une autre escadre suivait Tourville à faible distance. Jamais bataille navale ne fut plus âpre, ni plus glorieuse pour la marine du roi, que cette journée de Barfleur ! J'ai sous les yeux les journaux de plusieurs capitaines de Tourville, dont celui du marquis de Villette, neveu de Mme de Maintenon. Tous parlent d'un déluge de feu et de boulets, de l'incroyable bravoure des marins, des artilleurs, de leurs officiers, et de l'amiral debout sur sa dunette, toujours de sang-froid au milieu des balles. A travers ces lignes d'encre à peine pâlie, on voit se dessiner la silhouette du *Soleil-Royal*, le plus beau de nos vaisseaux, offrant ses tritons sonnant du buccin, ses sirènes aux cheveux dénoués, ses chevaux piaffants, aux canons de trois adversaires, grande forteresse de chêne trouée comme une passoire et lardée de fer, mais intacte et rendant coup sur coup ! Dans la nuit, Tourville retraita vers l'Ouest ; il n'avait pas perdu un seul vaisseau, exploit sans pareil ! Le port de Cherbourg ne pouvant recevoir d'aussi gros vaisseaux, l'ordre était de rallier Saint-Malo. Il fallait au préalable franchir le raz Blanchard, au large du cap de la Hague. Le raz a un courant extrêmement rapide et violent. Le renversement de la marée refoula quinze des vaisseaux de

Tourville, dont le *Soleil-Royal*. L'amiral chercha refuge dans la rade de La Hougue, pensant y échouer les bâtiments, et les mettre à l'abri des forts de Saint-Vaast et de Lisset. Favorisés par le vent, les Anglais s'approchèrent, envoyèrent des brûlots que les Français s'efforcèrent de détourner de leur but. Il y eut des combats de chaloupes dont l'âpreté ne cédait rien à celle de Barfleur. Mais ce fut en vain que Tourville demanda l'aide des troupes terrestres. Ni Jacques II ni Bellefonds ne surent, ou ne voulurent, prendre les mesures utiles. Le *Soleil-Royal*, les autres vaisseaux, évacués de justesse, brûlèrent et sautèrent, alors que l'armée de débarquement assistait sans rien faire à ce grondant feu d'artifice. On a dit que Jacques II ne pouvait dissimuler sa joie devant les exploits de ses ex-sujets. En tout cas, il venait de perdre sa dernière chance.

Les Français, qui oublient toujours que notre pays n'est que le cap de l'Europe et doutent toujours un peu de l'utilité d'une marine, crurent tout perdu. De là vient, à mon sens, cette croyance obstinée dans la supériorité navale des Anglais, et ce renoncement à la maîtrise de la mer. La Hougue fit sur l'opinion l'effet de Trafalgar. Or ce brûlement de quelques vaisseaux était sans proportion avec le désastre de Villeneuve ; ce n'était même qu'un incident mineur, car notre flotte en sortait à peine entamée. Mais Louis XIV, défiant, n'osa plus livrer de grandes batailles maritimes, préférant désormais la guerre de course qui rapportait au lieu de coûter et, par surcroît, ruinait le commerce ennemi. Il rendit hommage à Tourville pour son courage, et surtout pour son obéissance, mais se désintéressa des grands armements. Au contraire, les Anglais célébrèrent La Hougue comme une victoire sans précédent. Les brûlots de Russel cimentèrent l'union des orangistes et des jacobistes. L'Angleterre avait trouvé sa voie ; elle régnerait désormais sur les mers. Louis XIV ne se rendait pas compte qu'il venait de perdre la guerre de la Ligue d'Augsbourg. Il est vrai que la prise de Namur venait d'effacer le « désastre » de La Hougue, de même qu'Austerlitz fera oublier Trafalgar !

Car, malgré le dynamisme de Guillaume III et ses talents diplomatiques, la coalition se signalait par la même lenteur à agir, lenteur consécutive aux mêmes querelles intestines et, surtout, aux finasseries de l'Empereur. Une fois de plus, malgré la disparition de Louvois, les Français devancèrent leurs adversaires. Le 20 mai, Louis XIV offrit aux dames de la cour, le spectacle d'un défilé de cent vingt mille hommes rassemblés entre la Sambre et la Meuse. Ce défilé, qui ne dura pas moins de sept heures, fut suivi de banquets, de concerts et des divertissements habituels : Versailles aux armées ! Le 24 mai, Namur fut brusquement investi, cependant que le duc de Luxembourg guettait Guillaume sur la route de Bruxelles. Vauban dirigea le siège. La ville capitula le 30 juin, puis, tout glorieux, le roi regagna Versailles à petites étapes, afin de donner à ses peuples l'occasion de l'applaudir. Il était, dit une relation officielle, « d'autant plus satisfait de sa conquête que cette grande expédition était uniquement son ouvrage, qu'il l'avait entreprise sur ses seules lumières et exécutée pour ainsi dire de ses propres mains, à la vue de toutes les forces de ses ennemis ; que par l'étendue de sa prévoyance il avait rompu tous leurs desseins et fait subsister ses armées. »

Par bonheur, Luxembourg gardait la nouvelle conquête du roi, car Guillaume III s'approchait avec la plus forte armée qu'il eût jamais eue à son commandement : cinquante mille hommes appartenant à toutes les nations d'Europe ! Luxembourg campait à Steinkerque, près d'Enghien. Trompé par de faux avis, il se laissa surprendre, à l'aube du 3 mai. Une de ses brigades fut instantanément détruite. Il n'eut que le temps de mettre le gros de ses troupes en bataille. S'ensuivit une mêlée indécise, à laquelle une charge furieuse et opportune de la Maison du Roi mit fin. Plusieurs princes du sang, la fleur de la noblesse de cour, le prince de Conti, le jeune duc de Bourgogne, le fils de la Palatine, prirent le mousquet et firent les fantassins. Disloqués, les coalisés refluèrent. Guillaume crut prudent de faire sonner la retraite. La diplomatie lui réussissait mieux que la guerre. La France illumina. Cette victoire, inutile et coûteuse, flattait notre orgueil national. Toutes les gazettes encensèrent le duc de Luxembourg. Ce devint un titre de gloire pour les jeunes nobles d'avoir été à Steinkerque. La mode s'empara de l'événement. On porta des cravates et des boucles, « à la Steinkerque ». Qui pensait encore aux marins de Barfleur et à l'agonie du beau *Soleil-Royal* dans les vases de La Hougue ?

IX

LE TAPISSIER DE NOTRE-DAME

*On périssait de misère au milieu
des* Te Deum.

VOLTAIRE

La France n'était plus qu'un vaste camp fortifié, gardé par quatre grosses armées, en Flandre, sur le Rhin, dans les Alpes et sur les Pyrénées. Il fallait pour solder et nourrir une telle masse d'hommes, pour les équiper et les fournir de munitions, toujours plus d'argent. Pontchartrain, esprit fertile en inventions, n'essayait même plus de résorber le déficit de l'Etat. Au contraire, il l'aggravait pour trouver les sommes nécessaires et qui s'accroissaient d'année en année. Pour faire face à la situation, il recourait aux méthodes chères à Mazarin et à Foucquet, c'est-à-dire aux expédients, à la différence près que les techniques administratives avaient progressé et que les comptes étaient en règle, quelque désespérants qu'ils parussent. Il commença par demander (on devrait écrire : infliger) des dons gratuits aux villes, au clergé, aux particuliers signalés pour leur fortune. Il vendit tout ce qui était à vendre : les gouvernements

226

les emplois publics, les magistratures des territoires conquis, les monopoles sur les denrées de luxe, les licences d'exportation des grains. Il imagina une multitude de rentes et d'offices royaux, disant à Louis XIV : « Sire, toutes les fois que Votre Majesté crée un office, Dieu crée un sot pour l'acheter. » Pour en augmenter le nombre et le profit, il rendit les offices biennaux ou quadriennaux, ce qui supposait autant d'acquéreurs. Il vendit même les charges d'échevins, que l'on s'empressa d'ailleurs d'acheter. Ce faisant, il ruinait absolument l'œuvre de Colbert, mais il en avait conscience et croyait que, la paix revenue, il serait possible de redresser la situation en faisant des coupes sombres dans les dépenses et en rachetant ce qui pourrait l'être. En attendant, et faute de mieux, on altéra les monnaies, on multiplia les billets de l'Etat, on se livra à l'agiotage des banquiers. Néanmoins Pontchartrain ne put éviter l'augmentation des impôts directs : la taille fut doublée et bientôt assortie de la capitation pour laquelle il n'y eut aucune exemption et qui était proportionnelle au revenu.

La récolte de 1692 avait été mauvaise. On vit réapparaître les bandes de miséreux. Les campagnes grondaient. Des libelles de plus en plus virulents attaquaient la politique du roi, annonçaient une nouvelle Fronde : « Croyez-vous, Sire, que la vengeance de Dieu par une juste peine du talion ne pourra suggérer des ressentiments d'impatience dans l'esprit de vos sujets, s'ils considèrent que toutes vos victoires, vos prétendues conquêtes, ces grandes extensions au dehors des anciennes limites de votre France, ne les ont pas soulagés d'un sol des tailles et charges ; mais que tout au contraire vous les avez augmentées et vous avez accablé vos sujets à mesure que vous faisiez gloire d'élargir et d'augmenter vos domaines ?... »

Louis XIV n'ignorait pas qu'en certaines circonstances les victoires ne suffisaient pas à calmer la colère du peuple ; il ne se souvenait que trop du *Te Deum* de Lens et des journées d'émeute qui avaient succédé à cette cérémonie. Il lui restait aussi assez de bonté naturelle pour avoir compassion des souffrances de son peuple et désir de les alléger. Mais, en soutenant cette guerre contre les coalisés, il n'obéissait pas seulement à son ambition personnelle ; il poursuivait l'œuvre de ses devanciers. Ses mobiles étaient identiques : parfaire l'hexagone français et lui assurer des frontières assez cohérentes, assez solides, pour le mettre à l'abri des entreprises autrichiennes. Il voulait que l'année 1693 emportât la décision et contraignît les alliés à signer une paix qui nous fût avantageuse. Nous avions remporté une succession de victoires fort glorieuses pour nos armes, mais sans utilité pratique. Louis XIV ne désirait plus que des victoires « utiles », c'est-à-dire exploitées à fond et aboutissant à la destruction de l'ennemi. Le duc de Luxembourg se faisait fort d'atteindre ce but. Il demandait en quelque sorte carte blanche. Mais Louis XIV, avec son gros bon sens, se méfiait de ce génie à éclipses.

La lassitude, qui commençait à gagner l'armée et se traduisait par des désertions de plus en plus nombreuses, était pour lui un autre sujet d'inquiétude. Il en était de même de l'indiscipline, consécutive à l'oisiveté relative de certaines unités, aux habitudes de maraude si ce n'était de pillage. Malgré les pertes subies, non seulement dans les batailles mais dans les camps, l'armée restait quantitativement aussi forte, mais sa qualité avait baissé ; elle comptait moins de corps d'élite. En outre, beaucoup d'officiers de valeur avaient été tués. Louis XIV avait toutes les raisons de ménager ses soldats, en dépit de la nécessité d'une victoire décisive et des exhortations de Luxembourg. Pour stimuler le zèle des officiers et récompenser les services rendus, il institua cet ordre de Saint-Louis que Napoléon devait transformer plus tard en ordre de la Légion d'honneur. Cette croix assortie d'un ruban rouge et d'une pension était accordée, sauf action d'éclat, au bout de dix ans de service. Elle flatta la vanité des militaires, mais aussi réveilla le vieux sentiment d'honneur chevaleresque — puisque ses détenteurs s'intitulaient chevaliers de Saint Louis — et suscita une vive émulation surtout chez les officiers subalternes. Le roi créa également des médailles pour récompenser les bas-officiers et les soldats. Le 27 mars, il promut d'un coup sept nouveaux maréchaux de France, parmi lesquels Catinat, Villeroy et l'amiral de Tourville.

Le 18 mai, il se mit en route avec toute sa cour, ayant résolu de s'emparer de Liège et réuni dans ce but une armée de 120 000 hommes commandés par Luxembourg. Mais on avait un mois de retard, et Guillaume d'Orange avait eu le temps de prendre ses dispositions. Le 2 juin, à Gembloux, Louis se mit à la tête de sa belle armée. C'est dire qu'il parada devant Mme de Maintenon et les dames, au milieu de ses maréchaux, les soldats l'acclamant au passage, selon le cérémonial accoutumé. Guillaume III campait à faible distance de Louvain, avec une armée inférieure en nombre et en artillerie. Il ne doutait pas d'être attaqué à bref délai et vaincu. Luxembourg supplia Louis XIV de donner l'ordre de bataille. Le Roi-Soleil hésita, puis opposa un refus catégorique. Ce fut un tollé général. Louis fut taxé de pusillanimité et d'incompétence, voire de lâcheté. On répéta qu'il avait refusé le combat pour obéir à Mme de Maintenon qui craignait de le perdre et pour la rejoindre plus vite. On l'accusa, ce qui était plus grave, de compromettre l'avenir du royaume. Princes du sang, généraux, officiers, troupiers l'estimèrent déshonoré par cette reculade indigne d'un grand roi. Louis XIV sacrifia son amour-propre à la raison d'Etat. Il avait jugé que cette bataille pour certaine que fût la victoire, ne conclurait pas la guerre, car elle laisserait intacte l'armée impériale ; qu'elle rapporterait beaucoup de gloire mais serait coûteuse en vies humaines, nonobstant les pronostics de Luxembourg et de ses émules. Bravant l'impopularité, il regagna Versailles ; c'était la dernière fois qu'il se rendait aux armées. Sa goutte le tourmentait et il éprouvait cette sorte de satisfaction amère d'avoir seul raison contre tous, dont le défunt Louis XIII avait été abreuvé. Jamais peut-être n'avait-il été encore aussi grand qu'à cette journée de Gembloux ; il y avait montré une lucidité et un réalisme dignes de Louis XI, mais les Français n'aiment pas les chefs d'Etat habiles ; leur point d'honneur a toujours été de courir l'aventure !

Car Luxembourg eut bien entendu la bataille de ses rêves. Le 27 juillet, on s'étrilla sauvagement avec les soldats de Guillaume, à Neervinde. Ce fut un nouveau Steinkerque, encore plus glorieux. Soixante-dix-sept étendards furent portés à Marly, mais nous laissions dix mille morts sur le terrain contre vingt mille ennemis. Pour quel résultat ? Les hommes et les chevaux rompus de fatigue ne purent poursuivre les vaincus. Guillaume reconstitua son armée et la guerre continua comme devant.

En Piémont, Catinat avait remporté la victoire de la Marsaille. En Catalogne, le maréchal de Noailles s'était emparé de Rosas, avec le concours de l'escadre du Levant. Sur mer, nous n'eûmes que des succès. Un énorme convoi anglo-hollandais, venant de Smyrne et devant se rendre à Londres et à Amsterdam, escorté par vingt-trois vaisseaux commandés par l'amiral Rooke, fut intercepté par Tourville, au large de Lagos. Tourville captura l'arrière-garde de Rooke et une partie des vaisseaux marchands, poursuivit les autres dans les petits ports où ils cherchaient refuge. On brûla ce qu'on ne put prendre. La perte du convoi de Smyrne s'élevait à une centaine de bâtiments et à trente millions de marchandises. C'était une catastrophe sans précédent pour les deux nations, auprès de laquelle le « désastre » de La Hougue apparaissait comme un incident mineur. Elle attestait en tout cas la puissance de la flotte française. En représailles, les Anglais résolurent de détruire Saint-Malo de fond en comble. Ils poussèrent dans la rade un énorme brûlot bourré de poudre et de projectiles, et baptisé un peu vite « machine infernale ». Elle explosa loin des remparts et n'eut d'autre effet que d'offrir aux Malouins le plus beau feu d'artifice qu'ils eussent jamais vu !

Louis XIV crut le moment venu de faire un geste. Vainqueur sur terre et sur mer, il pouvait négocier en force. Il laissa entendre que la France accepterait la paix, si les conditions de l'adversaire étaient raisonnables. Mais Guillaume III, connaissant l'épuisement du royaume et la mauvaise santé du roi, préféra la guerre. Les échecs ne le décourageaient pas.

Au mois de novembre, le vainqueur de Neervinde revint à Paris. Louis XIV lui fit un accueil assez froid. Il n'était pas sans connaître les railleries que Luxembourg s'était permises à Gembloux. Il lui en voulait aussi de la popularité que le duc s'était acquise à l'armée et dans le peuple. Luxembourg représentait enfin ce qui restait de l'ancien monde féodal. Le roi le savait aussi capable de sauver la patrie que de la perdre par ses intrigues ou sa légèreté. Mais comment ne pas se « servir » de lui après tant de victoires ? Un *Te Deum* fut chanté à Notre-Dame, dont la nef était pavoisée des drapeaux de Fleurus, Steinkerque, Neervinde et La Marsaille. Lorsque parut Luxembourg, le prince de Conti s'écria :

— Place au tapissier de Notre-Dame !

Le surnom resta à Luxembourg. Louis XIV apprécia modérément la trouvaille de Conti. Tout ce qui portait ombrage à sa propre gloire l'agaçait. De plus il savait mieux que quiconque ce que cette brillante façade dissimulait, quelle misère noire recouvraient les applaudissements de cette foule, dont le délire patriotique pouvait à tout instant se changer en fureur et dégénérer en émeute, à quelles difficultés tragiques il devait faire face. La récolte de 1693 avait été à nouveau catastrophique. Le prix du blé subissait une hausse vertigineuse. La famine menaçait. Paris murmura et Louis savait aussi ce que valait l'aune de ces murmures. Il taxa le pain des Parisiens au-dessous des cours habituels et fit des distributions de blé dans les quartiers pauvres.

« Je languis de la continuation de la guerre, écrivait Mme de Maintenon, et je donnerai tout pour la paix. Le roi la fera et la veut aussi véritablement que nous ; mais il fera, en attendant, une grande guerre et ses ennemis verront combien on les abuse, quand on leur dit que nous ne pourrons la soutenir longtemps. »

En 1694, l'état des finances obligea le roi à diminuer ses troupes. Ordre fut donné aux généraux de se tenir sur une stricte défensive. Ils parvinrent à conserver nos positions. Une manœuvre de Luxembourg pour protéger la Flandre maritime accrut encore sa réputation. Cette année-là, l'effort essentiel fut porté sur le front de Catalogne. Le but de Louis XIV était d'alarmer l'Espagne au point de la détacher de la coalition. Mais Noailles échoua dans son entreprise par suite de la présence en Méditerranée de la flotte anglo-hollandaise. Les Anglais, enhardis par l'absence de Tourville et de l'escadre de Ponant, tentèrent un débarquement à Camaret, mais furent repoussés vigoureusement. Averti par nos espions, Vauban avait promptement mis les côtes bretonnes et normandes en état de se défendre. La « machine » de Saint-Malo enrageait les populations de défiance et de haine. Les milices elles-mêmes, si impopulaires, marchaient comme un seul homme ! Dans le même temps, la course prenait une ampleur extraordinaire et ruinait le commerce ennemi. Les exploits sensationnels et fructueux de Jean Bart, de Duguay-Trouin, de Petit-Renau, de Forbin faisaient oublier les misères. Les Anglais se vengeaient de leurs pertes en bombardant les ports de la Manche. Ils renouvelèrent à Dunkerque leur tentative de Saint-Malo et ne réussirent qu'un feu d'artifice. Toutefois les maisons de bois dieppoises brûlèrent en partie. Il semblait à beaucoup que cette guerre devait ne jamais finir !

Le 4 janvier 1695, Luxembourg mourut d'un « abcès de poitrine », malgré les secours de Fagon. Avec lui disparaissait le meilleur de nos généraux.

X

LA PAIX DE RYSWICK

On connaît l'impitoyable portrait de Villeroy brossé à coups
de fouet par Saint-Simon : « C'était un grand homme bien fait,
avec un visage fort agréable, fort vigoureux, sain, qui, sans s'in-
commoder, faisait tout ce qu'il voulait de son corps. Quinze à
seize heures à cheval ne lui étaient rien, les veilles pas davantage. Toute sa vie nourri et vivant dans le grand monde ; fils du
gouverneur du roi, élevé avec lui dans sa familiarité dès leur
première jeunesse, galant de profession, parfaitement au fait des
intrigues galantes de la cour et de la ville dont il savait amuser
le roi, qu'il connaissait à fond, et des faiblesses duquel il sut
profiter et se maintenir en osier de cour dans les contretemps
qu'il essuya avant que je fusse dans le monde. Il était magnifique
en tout, fort noble dans toutes ses manières, grand et beau joueur
sans se soucier du jeu, point méchant gratuitement, tout le langage et les façons d'un grand seigneur et d'un homme pétri de la
cour... Il avait cet esprit de cour et du monde que le grand usage
donne et que les intrigues et les vues aiguisent, avec ce jargon
qu'on y apprend, qui n'a que le tuf, mais qui éblouit les sots et
que l'habitude de la familiarité du roi, de la faveur, des distinc-

tions, du commandement rendait plus brillant et dont la gratuité suprême faisait tout le fond. C'était un homme fait exprès pour présider un bal, pour être le juge d'un carrousel et, s'il avait eu de la voix, pour chanter à l'Opéra les rôles de roi et de héros, fort propre encore à donner les modes et à rien du tout au-delà... »

Ce fut à ce parfait courtisan, dont le seul mérite était la fidélité, que Louis XIV confia la succession de Luxembourg. On ne pouvait plus mal choisir, quand bien même le courage, vertu alors plus qu'ordinaire, ne manquait pas à ce mondain, mais, en matière de stratégie, ce n'était qu'un ignorant. Il eut l'idée saugrenue d'établir sur la frontière flamande une sorte de « ligne Maginot », en élevant une ligne continue de tranchées et de gabions entre les rivières et les canaux ; ce dispositif lui parut infranchissable. Voyant qu'il adoptait ce système de défense, Guillaume III résolut d'attaquer. Bien que sa science militaire fût, comme on l'a noté assez courte, il réussit aisément à égarer Villeroy, cependant que le gros de ses forces investissait Namur. Mais le mouvement n'avait pas été assez rapide pour que Boufflers ne pût se jeter dans la place avec quinze mille hommes. Au lieu de se porter à son secours, Villeroy se borna à poursuivre un corps de troupe détaché par Guillaume pour l'amuser. Villeroy donna dans ce nouveau piège ; il avait toute confiance dans les talents de Boufflers et dans la force de la citadelle de Namur. Il va de soi qu'il ne parvint même pas à détruire le corps de troupe ennemi, mais Boufflers dut capituler après un terrible assaut. Le seul exploit de Villeroy fut de bombarder Bruxelles, dont brûlèrent quinze cents maisons. Cet incendie n'eut même pas les résultats escomptés : loin de démoraliser Guillaume, il aiguisa sa haine ; quant aux Espagnols, sur lesquels les Français se vengeaient de leur échec, ils étaient plus résolus que jamais à se battre. L'erreur tactique s'aggravait donc d'une erreur psychologique. D'ailleurs cette année 1695 fut partout négative pour la France, sauf en Italie. Victor-Amédée de Savoie songeait à négocier et, fort habilement, Louis XIV le ménageait : on lui rendit Casal à condition que cette forteresse fût démantelée. Victor-Amédée n'avait jamais été un allié sincère ; se servant de la Ligue pour restaurer sa puissance, il faisait trop souvent cavalier seul. Louis XIV avait parfaitement cerné cet ambitieux, et il entendait l'utiliser.

Le 18 juillet 1696, Catinat signa une trêve avec Victor-Amédée, trêve qui se transforma en traité de paix. Les conditions faites à Victor-Amédée étaient extrêmement douces, voire flatteuses, encore que le duc eût été constamment vaincu. Il obtenait la restitution de la Savoie, de Suse, de Montmélian, de Nice et de Pignerol (à charge pour lui de démanteler cette place). Ses ambassadeurs seraient désormais placés à égalité avec ceux des rois. Sa fille épouserait le duc de Bourgogne, fils aîné du dauphin. En contrepartie il rompait avec la Ligue d'Augsbourg et, en cas de besoin, s'engageait à combattre aux côtés des Français, ce qu'il fit loyalement. Louis XIV pouvait compter sur son amitié agissante et se réjouir d'avoir ouvert une première brèche dans la coalition. Il espérait de même détacher prochainement l'Espagne dont la trésorerie était à sec. Il misait aussi sur la colère des marchands anglais et hollandais ruinés par la guerre de course. Jean Bart venait de leur rafler cinquante-cinq navires au large du Texel !

Louis XIV fit alors savoir à Guillaume III qu'il acceptait de négocier la paix sur les bases des traités de Westphalie et de Nimègue. On convint de tenir un congrès à Ryswick, qui était une maison de plaisance de Guillaume, entre Delft et La Haye. Une trêve tacite intervint, dans un premier temps, entre la France et la Hollande dont les échanges commerciaux furent rétablis. Seuls, l'Empire et l'Espagne se montraient encore résolument hostiles à la paix et élevaient des prétentions inacceptables. Louis XIV fut donc contraint de préparer une nouvelle campagne pour 1697. Elle fut conduite sans conviction, sauf en Catalogne, où Vendôme, avec la flotte du Levant et les galères du bailli de Noailles, s'empara audacieusement de Barcelone. Sur mer, l'Espagne subit un autre affront. Pointis s'empara de Carthagène dans la Nouvelle-Grenade. C'était le principal entrepôt de commerce de l'Espagne avec le Pérou. La ville fut pillée et incendiée. Pointis ramena en France une cargaison de lingots estimée à neuf millions, après avoir échappé aux croisières ennemies. Sa petite flotte était composée de bâtiments d'Etat, mais commanditée par de riches armateurs.

L'Espagne, à genoux, ne pouvait plus refuser de négocier. Le congrès de Ryswick débuta le 9 mai 1697 et traîna en longueur. Guillaume III, impatient d'aboutir, chargea son confident Bentinck de rencontrer Boufflers, commandant l'armée de Flandre. Les deux hommes aboutirent rapidement à un accord. Il ne resta plus au congrès qu'à entériner les principales dispositions qu'ils avaient arrêtées. Il fut suivi d'instruments diplomatiques séparés. Louis XIV reconnaissait Guillaume III comme roi d'Angleterre et s'engageait à ne point aider les mouvements de rébellion que les jacobites pourraient susciter au nom des Stuarts. Il lui restituait la principauté d'Orange. La Hollande, l'Angleterre et la France se rendaient réciproquement les territoires dont elles s'étaient emparées en Europe et outre-mer : nous récupérâmes ainsi Pondichéry. Le commerce hollandais obtenait pour sa part la suppression des tarifs instaurés par Colbert.

L'Espagne, en dépit de la prise de Barcelone et du sac de Carthagène, maintenait ses prétentions. Il en était de même de l'Empereur. Mais ils ne pouvaient rien faire sans Guillaume III, ni solder leurs troupes sans l'or d'Amsterdam et de Londres. Or Guillaume III avait atteint son but qui était de se faire reconnaître roi par Louis XIV et d'assurer à l'Angleterre une position de premier plan sur l'échiquier européen. Quant aux banquiers anglais et hollandais, aux armateurs des deux pays, ils exigeaient la paix.

Pour en finir, Louis XIV dut rendre à l'Espagne, cependant vaincue, tout ce qu'il avait conquis en Catalogne et en Flandre, à l'exception de quelques villages dans la région de Maubeuge et de Charlemont. Il rendit à l'Allemagne tous les territoires et les villes occupés, à l'exception de Strasbourg. Au duc Léopold, la Lorraine, à l'exception de Marsal, Longwy et Sarrelouis. Une indemnité fut accordée à Madame en rachat de son héritage du Palatinat. On en revenait donc à la situation de 1679. Les sacrifices demandés au peuple de France depuis tant d'années, le dévouement des soldats, les victoires presque constantes remportées sur tous les fronts et par nos escadres, n'avaient servi de rien. Nous perdions tout ce que nous avions conquis de haute lutte. « Pour moi, écrivait Mme de Maintenon, il me semble qu'il y a de la gloire à restituer ce qu'on a pris, pourvu qu'on n'y soit pas contraint par une puissance supérieure. Cette démarche ne peut être attribuée qu'à la générosité du roi. » Mais qui était dupe ? Qui ne savait que l'on renonçait parce que le Trésor était vide ; l'armée, usée ; le peuple, décimé par les famines, incapable de soutenir l'effort fiscal ? Qui pouvait croire que le roi avait agi par compassion envers ses peuples ? Et se satisfaire de dix années de gloire sans pareille dans les annales de notre histoire ? Certes, le retour de la paix apportait un réel soulagement à tous, mais beaucoup ne pouvaient se défendre d'un sentiment de honte, en dépit des panégyriques de la presse officielle. Certains, faisant état de la situation espagnole et de l'ouverture probable de la succession de Charles II, prêtaient à Louis XIV de subtiles combinaisons. Quant aux militaires, ils estimaient que, grâce à eux, le roi avait sauvé son honneur, sans plus.

Il est impossible d'évaluer les pertes en vies humaines que nous avions subies tant par les famines que dans les batailles. Les activités portuaires étaient à peu près nulles. Une multitude d'ateliers avaient fermé leurs portes. Les industries si florissantes sous Colbert avaient presque toutes disparu. La culture manquait de bras. Le commerce était dans le marasme, et d'autant que les altérations de la monnaie gênaient les exportations. Ainsi que l'avait écrit naguère Fénelon en exagérant à peine : « Vous avez détruit la moitié des forces réelles du dedans de votre Etat pour faire et pour défendre de vaines conquêtes au-dehors. »

Après onze années de guerres stériles, dix ans de paix et de travail eussent été nécessaires pour redresser le royaume et le repeupler.

QUATRIÈME PARTIE

LE CRÉPUSCULE
1698-1715

I

LA SOIXANTAINE

Louis XIV a maintenant la soixantaine. Physiquement, il ne changera plus guère jusqu'à sa mort ; il gardera ce masque de majesté que Benoist modela dans la cire. Le profil est resté le même, le nez en soc prolongeant, à la grecque, le front, la bouche un peu rentrée, avec une lèvre inférieure proéminente, le regard aigu et noir sous la paupière plissée, une peau qui se parchemine en tirant sur l'ivoire, une expression à la fois attentive, presque inquisitoriale, et dominatrice, une ombre de moustache toujours contrastant avec le volume de la perruque. Les témoignages contemporains s'accordent pour célébrer la haute mine de Louis, sa beauté mâle, sa grâce, sa dignité. A les lire on croirait que l'âge ne l'a point marqué. Cependant il a perdu ses dents et deux profondes rides creusent ses joues autour d'une bouche amincie, presque contractée ; elles ajoutent à son air de sévérité une expression d'amertume, de désabusement plutôt que de dédain. Certes, il se tient très droit, porte toujours avec la même élégance ses justaucorps brodés et marche du même pas de danseur sur ses hauts talons rouges ; il aime toujours autant la promenade, l'air, les parties de chasse et les chevauchées. Il ne craint pas davantage les intempéries qu'à trente ans et c'est toujours vitres baissées qu'il voyage, fenêtres ouvertes qu'il travaille. Il paraît indestructible ; cela fait partie de sa légende solaire. Mais, dans son privé, ce n'est qu'un homme comme les autres, dont les maux presque continuels (étourdissements, maux de tête, maux de ventre, accès de goutte et de gravelle, rhumes et maux de gorge) donnent du souci à Fagon, son premier médecin, et à Mme de Maintenon. Fagon ne peut empêcher son royal patient de manger comme quatre, mais il s'efforce de régler son régime en compensant par des tisanes et du quiquina ; il lutte contre les vapeurs par des saignées et contre les excès alimentaires par des purgations.

Moralement, le roi semble inchangé. Il a toujours sa voix égale, aux inflexions charmeresses quand il veut séduire ou convaincre. Et toujours la même politesse exquise, et graduée selon l'importance de l'interlocuteur, bien qu'il tire son chapeau devant la dernière des servantes comme il le faisait jadis. Il est toujours aussi aimable et plaisant, sans aller jusqu'à la familiarité. Et il a toujours le même goût de la régularité. Saint-Simon écrira avec raison : « Avec un almanach et une montre, on pouvait à trois cents lieues de lui dire avec justesse ce qu'il fait. » Il aime toujours faire plaisir et sait agrémenter ses bienfaits de compliments qui en doublent le prix. Quels que soient ses chagrins intimes ou ses soucis, il n'en laisse rien paraître, et passe parfois pour indifférent. Il sait admirablement se faire servir ; il réprimande peu, toujours en termes mesurés. Le respect qu'il imposait s'est accru et confine parfois à l'effroi, surtout chez les princes du sang. Il aime toujours autant les fêtes et « la vie délicieuse » qui trouve à Versailles son point de perfection. On ne sait pourtant si, dorénavant, c'est par inclination ou pour servir son prestige qu'il organise les divertissements. Les témoins de sa gloire s'effacent un à un ; une nouvelle génération de courtisans les remplace. Le siècle va finir. De nouvelles idées se dessinent, encore éparses dans les libelles, et mal formulées. Elles n'effleurent pas la tranquillité léonine du roi. Il se survit. La vieillesse le sclérose, malgré la belle apparence qu'il donne. Un exemple : pour lui, l'échec essentiel de la guerre d'Augsbourg tient au fait qu'il a dû reconnaître Guillaume III comme roi d'Angleterre. Guillaume n'a pas hérité du trône ; il l'a « usurpé », ayant été élu par un parlement ! C'est une brèche dangereuse ouverte dans le système du droit divin. C'est aussi un précédent. De cela, Louis XIV est parfaitement conscient, mais ne laisse rien paraître de ses craintes pour l'avenir.

Ce bel équilibre psychique a son revers. La bonne humeur est de commande ; elle cache des accès de mélancolie profonde et, parfois des crises de larmes dont Mme de Maintenon se fait l'écho. A parcourir les lettres qu'elle écrit, on perçoit, non seulement certaines vérités, mais l'humanité profonde du roi, je veux dire une sensibilité très vive quoique jugulée et contrôlée par la volonté. On y cerne aussi parfaitement les rapports entre les deux époux, ce qui amène à corriger quelques-unes des assertions fulgurantes de Saint-Simon.

Il nous montre le roi travaillant avec ses ministres dans la chambre de Mme de Maintenon, lui d'un côté de la cheminée, « et elle de l'autre avec un livre ou un ouvrage ». Et les ministres assis sur des tabourets avec leurs sacs de courrier. Elle feint d'écouter distraitement, ne répond aux questions du roi que par des formules évasives. Selon Saint-Simon, les ministres, qui sont à sa dévotion principalement parce qu'ils se défient de son influence sur le roi, l'ont consultée à l'avance. Il lui prête dès lors une importance qu'elle n'a sans doute pas eue, ou sinon fortuitement, encore s'agissait-il d'affaires ecclésiastiques. « Reine en plein, écrit-il, de rang et d'effet dans le particulier et dans l'intérieur de la famille du Roi légitime et bâtarde, et prête deux fois à être déclarée, son règne et sa puissance ne furent qu'artifices. » Que Louis XIV éprouve le besoin de se confier à son épouse, connaissant sa discrétion et sa sagesse, cela va de soi. Mais que, par la complaisance des ministres, elle l'ait manœuvré à sa guise, cela n'est pas crédible, surtout en ce versant de son existence où le roi n'avait plus guère confiance qu'en lui-même.

D'ailleurs Saint-Simon se contredit et relate diverses circonstances dans lesquelles Louis caveçonne durement son épouse, grondant même : « La pauvre femme ! » Il ne l'épargne pas davantage qu'il n'a fait de ses maîtresses les plus aimées, et qui devaient être de toutes les fêtes, fussent-elles malades, car tel était le bon plaisir du roi. Il contraint Mme de Maintenon à voyager, avec une forte fièvre et un insupportable mal de tête. Elle craint les courants d'air et la lumière trop vive : il ouvre les fenêtres et fait allumer toutes les bougies. C'est une couche-tôt, il se donne concert, travaille tard, éprouve le besoin de converser ! Cependant le roi se montre parfois rempli de sollicitude pour elle. Saint-Simon fait un tableautin du Roi-Soleil travaillé par la goutte, roulé dans un petit chariot que poussent deux valets et qu'il dirige à l'aide d'une sorte de gouvernail. Près de lui, Mme de Maintenon dans une chaise à porteurs et la cour papotant à leur suite.

La princesse palatine ne sait quelle injure proférer à l'intention de la pseudo-reine : « La pantocrate, la vieille ordure du roi, la vieille guenippe... » Elle note cependant que Mme de Maintenon « n'est pas gaie du tout, elle pleure souvent à chaudes larmes ». Evoquant l'encombrante présence de Louis, ses réticences, ses exigences, Mme de Maintenon avouait : « Ma vie a été un miracle : quand je pense que je suis née impatiente et que jamais le Roi ne s'en est aperçu, quoique souvent je me sentisse à bout et prête à tout quitter... Il n'y a que Dieu qui sache ce que j'ai souffert dans ce temps-là. Le roi entrait dans ma chambre ; il n'y paraissait pas ; j'étais de bonne humeur ; je ne songeais qu'à l'amuser, qu'à le retirer des femmes, ce que je n'aurais pu faire, s'il ne m'avait trouvée complaisante et toujours égale. »

Ce que la princesse palatine, Saint-Simon, nombre de courtisans tolèrent mal, c'est que, sans être reine « déclarée », Mme de Maintenon (que Mme de Sévigné appelle méchamment « Mme de Maintenant ») traite familièrement les princes de la famille royale et que ces derniers l'entourent de respect. Mais lequel d'entre eux oserait se comporter autrement, défier l'autorité paternelle ?

Touchons un mot des enfants légitimes et des bâtards légitimés de Louis, bien que leur rôle soit modeste, quasi effacé, et qu'au bout du compte un seul prendra l'importance que l'on sait.

Des six enfants que la reine Marie-Thérèse a donnés au roi, seul « Monseigneur » (le dauphin) a survécu. Il est né en 1661. Il a donc trente-sept ans. Il a, comme on l'a dit, tout oublié de l'enseignement prestigieux de Bossuet et des bons principes que son gouverneur, le duc de Montausier, lui a inculqués... à coups de fouet. Il est blondasse et gras, assez bel homme, sans caractère et sans application. Il aime la chasse, la bonne chère et les dames. C'est tout ce qu'il a hérité de ce père devant lequel il tremble comme un gamin. Il tient de sa mère une insurmontable indolence. Son éducation princière, sa courtoisie naturelle recouvrent une parfaite insignifiance. On l'a marié à vingt ans à Marie-Anne de Bavière, une aimable laide, mais il singe son père en ayant une « dauphine » de cœur : Emilie de Choin. Il est père du duc de Bourgogne qui vient d'épouser Marie-Adélaïde de Savoie et aura pour fils LE FUTUR LOUIS XV.

Philippe, duc d'Orléans, que l'on appelle « Monsieur », a maintenant cinquante-huit ans. Il est de petite taille, ventripotent, chargé de pierreries et parfumé, ridicule. Mme de La Fayette disait de lui qu'aucune femme au monde n'était capable de l'enflammer, et pour cause : il préférait les jeunes hommes ! Néanmoins, il a épousé en premières noces la belle Henriette d'Angleterre, tragiquement disparue, et en secondes noces la princesse palatine. Henriette lui avait donné la ravissante Marie-Louise d'Orléans, mariée par raison d'Etat à Charles II d'Espagne, un monstre épileptique. La Palatine fut mère de plusieurs filles et de Philippe d'Orléans, LE FUTUR REGENT, né en 1674. Il n'y a pas à Versailles de ménage moins assorti que celui de Monsieur et de la Palatine. Elle est aussi hommasse qu'il est efféminé. Cependant naguère il a montré sa valeur en battant Guillaume d'Orange à Cassel (1677). Mais puisque son auguste frère est jaloux de sa gloire et de ses talents militaires, il y a renoncé. C'est un voluptueux subjugué par ses favoris. Pourtant Louis lui manifeste une véritable affection fraternelle. La Palatine l'agace, malgré sa passion pour la vénerie. Il se méfie de sa sagacité, de son insolence de fille de grande maison, et de ses lettres incessantes à sa tante de Hanovre.

Le duc de Bourgogne, fils du dauphin, a treize ans. Il a quelque boiterie congénitale et il est un peu bossu, mais sa physionomie spirituelle fait oublier ces disgrâces de la nature. Il est emporté et railleur, et laisse entrevoir un tempérament passionné. Mais il a pour précepteur l'admirable Fénelon, qui est un composé de Jean-Jacques Rousseau (par certaines idées) et de Chateaubriand (pour le style). Nul ne sait quelles transformations eût subi la monarchie, si le duc de Bourgogne avait régné ! Peut-être la Révolution eût-elle été évitée, ou aurait-elle pris une autre orientation... On a marié le jeune duc à la fille de Victor-Amédée, la petite Marie-Adélaïde de Savoie, mariage politique qui se convertira en passion amoureuse, pour une fois. Les noces, célébrées après la paix de Ryswick, en décembre 1697, dépassèrent en magnificence tout ce que l'on avait vu à Versailles : Louis XIV, face à l'Europe victorieuse, tenait à rétablir son prestige !

Le frère cadet du duc de Bourgogne se prénomme Philippe et porte le titre de duc d'Anjou. Il a douze ans. Nul ne sait encore — sauf son grand-père — qu'il deviendra dans peu de temps roi d'Espagne, succédant au misérable Charles II. Il n'a pourtant aucune des qualités qui font les souverains. On le qualifie d' « esprit subalterne ». Il est toujours à la remorque de quelqu'un, sans opinion personnelle, sans talent, sans la moindre grandeur. Un caprice de la fortune que sa destinée !

Le troisième fils du dauphin est Charles, duc de Berry, né en 1686. Il est le plus aimé des trois frères, en raison de sa bonne humeur et de son affabilité. Tout jeune, il laisse deviner sa triple passion pour la chasse, les cartes et les dames un peu folles de leur corps. Saint-Simon dira de lui : « Il était fait pour la société, pour les plaisirs, qu'il aimait tous, le meilleur homme, le plus doux, le plus compatissant, le plus accessible, sans gloire et sans vanité ; mais non sans dignité ni sans se sentir. »

Le futur Régent Philippe d'Orléans, a vingt-quatre ans. Il ressemble à Henri IV ; il le sait, il en use, il en abuse et cherche à égaler son aïeul dans les vices comme dans les vertus (selon Saint-Simon). On l'a marié, quasi de force, à Mlle de Blois, bâtarde légitimée de la Montespan. « Quand on pense, disait Madame, que ça n'est qu'une crotte de souris. » Car Madame adore son fils, à cause de son intelligence fort vive et de sa facilité de parole. Mlle de Blois a la beauté de sa mère et la majesté de son père ; c'est une personne vraiment royale et qui ne l'ignore pas. L'ensemble est gâté par une prononciation grasseyante, « comme si elle avait la bouche pleine de bouillie », écrit la Palatine. Philippe a la bravoure des Bourbons ; il s'est distingué à Steinkerque. Le roi ne l'aime pas ; plus exactement, il hait sa popularité.

Le Grand Condé est mort en 1686. Son fils, Henri-Jules de Bourbon n'est que sa caricature ; il n'a jamais pu apprendre l'art de la guerre ; ce n'est qu'un maillon de l'illustre chaîne, un demi-fou qui, d'aventure, se prend pour un lièvre et se fait poursuivre par ses chiens, mais aussi un quasi-savant. Père inexorable et cupide, il avait marié deux de ses enfants aux bâtards du roi et de la Montespan : son fils, le duc de Bourbon, à Mlle de Nantes, une de ses filles au duc du Maine. Une lourde hérédité pèse sur la Maison des premiers princes du sang !

Autre tige issue des Bourbons que les princes de Conti, neveux du prince de Condé. L'aîné, Armand de Bourbon, prince de Conti, a épousé Mlle de Blois, fille légitimée de la duchesse de La Vallière, aussi gracieuse que sa mère, mais passablement galante ; il est mort de la petite vérole en 1685. Son frère cadet, Louis-Armand, a dès lors relevé le titre ; il portait précédemment celui de prince de La Roche-sur-Yon. C'est un remarquable soldat ; il s'est distingué à Steinkerque, à Nerwinde. Mais il est suspect au roi. On a saisi des lettres de lui, où Sa Majesté était traitée de « roi de théâtre pour représenter, roi d'échecs quand il faut se battre », et comparée à un gentilhomme campagnard assotté par sa vieille maîtresse. Il est douteux qu'il obtienne jamais le commandement auquel il pourrait prétendre.

Le duc du Maine est celui des enfants de la Montespan que préfère Louis XIV. Il est aussi, selon Saint-Simon, « le cœur, l'âme, l'oracle » de Mme de Maintenon qui l'a élevé et à laquelle il voue un véritable culte. Il se peut qu'elle ait brisé son caractère ; elle en a fait en tout cas un timide et un dévot. On lui a donné pour épouse une petite fille du Grand Condé, Anne-Louise-

Bénédicte de Bourbon-Condé. Elle gouverne le ménage et fait du château de Sceaux un petit Versailles. En 1698, le duc du Maine a vingt-huit ans. Le roi, qui aime la modestie, fût-elle hypocrite, le comble de faveurs. Il en est de même du comte de Toulouse, nommé amiral de France à cinq ans, mais qui prendra plus tard son métier à cœur et deviendra presque un grand marin.

Telles sont les principales figures de la famille royale, légitime et bâtarde. Mais en 1714, au grand scandale de la cour, les bâtards légitimés deviendront princes du sang à part entière, c'est-à-dire juridiquement capables d'hériter du trône !

Un abîme séparait les princes du reste de la cour. Auprès d'eux, les La Rochefoucauld, les La Force, les Saint-Simon et même l'impétueux Lauzun, veuf de la Grande Mademoiselle et passant pour favori du roi, n'étaient déjà plus que du menu fretin. Les dignitaires jouissaient d'un peu plus de considération, non pas en raison de leurs personnes mais des charges qu'ils assumaient, à l'exception peut-être du maréchal de Villeroy. Quant aux marquis, aux comtes, aux barons, quelque ancienne que fût leur famille, ils n'étaient que des figurants somptueusement parés dans l'espoir souvent déçu d'être distingués par le Maître et de recevoir ses faveurs. Louis XIV avait gagné la partie, qui était de domestiquer la noblesse, de l'énerver par une vie factice, de la ruiner par un train de vie coûteux et, par là, de la réduire à ne dépendre plus que de lui pour survivre. Toujours hanté par le souvenir de la Fronde, il restait persuadé que, s'il les avait laissés vivre grassement dans leurs manoirs provinciaux, ils eussent comploté contre lui. Ce faisant, il créait une coterie et se coupait de son peuple. Les flatteries intéressées, l'irréalisme de cette société brillante mais vide, lui masquaient les réalités. De misérables intrigues de salon prenaient une importance « nationale », car il y avait désormais deux opinions : celle de la cour et celle de Paris dont l'opposition ira s'accentuant jusqu'à 1789.

Un siècle finissait, apportant ses changements. Le roi restait immuable. Drapé dans sa majesté, toujours révéré comme une idole, le vieux dompteur n'avait plus de fauves à tenir en respect. Le goût de l'argent se substituait doucement au point d'honneur. Il n'y avait plus de scandales, parce que l'immoralité était devenue monnaie courante, pis : l'amoralité. « Il n'y a plus de vice ici, écrivait la Palatine, dont on ait honte ; et si le roi voulait punir tous ceux qui se rendent coupables de plus grands vices, il ne verrait plus autour de lui ni nobles, ni princes, ni serviteurs ; il n'y aurait même aucune maison qui ne fût en deuil. »

Et, dans une autre lettre :

« On veut avoir du monde pouvant jouer gros jeu, or les gens de haute lignée ne sont pas les plus riches. On joue donc avec toute sorte de racaille pourvu qu'ils aient de l'argent. On permet à toutes les femmes — jusqu'aux femmes de chambre inclusivement —, de mettre à la réjouissance, et pour qu'elles puissent rester au jeu on leur fait place ; dès lors les femmes de qualité ne peuvent rester debout ; tout le monde est donc assis, sans distinction de rang ni de qualité. Tout est sans dessus dessous. Le roi a conservé la politesse. A cette unique exception près, elle est totalement bannie de la cour. »

Imperturbable, le roi veille en effet au strict maintien de l'étiquette ; il tranche les querelles de préséance et ne permet pas, comme le dit la Palatine, qu'on trouve « un moyen terme » pour concilier le cérémonial. Ses verdicts sans appel provoquent de sourdes colères, apaisées par un dédommagement, et des crises de larmes vite ravalées, car il faut d'abord sourire !

II

LA SUCCESSION DE CHARLES II

Louis XIV avait fait épouser sa nièce Marie-Louise d'Orléans à Charles II d'Espagne, en 1684. Charles II était alors condamné à une mort précoce. Cependant il avait trompé les pronostics de ses médecins. Ce demi-monstre avait enterré Marie-Louise en 1689 — emportée subitement par une maladie analogue à celle de sa mère, Henriette d'Angleterre ; il s'était remarié à une princesse allemande, Marie-Anne de Neufbourg, sœur de l'impératrice. Car la succession d'Espagne était une affaire européenne, Charles II n'ayant pas d'enfant et ne paraissant pas susceptible d'en avoir. Le premier mariage avait donc été à l'avantage de Louis XIV ; le second était à celui de l'empereur Léopold. Il s'agissait de savoir quel serait l'héritier de l'infortuné Charles. Bien que l'Espagne fût exsangue et ruinée, elle restait, par l'étendue et la diversité de ses territoires, cet empire de Philippe II sur lequel le soleil ne se couchait pas. Elle comprenait en effet, outre la péninsule Ibérique et ses riches colonies américaines, une partie de l'Italie et les Pays-Bas espagnols. L'enjeu était d'importance, et même vital, pour la France. Car, si Charles II léguait ses biens à un Habsbourg autrichien, c'était du même coup l'ancienne puissance de cette Maison — notre ennemie héréditaire — qui se trouvait restaurée. A nouveau, le royaume de France serait pris entre les mâchoires d'une tenaille risquant à tout moment de l'écraser. A nouveau, la totalité de ses frontières serait menacée, au nord comme à l'est, et au sud. Sans doute la situation était-elle plus différente qu'à l'époque de Charles-Quint. Par suite de l'incurie de ses rois, des habitudes de facilité résultant d'un afflux d'or colonial, ce pays n'avait plus qu'une économie délabrée. Le Trésor espagnol ne pouvait aligner qu'une armée de vingt mille soldats mal équipés, encore plus mal payés. Faute d'entretien, la flotte, naguère maîtresse des mers, était devenue misérable, sans matériel de rechange. Cependant, l'Espagne représentait encore une puissance potentielle et, surtout, on le répète, selon que l'héritier de Charles II serait Français ou Allemand, l'échiquier politique européen serait complètement bouleversé.

Il faut ici entrer dans le détail pour une bonne compréhension de l'affaire espagnole. Philippe IV d'Espagne avait eu deux filles. L'une, Marie-Thérèse, avait épousé Louis XIV ; l'autre, Marguerite-Thérèse, l'empereur Léopold. En devenant reine de France, Marie-Thérèse avait renoncé à l'héritage de son père. La thèse de Louis XIV était que cette renonciation était nulle et qu'en conséquence les héritiers de Charles II devaient être le dauphin, à défaut l'un de ses fils : le duc de Bourgogne, le duc d'Anjou, ou le duc de Berry. De son côté, l'empereur Léopold avait eu une seule fille de Marguerite-Thérèse d'Espagne, laquelle avait épousé l'Electeur de Bavière, dont elle avait eu un fils. Toutefois, arguant du fait que sa fille avait également renoncé à hériter, l'empereur Léopold revendiquait la succession de Charles II pour lui-même, à défaut pour le second de ses fils, l'archiduc Charles, l'aîné devant lui succéder à l'empire et étant déjà, selon la tradition, roi des Romains.

Dans un premier temps, Charles II déclara Charles de Bavière comme étant son légataire universel. L'empereur Léopold fit ensuite pression sur lui pour qu'il annulât ce testament et désignât l'archiduc. Mais, alors, la guerre de la Ligue d'Augsbourg n'était pas terminée. Les Espagnols détestaient le contingent allemand envoyé à leur secours, la reine et son entourage. Informé de cette hostilité grandissante et touchant les plus grands personnages d'Espagne, Louis XIV avait intérêt à signer le plus vite possible la paix de Ryswick, afin d'avoir les mains libres. Au contraire, l'empereur avait intérêt à poursuivre la guerre, pour embarrasser son rival.

En décembre 1697, Louis XIV envoya le marquis d'Harcourt en ambassade à Madrid. Ce dernier avait pour mission principale d'entraver les manœuvres diplomatiques de l'empereur, et de sonder l'opinion. C'était un esprit en tous points remarquable et un homme plein de séduction. Il sut acquérir des amitiés influentes, s'introduire à la cour et même gagner les bonnes grâces du perpétuel mourant, créer en somme un parti francophile actif. Il comprit que les Espagnols accepteraient un roi français, mais s'opposeraient à tout démembrement du vieil empire de Philippe II. Une telle exigence était de nature à provoquer une nouvelle coalition, car jamais les puissances européennes n'accepteraient pareil accroissement de la France.

Louis XIV mesura le risque et sut, en la conjoncture, mettre une sourdine à son orgueil. Il se révéla même le parfait disciple de Mazarin, sinon son égal. On peut contester ses talents militaires, soutenir qu'il était assez faible comme administrateur du royaume et nul dans le domaine de l'économie, mais il est impossible de nier ses remarquables talents de diplomate et son sens exceptionnel de l'Histoire. Il résolut donc de rassurer l'Europe, tout en se donnant des alliés en cas de coalition, de se mettre préalablement d'accord avec l'Angleterre et la Hollande. Après de laborieuses négociations, les plénipotentiaires des trois nations signèrent un premier accord en 1698. Ce n'était rien de moins que le démembrement de l'héritage espagnol ; Charles de Bavière aurait l'Espagne, les Pays-Bas et les « Indes » ; le dauphin de France, Naples, la Sicile, diverses places italiennes et la Navarre espagnole (vainement convoitée par le vieil Albret !) ; l'archiduc autrichien, le Milanais. Mais la mort de Charles de Bavière, en 1699, anéantit ces accords.

Toujours aussi prudent, Louis XIV formula de nouvelles propositions. Il offrait de laisser l'archiduc autrichien régner sur l'Espagne et les « Indes », à condition que le dauphin reçût le Milanais en plus des acquisitions prévues en 1698. L'empereur, surestimant ses forces et son influence depuis qu'il avait triomphé des Turcs, atermoya, et finit par rejeter ces offres cependant raisonnables. Louis XIV ne tint aucun compte de ce refus, qu'il interprétait comme une sorte de chantage. Il signa, en mai 1700, un second accord avec les Anglais et les Hollandais. Il confirmait les propositions faites à l'empereur, sauf que la Lorraine était substituée au Milanais. L'intention secrète de Louis XIV était d'échanger Naples et la Sicile contre Nice et la Savoie avec Victor-Amédée, mais cette clause ne figurait évidemment pas dans le traité. L'empereur opposa un nouveau refus ; il ne pouvait accepter que l'archiduc perdît les possessions italiennes des Habsbourgs ; il comprenait fort bien le but de Louis XIV, qui était d'annuler la paix de Ryswick.

Les Espagnols, apprenant ces marchandages, prirent peur.

Leur hostilité envers les Allemands se changea en haine. Une véritable camarilla assiégea le misérable roi et le décida à tester en faveur de la branche française. Charles II consulta les devins, les théologiens, les juristes, et jusqu'au pape, tant les scrupules tourmentaient sa pauvre cervelle. Si débile fût-il, mentalement et physiquement, une lueur subsistait dans ses ténèbres ! Il ne savait qu'une chose : c'est qu'il était l'héritier de Charles-Quint et de Philippe II ; il n'avait pas le droit d'accepter le démembrement de leur empire. Il crut, on lui fit croire, que l'empereur Léopold était l'auteur des ignobles marchandages autour de sa mort. Le 2 octobre 1700, il reconnut formellement les droits de la défunte reine Marie-Thérèse de France et de ses enfants ; en conséquence il désigna comme légataire universel le duc d'Anjou, à défaut son frère le duc de Berry. Si la branche française se récusait, le légataire serait l'archiduc Charles, à défaut le duc de Savoie. En tout état de cause, il déclarait l'héritage espagnol indivisible.

Le 2 novembre, le malheureux roi mourut enfin, qualifié de « martyr » par les Espagnols.

Le 9 novembre, Louis XIV eut connaissance du testament. Il en apprécia exactement les conséquences, plus redoutables que glorieuses : l'accepter, c'était mettre fin à la lutte séculaire entre les deux nations et parfaire l'œuvre entreprise par Mazarin dans l'île des Faisans ; mais c'était aussi prendre le risque d'une guerre ! Et d'une guerre qui serait entreprise dans les plus mauvaises conditions, parce que l'Angleterre et la Hollande s'estimeraient trompées ! Refuser le testament, c'était voir les Habsbourg à nouveau maîtres de l'Europe et perdre les avantages des accords passés avec l'Angleterre et la Hollande mais rejetés par l'empereur. Dilemme cruel ! Louis XIV réunit un conseil formé du dauphin, du chancelier Pontchartrain, de Colbert de Torcy (neveu du grand Colbert) et du duc de Beauvilliers, président des finances et passant pour un des hommes les plus sages de France bien qu'il fût du parti dévôt. Le dauphin et Torcy furent d'avis d'accepter. Si l'archiduc autrichien héritait de Charles II, il n'accepterait pas le moindre démembrement, d'ailleurs contraire au testament. Beauvilliers, qui avait subi l'influence lénifiante de Fénelon, et de son pacifisme systématique, fit état de la misère du royaume et prêcha en faveur du démembrement. Pontchartrain résuma les deux thèses et, en bon jurisconsulte, n'émit aucune opinion. Louis XIV ne décida pas sur-le-champ ; il se donna le temps de la réflexion.

Le 16 novembre, après son lever, il fit entrer l'ambassadeur d'Espagne dans son cabinet, appela le duc d'Anjou et déclara, à sa façon inimitable :

— Vous le pouvez saluer comme votre roi.

L'ambassadeur s'agenouilla et baisa la main du nouveau roi d'Espagne. Il fit un assez long compliment en espagnol.

— Il n'entend pas encore l'espagnol, fit Louis XIV, c'est à moi de répondre pour lui.

Les courtisans s'étaient massés derrière la porte du cabinet. Un huissier l'ouvrit à deux battants.

— Messieurs, voilà le roi d'Espagne, la naissance l'appelait à cette couronne, toute la nation le souhaite et me le demande, ce que je lui ai accordé avec plaisir, c'était l'ordre du Ciel.

Puis, se tournant vers son petit-fils, il ajouta :

— Soyez bon Espagnol, c'est présentement votre premier devoir ; mais souvenez-vous que vous êtes né Français pour entretenir l'union entre les deux nations ; c'est le moyen de les rendre heureuses et de conserver la paix en Europe.

Et, s'adressant à l'ambassadeur :

— S'il suit mes conseils, vous serez grand seigneur, et bientôt, il ne saurait mieux faire présentement que de suivre vos avis.

Telle est du moins la version que Dangeau fait de cette grande journée, « la plus grande et la plus extraordinaire qui se fût jamais passée dans l'Europe », selon Sourches. Les deux frères du nouveau roi, Bourgogne et Berry, vinrent alors l'embrasser. Toute l'assistance avait la larme à l'œil et Louis XIV se laissa volontiers gagner par l'émotion.

Les deux monarques entendirent ensuite la messe l'un près de l'autre. Désormais Louis XIV traitait son petit-fils en Majesté. Mais, dit-on, après cette rude journée tout entière consacrée aux cérémonies et aux compliments, le roi d'Espagne s'amusa avec ses frères comme à l'accoutumée ; il n'avait pas encore conscience de sa nouvelle condition ; on ne l'avait pas élevé pour régner. Tout Versailles exultait. Louis XIV était lui-même un peu grisé par cet événement qui, en un sens, prolongeait le traité des Pyrénées et scellait entre les deux pays une paix apparemment définitive. Car le nouveau roi d'Espagne n'avait que dix-sept ans et le vieux roi ne doutait pas que, pendant des années, l'immense empire espagnol, ne soit en réalité gouverné par Versailles. Le songe grandiose de Mazarin, rejoignant le Grand Dessein d'Henri IV semblait réalisé. Reflétant l'opinion des courtisans « les plus avisés », Mme de Maintenon écrivait : « Il y a des gens bien sages qui sont persuadés que nous n'aurons point de guerre et que nous en aurions eu une longue et ruineuse pour la France, si l'on avait voulu exécuter le traité. »

Louis XIV, qui pesait toute chose, se flatta de redresser suffisamment l'Espagne pour lui permettre de nous seconder dans un conflit éventuel, mais qu'il s'efforcerait d'éviter, et sinon de limiter !

Le duc d'Anjou, devenu Sa Majesté Catholique, prit le nom de Philippe V et partit pour l'Espagne le 4 décembre 1700. Ce fut l'occasion d'une belle cavalcade, et de scènes touchantes où l'on pleura d'abondance. La séparation définitive eut lieu au château de Sceaux. Le temps des épreuves commençait.

III

LA GRANDE ALLIANCE

Dès que l'incroyable nouvelle fut connue, l'Europe presque entière s'indigna. Les Anglais et les Hollandais accusèrent Louis XIV de déloyauté, encore qu'il s'efforçât de leur démontrer que le royaume de France et celui d'Espagne restaient absolument distincts et que l'acceptation de l'héritage de Charles II ne nous procurait aucun avantage. L'empereur éleva une protestation solennelle et se mit en quête d'alliés, dans la perspective d'une guerre prochaine. L'Electeur de Brandebourg fut le premier d'entre eux ; il en profita pour faire reconnaître son titre de roi de Prusse. En contrepartie, Clément XI, l'Electeur de Bavière et le duc de Savoie, toujours en quête de profits et rêvant lui aussi d'une couronne reconnurent sans difficulté Philippe V comme roi d'Espagne. Il en fut de même des territoires relevant de Madrid : les Pays-Bas et les principautés italiennes. La position de l'Angleterre (et par conséquent de la Hollande) n'était pas encore franchement hostile. Ces deux pays ne refusaient pas de reconnaître Philippe V, mais sous condition. Il est certain que Louis XIV, très conscient du péril auquel il s'exposait et de l'incapacité de l'empereur à lutter isolément, n'eût pas refusé quelques accommodements. Mais Philippe V, accueilli à bras ouverts par les Espagnols, ne pouvait se permettre de les décevoir en acceptant un démembrement, même partiel, de leur empire. Ils comptaient absolument sur l'appui de la France pour défendre leurs possessions. Or, ce qui inquiétait le plus les Hollandais et les Anglais, c'était la présence française, fût-elle indirecte et provisoire, dans les Pays-Bas. Ils redoutaient en outre que le marché espagnol et surtout américain ne passât en entier aux mains des armateurs français.

Persuadé que la guerre était inévitable, Louis XIV prit, une fois de plus, les devants. Depuis le traité de Ryswick les Hollandais occupaient sept places des Pays-Bas espagnols, formant « barrière » du côté de la France. Philippe V, inspiré par son grand-père cela va de soi, ordonna que ces places fussent occupées par des garnisons françaises. Quinze mille soldats hollandais rentrèrent dans leurs foyers. L'initiative de Philippe V ressemblait fort à une provocation ; elle attestait en tout cas, sa collusion avec la France. Mais Louis XIV tablait sur les difficultés politiques de Guillaume III et sur le pacifisme des tories majoritaires au Parlement. Guillaume, quoique malade, n'avait perdu ni sa virulence ni ses talents de manœuvrier. Il sut à merveille exploiter le mécontentement de la banque et du commerce londoniens et retourner l'opinion. De nouvelles élections ramenèrent les whigs au pouvoir. Cependant Guillaume ne refusait point de négocier. Il réclamait simplement pour l'Angleterre et la Hollande des garanties inacceptables (la cession d'Ostende et de Nieuport, l'érection de dix places en « barrière », au lieu de sept) et des compensations substantielles pour l'empereur ! Il était clair qu'il ne cherchait qu'à gagner le temps nécessaire pour faire rentrer ses vaisseaux et lever une armée.

Le 7 septembre 1701, il signa avec l'empereur et le Pensionnaire de Hollande, Heinsius [1], le traité de la Grande Alliance, par lequel les contractants s'engageaient à ne laisser à Philippe V que l'Espagne et ses colonies, à l'exception de ce que les alliés pourraient conquérir. Le traité fut tenu secret, mais les clauses en furent promptement connues à Paris. Sur ces entrefaites, Jacques II, exilé à Saint-Germain, passa de vie à trépas. Louis XIV, en dépit des engagements de Ryswick, reconnut son fils, Jacques III, comme roi d'Angleterre. Cette démarche enragea l'opinion britannique contre nous. Certains l'ont imputée à faute à Louis XIV, mais on peut se demander si elle modifia

1. Ami de Guillaume III, nommé par celui-ci et tout à sa dévotion.

quoi que ce fût à la situation, sinon de fournir un prétexte de plus à Guillaume III. Cependant nos diplomates s'activaient. Ils avaient acquis l'alliance du Portugal et celle de la Savoie, le duc Victor-Amédée ayant obtenu le titre de commandant en chef de l'armée d'Italie et le trône d'Espagne pour sa fille, Marie-Louise. Cette princesse épousa en effet Philippe V en mai 1701. Louis XIV croyait que ce mariage cimenterait la triple alliance des Maisons de France, d'Espagne et de Savoie ; il se défiait pourtant de la duplicité de Victor-Amédée, de son opportunisme ; il savait que le duc se vendrait au plus offrant, d'où cette surenchère, d'entrée de jeu.

Le plan des coalisés était le suivant : les Autrichiens envahiraient l'Italie, les Impériaux attaqueraient sur le Rhin, les Hollandais, appuyés par les Anglais, auraient pour secteur les Pays-Bas espagnols et tiendraient la mer. Ils avaient l'avantage du nombre et de l'argent et possédaient aussi deux remarquables chefs de guerre : le prince Eugène et le duc de Marlborough.

Eugène de Savoie-Carignan-Soissons était un curieux personnage, fils du comte de Soissons et d'Olympe Mancini, nièce de Mazarin, prince français et prince de Savoie. Haïssant Louis XIV parce qu'il lui avait refusé la survivance de colonel général des Suisses, il avait quitté la France en 1683 pour entrer au service de l'Empereur. Il avait remporté sur les Turcs une victoire définitive en 1697. C'était lui qui commandait l'armée autrichienne d'Italie.

Jean Churchill, comte puis duc de Marlborough avait merveilleusement exploité les amours de sa sœur Arabella avec le duc d'York, futur Jacques II. Arabella eut un fils de son amant, Jacques Fitz-James, duc de Berwick, que nous retrouverons plus loin. Jean Churchill, d'abord page de Jacques II, fut nommé successivement colonel de dragons, baron et pair d'Angleterre. Ce qui ne l'empêcha pas de retourner sa veste au bon moment et de préparer l'éviction de son bienfaiteur par Guillaume III. Ce dernier le promut comte et l'admit au conseil privé. Churchill avait épousé Sarah Jennings, amie d'enfance et favorite de la princesse Anne, belle-sœur de Guillaume III. Lorsque celui-ci mourut, la princesse Anne fut couronnée reine d'Angleterre et les Marlborough devinrent tout-puissants. La première faveur qu'obtint Sarah Jennings, fut la nomination de son époux en qualité de duc, chevalier de la Jarretière et généralissime de l'armée de terre. Churchill avait combattu dans les rangs français, au temps de la guerre de Hollande ; il haïssait le Roi-Soleil au moins autant que Guillaume III.

Les généraux choisis par Louis XIV n'avaient certes ni les talents, ni la jeunesse, ni l'ardeur belliqueuse de Churchill et d'Eugène de Savoie. On les avait pétris à « l'élixir de cour » ; ils avaient pour principal mérite d'avoir su plaire au roi et de ne point offenser sa vertueuse épouse. Il pouvait compter sur leur docilité parfaite et... leur absence d'initiative. Boufflers commanderait en Flandre, avec le duc du Maine et le comte de Toulouse. Le duc de Bourgogne irait sur le Rhin, avec le maréchal de Villeroy, toujours aussi brillant dans les bals et les jeux de société. Catinat recevait le commandement de l'armée d'Italie ; lui seul avait les capacités d'un officier général, mais Louis XIV ne le goûtait que modérément : toutes ses faveurs allaient à Villeroy. Par surcroît, Barbezieux, ministre de la Guerre, était mort au début de 1701 et Louis XIV avait chargé de ses fonctions l'aimable Chamillart, contrôleur général des finances. Il eût été quasi impossible à un seul homme de gérer ces deux départements en temps de paix, mais en temps de guerre ! Cela explique la désorganisation de l'administration militaire, les manques d'approvisionnements de toute sorte, les récriminations incessantes des généraux. Mais le monarque en avait décidé ainsi, persuadé de suffire à tout, plus acharné que jamais à paperasser. Car le drame de cette fin de règne est ici ! Le vieux roi se croyait invincible et précellent, ravi de n'avoir plus que des commis pour ministres et des lieutenants pour généraux, persuadé qu'il ne pouvait se tromper ni dans ses choix ni dans ses ordres, voulant tout voir par lui-même, sans doute d'une application sans pareille aux affaires, mais inconscient de ses lacunes et perdant un temps précieux à arbitrer des vétilles d'étiquette. Et, surtout, enfermé dans ce monde clos de Versailles, maître de ce palais qu'il avait inventé pour ses délices et les nécessités de sa politique, entouré d'adulations, aveuglé par elles et, du haut de ce piédestal factice, regardant désormais le monde à travers les lunettes déformantes de la cour, en un mot pris à son propre piège et devenu roi de Versailles, tout en se disant roi de France. Le péril majeur des hommes politiques est de succomber à leur propre propagande, de croire qu'ils sont en réalité ce qu'ils prétendaient être, de s'identifier à cette image illusoire d'eux-mêmes. En ce domaine intérieur, Mme de Maintenon aurait pu jouer un rôle de démystification ; mais elle évitait de contrarier son époux, pour ne pas le perdre et n'était sévère que sur le chapitre d'une dévotion toute conventionnelle, sous prétexte de sauver l'âme du roi. Le temps allait venir où l'on essaierait de cacher les mauvaises nouvelles à celui-ci, ou de les minimiser, de discréditer certains chefs par de faux rapports, ou en ne remettant pas leurs mémoires. Alors le royaume touchera le bord de l'abîme. Mais ce sera pourtant ce monarque prisonnier de sa mécanique de cour, cet illusionniste se leurrant lui-même, qui le sauvera, parce que persistaient, sous cette façade décevante, de réelles qualités humaines, en tout cas une authentique grandeur.

Cette fois ce furent les coalisés qui prirent l'initiative des opérations, contrairement aux habitudes : mais il était clair que ce conflit serait sans commune mesure avec le précédent ; les alliés s'y étaient soigneusement préparés. En juin 1701, le prince Eugène franchit les défilés du Tyrol avec trente mille Autrichiens. Catinat avait reçu l'ordre de se tenir sur la défensive. Il attendait le gros de l'armée piémontaise et le duc Victor-Amédée, nommé généralissime, comme on a dit plus haut. Il disposait cependant de la supériorité numérique, mais ses troupes auxiliaires (un ramas de Piémontais et d'Espagnols) ne valaient rien. Il n'essaya pas de défendre les défilés du Tyrol et se contenta d'occuper la ligne stratégique de l'Adige. Ce fut un jeu pour le prince Eugène d'attaquer séparément, et rapidement, les corps d'armée française trop espacés et mal articulés. Il contraignit Catinat à opérer un repli général. Il faut dire que les Autrichiens bénéficiaient de la complicité des populations contre les Français.

Apprenant ce mouvement de repli, Louis XIV, habitué à vaincre, suspecta Catinat de mollesse, sinon d'incompétence. Il lui ordonna d'attaquer et, pour le stimuler, lui adjoignit son « ami » le maréchal de Villeroy. Ce dernier, ignorant tout de la situation et dédaignant les conseils de prudence, attaqua le prince Eugène, initiative qui, dans l'instant, se solda par deux mille morts : on dut sonner la retraite en toute hâte pour sauver l'armée. Les Autrichiens occupaient des positions si bien aménagées qu'ils tiraient comme à l'exercice. Après cet exploit (août 1701), Victor-Amédée décida de prendre ses quartiers d'hiver. Les Français, réduits à leurs propres forces, ne purent qu'imiter les Piémontais. La campagne de 1701, sans être décisive, faisait mal augurer de la suite. Il tombait sous le sens que le prince Eugène, solidement installé en Italie, ne lâcherait pas sa proie. Pour les alliés, les succès du prince étaient prometteurs. Fer de lance de la coalition, il s'était chargé de tâter l'adversaire. Ce dernier n'avait plus l'agressivité de naguère. Le repli de Catinat, la défaite stupide de Chiari, mettaient ses faiblesses en lumière, et surtout son impréparation. Par bonheur il ne s'était rien passé au nord et à l'est ; il n'y avait pas encore d'autre front que celui d'Italie.

Guillaume III avait obtenu du Parlement la levée de 30 000 marins et de 45 000 fantassins et cavaliers : jamais les Anglais n'avaient consenti un armement pareil ! Les Hollandais avaient recruté 90 000 hommes. Guillaume III divisa ces forces en trois corps qui s'établirent sur la frontière de Brabant. Les Impériaux commandés par Louis de Bade s'échelonnèrent sur la rive droite du Rhin. On ignorait à Versailles si le dispositif ennemi était offensif ou défensif. L'adversaire s'interrogeait pareillement sur les intentions des Français. De part et d'autre, on s'observait. Certes, il était plus dans la nature de Louis XIV de donner l'ordre d'attaquer ; mais il ne pouvait que songer à se défendre, tant l'impuissance et l'inertie de l'Espagne étaient désespérantes. La cour de Madrid dépassait en sclérose celle de Versailles. Le jeune roi et la petite reine n'étaient que deux enfants prisonniers de l'étiquette, n'ayant par surcroît aucune velléité d'agir par eux-mêmes. Philippe V avait-il conscience de l'énormité de l'enjeu ? L'Espagne vivait sur sa gloire acquise ; elle comptait sur la France pour la défendre ; c'était en vain que Louis XIV avait envoyé le meilleur commis de Chamillart à Madrid, pour tenter de réformer les finances. L'Espagne était un boulet à traîner. C'était pourtant pour elle que la France allait se battre contre l'Europe entière. Louis XIV estimait qu'en sacrifiant l'une ou l'autre des possessions espagnoles, les chances étaient grandes de détacher l'Angleterre et la Hollande de la coalition, voire de rétablir la paix dans de bonnes conditions. Mais on lui répétait que l'opinion espagnole, obsédée par l'éventualité d'un démembrement, se retournerait contre les Français. Il entendait bien sauver le trône de son petit-fils, mais aussi rentrer dans ses frais : sa pensée secrète étant de demander ultérieurement à l'Espagne une indemnité qu'elle serait incapable de payer, et de s'approprier les Pays-Bas en dédommagement.

L'hiver fut mis à profit par les belligérants pour préparer la campagne de 1702. Tout en accréditant ses intentions pacifiques, Louis XIV créa cent nouveaux régiments et promut sept mille officiers. Boufflers établit une ligne fortifiée de l'Escaut à la Meuse, envoya des garnisons dans l'électorat de Cologne et l'évêché de Liège. La Suède et le Danemark, la plupart des cercles allemands adhérèrent à la Grande Alliance, sous l'impulsion de Marlborough. En mars 1702, Guillaume III fit une chute de cheval qui acheva de le tuer. La Grande Alliance ne souffrit pas de cette disparition. Saint-Simon : « Elle se trouva si bien cimentée que l'esprit de Guillaume continua de l'animer et Heinsius, sa créature la plus confidente, élevé par lui au poste de pensionnaire de Hollande, la perpétua et l'inspira à tous les chefs de cette république, à leurs alliés et à leurs généraux, tellement qu'il ne parut pas que Guillaume ne fût plus. »

Louis XIV avait espéré, un moment, que cette mort ébranlerait la coalition. Il avait fait remettre au pensionnaire Heinsius, stathouder de fait et accepté pour tel par les Hollandais, une note rejetant sur Guillaume III l'entière responsabilité du conflit. Heinsius répondit, sans s'émouvoir, que la Hollande tiendrait ses engagements envers ses alliés. En mai 1702, elle déclara officiellement la guerre à la France, de même qu'à l'Angleterre.

Depuis le mois de février, le prince Eugène était rentré en campagne. Il avait formé le projet hardi de surprendre le camp et le quartier général de Villeroy à Crémone. Grâce à des complicités locales, il put introduire quelques soldats d'élite dans un ancien aqueduc. Ce petit « commando » déboucha en pleine nuit dans le camp français mal gardé. Il ouvrit une porte. Le prince envahit le camp avec une division d'Autrichiens. Mais d'Entraigues, l'un des colonels français, devant passer une revue au point du jour, aperçut l'ennemi et donna l'alarme. S'ensuivit une mêlée sauvage qui se prolongea jusqu'à cinq heures de l'après-midi. Les renforts attendus par le prince Eugène arrivèrent trop tard. Il dut laisser Crémone aux mains des Français, et se retira en emmenant prisonnier le maréchal de Villeroy, perte dont les soldats firent peu de cas !

Lorsque la nouvelle de cette capture parvint à Marly, où séjournait la cour, on en fit des gorges chaudes. Dangeau : « Il (le roi) parla fort du maréchal de Villeroy et de la manière la plus tendre et la plus obligeante ; il marqua qu'il était fort étonné et indigné même contre les gens qui insultaient au malheur du maréchal ; il ajouta qu'il croyait que l'amitié, dont il l'honorait, lui attirait une partie de la haine que l'on avait contre lui. Il se servit même du mot de favori, terme qui ne lui était jamais sorti de la bouche pour personne. » Ce qui offensait le plus Louis XIV, c'était qu'en raillant la maladresse de Villeroy, on sanctionnait le choix qu'il avait fait de cet incapable ! Le vieux roi n'aimait pas les critiques, fussent-elles indirectes ou feutrées ; elles avaient pour immanquable résultat d'ancrer son obstination. Il ne pouvait se tromper, donc il ne se trompait jamais, ni sur les événements ni sur les hommes ! Percevant néanmoins la gravité de la situation, il expédia Vendôme en Italie. Cet épais soudard, duc, pair de France, général des galères, était un bâtard d'Henri IV et de la belle Gabrielle. Joueur, hâbleur, glouton, aussi galant que son père, il plaisait aux soldats. Sa grossièreté et sa saleté étaient légendaires. Mais, par moments, il avait le coup d'œil du Grand Condé et Saint-Simon dit qu'il « ne doutait de rien ». En tout cas, à peine arrivé sur le front d'Italie — il est vrai avec des renforts considérables — il passa à l'offensive et, de mai à décembre, battit le prince Eugène à chaque rencontre.

Sur le front de Flandre, les Hollandais assiégeaient Kaiserswart. L'arrivée de Marlborough et de l'armée anglaise empêcha Boufflers de débloquer cette place. Très inférieur en nombre, il ne put davantage empêcher Marlborough de prendre Liège et d'isoler l'électorat de Cologne. Déçu par ces échecs, Louis XIV rappela le duc de Bourgogne qui n'avait d'ailleurs été d'aucune utilité, et retira une division pour l'envoyer sur le Rhin.

Louis de Bade assiégeait Landau et Catinat, faute de moyens, ne put inquiéter les Allemands. Louis XIV lui adjoignit Villars, avec l'ordre de se porter au secours de l'Electeur Maximilien de Bavière. Louis de Bade tenta d'empêcher la jonction entre les Bavarois et les Français. Villars le battit complètement à Friedlingen, le 14 octobre. Cette victoire mit fin à la campagne de 1702.

IV

L'OPINION DE L'IMPOSSIBLE

En choisissant Villars, Louis XIV avait eu la main double-
ment heureuse : il se donnait un général comblé par la chance
et récompensait des mérites réels, non la naissance. Villars était
en effet de noblesse récente, voire un peu douteuse, ce qui était
en France, à cette époque, un handicap sérieux. Son père, Pierre
de Villars avait été un personnage haut en couleurs, duelliste
réputé, galant homme, courtisan adroit, diplomate à ses heures,
fort introduit chez les Grands et faisant sonner son titre de
marquis. Quant à Charles-Louis-Hector de Villars, né en 1653,
il avait résolument embrassé l'état militaire, sans perdre pour
autant les talents de diplomate qu'il tenait du vieux marquis.
Tout jeune, il avait su attirer sur lui l'attention du roi. Au siège
de Maëstricht, ce dernier aurait dit :
— Il semble, dès que l'on tire en quelque endroit, que ce
petit garçon sorte de terre pour s'y trouver.
Une telle déclaration faisait alors la fortune de son homme.
A vingt et un ans, il était nommé mestre de camp de cavalerie ;
dix ans plus tard, il était brigadier ; en 1690, maréchal de camp ;
en 1693, lieutenant général (l'équivalent de général de division).

Mais ses campagnes alternaient avec des missions diplomatiques à Munich et à Vienne, missions analogues à celles des actuels attachés militaires. Dans la vie civile, c'était un personnage assez contradictoire, portant beau comme son père, galant comme lui avec une pointe de romantisme et terriblement hâbleur. Mais, à la guerre, c'était un autre homme. Il avait d'abord le talent, si précieux pour un général du XVIIᵉ siècle, de se faire aimer du soldat, sans recourir aux extravagances démagogiques de Vendôme. Sa hardiesse exceptionnelle n'intervenait point sur des coups de tête ; elle était l'aboutissement de l'expérience et du jugement. Le Grand Condé l'avait naguère apprécié. On ne peut à propos de Villars parler de génie ; simplement il voyait vite et juste et connaissait à fond son métier. Il possédait aussi cette faculté si rare chez les techniciens de concevoir un plan susceptible d'être réalisé. Et il inspirait assez de confiance pour se faire accepter à la fois par le roi et par le troupier, quelle que fût son audace ! Il avait enfin, dans les pires circonstances, cette espèce de gaieté française, dont on ne sait qui l'emporte chez elle du courage ou de l'inconscience. Sa gaieté était proverbiale, communicative. Elle donnait du cœur au soldat qui ne voulait point être en reste. Elle s'accordait à la glorieuse folie de cette noblesse qui se fardait pour mourir et chargeait, le rire aux lèvres, en poignets et cravate de dentelle ! Il jouait de si bons tours à l'ennemi que ses soldats l'avaient proclamé maréchal sur le terrain, forçant le Roi-Soleil à ratifier, ce qui était un comble et même une manière de scandale ! On jalousait sa gloire. Saint-Simon avait la bassesse d'écrire : « Le nom qu'un infatigable bonheur lui a acquis pour des temps à venir m'a souvent dégoûté de l'histoire et j'ai trouvé une infinité de gens dans cette même réflexion. » Cette infinité de gens, Saint-Simon n'a pu la rencontrer qu'à la cour, car, en ville et dans le royaume, on savait bien qui gagnait les victoires ! Et si l'on ajoute que Saint-Simon, qui était colonel, avait quitté le service, son jugement paraît encore plus odieux. Mais les courtisans pardonnèrent-ils jamais à Villars d'avoir quasi sauvé le royaume de sa perte ? Pouvaient-ils même comprendre qu'à Friedlingen, la panique saisissant l'infanterie, Villars eût empoigné un drapeau pour rallier les fuyards, puis conduit l'ultime charge de cavalerie ?

Pendant l'hiver de 1703, il entreprit le siège de Kehl, contre l'avis unanime des stratèges de Versailles. Kehl tomba le 10 mars et, dès lors, nous avions la maîtrise absolue du Rhin. Cependant Maximilien de Bavière, menacé par les Impériaux, appelait au secours. Du fait que l'Electeur était notre seul allié allemand, Louis XIV pressa Villars d'intervenir. Ce dernier, connaissant les difficultés d'une telle entreprise, tenait à prendre d'abord ses précautions. Il lanterna le roi, tant que l'armée d'observation destinée à occuper Louis de Bade n'eût pas pris position. Pour opérer la jonction avec les forces bavaroises, il fallait traverser la Forêt-Noire où les Allemands s'étaient retranchés. Villars réussit cet exploit, en déjouant presque constamment la surveillance de l'ennemi et en le trompant sur ses intentions. Le 20 mai, il rencontra l'Electeur, transporté d'admiration et de joie. « Il n'y a, déclare-t-il dans ses Mémoires, que l'opinion de l'impossible qui ait rendu possible ce que nous avons fait. »

L'intérêt stratégique de cette jonction était considérable. Elle éloignait la guerre de nos frontières, la portait au cœur de l'Allemagne. On pouvait espérer que Villars et l'Electeur de Bavière inquiéteraient assez l'Autriche pour la forcer à retirer des troupes du front d'Italie. Dans cette conjoncture, on pourrait prendre l'Autriche à revers en envoyant Vendôme dans le Tyrol, et susciter une révolte hongroise. Faisant fond sur la lenteur de manœuvre des Allemands et sur l'hétérogénéité de leur armée, comptant aussi sur le fait que Tallard immobiliserait Louis de Bade sur le Rhin, Villars jugeait ce plan réalisable. Maximilien de Bavière donna son adhésion, non sans hésiter. Il envahit donc le Tyrol, mais Vendôme ne paraissant pas, il battit promptement en retraite. Villars allait entrer en Autriche, quand Tallard laissa échapper Louis de Bade qui put se joindre au gros de l'armée impériale. Force lui fut de constater que Maximilien n'était pas un allié sincère : il ne songeait qu'à profiter de la situation pour agrandir ses possessions ; une partie de l'opinion bavaroise inclinant à traiter avec l'empereur. Villars ne disposait que de 25 000 hommes, exténués par des marches harassantes et périlleuses. Louis de Bade approchait avec 40 000 hommes. Villars l'attaqua brusquement, au château d'Höchstaedt, moissonna canons et drapeaux à son habitude. Cette victoire ne servit à rien, car Villars ne put faire admettre à l'Electeur la nécessité d'assurer les communications entre la Bavière et la France. Maximilien, voulant tirer profit d'Höchstaedt, entendait assiéger Augsbourg. Excédé, Villars demanda son rappel et Louis XIV s'empressa d'acquiescer afin de ménager son allié. Il envoya le maréchal de Marsin. Ce dernier accepta de collaborer au siège d'Augsbourg, qui capitula le 13 décembre. Sur le Rhin, profitant de l'absence de Louis de Bade, Tallard s'emparait de Landau et battait le prince de Hesse à Spire.

Mais sur les autres fronts, la situation tournait au drame. En Italie, Vendôme, jugeant le plan de Villars peu réaliste, attendit le 30 juin pour entrer dans le Tyrol. Il s'avança difficilement, par des routes impossibles, au milieu de populations hostiles.

Il s'arrêta devant Trente qui lui barrait le passage et s'apprêtait à bombarder cette place, quand il reçut l'ordre du roi de se replier immédiatement. Le duc de Savoie, Victor-Amédée, venait une fois de plus de tourner casaque. Il adhérait à la Grande Alliance, contre la cession de plusieurs territoires par l'empereur et la promesse de subsides anglais pour lever une armée. Vendôme s'obstina à bombarder Trente, mais, apprenant que les Bavarois abandonnaient le Tyrol, il se retira en Piémont. Ce fut alors que la situation se renversa. Les Autrichiens envahirent l'Italie et firent leur jonction avec l'armée du duc de Savoie.

Dans les Pays-Bas, la situation n'était guère meilleure. Marlborough, à la tête de cent mille Anglo-Hollandais, s'était emparé de l'électorat de Cologne, sans que Boufflers et Villeroy (racheté aux Impériaux) eussent pu intervenir. Maître de la Meuse jusqu'à Maëstricht et du Rhin jusqu'à Coblentz, Marlborough tenta de livrer une bataille décisive, que Boufflers eut la prudence d'éviter. Il tenta de s'emparer de la Flandre maritime, notamment d'Anvers. Boufflers sut l'en empêcher. Marlborough dut se contenter d'assiéger de petites places pour complaire à ses alliés hollandais. Il avait manqué l'occasion de conquérir les Pays-Bas.

En Hongrie, la révolte de Ragotsky contraignit le prince Eugène à distraire une partie de ses forces : ce qui prouve que le plan de Villars était réalisable, si l'Electeur de Bavière avait manifesté un peu de compréhension et de patience, et si, comme le voulait le maréchal, l'invasion du Tyrol par les Bavarois avait été coordonnée avec celle de Vendôme par le sud. Par surcroît, si la rébellion hongroise paralysait en partie les Impériaux, Louis XIV avait sur les bras les insurgés des Cévennes. Il était obligé lui-même d'envoyer des forces considérables pour les combattre.

L'affaire des Camisards a fait couler beaucoup d'encre ; elle ne trouve sa justification (relative) que replacée dans le contexte des événements. Ce fut une implacable guerre de partisans, et qui se déroulait cependant que nous combattions sur quatre fronts ; d'un certain point de vue, elle n'était pas tolérable ; il faut dire pourtant que l'on avait fait l'impossible pour la provoquer, tant on avait accumulé les maladresses et les vexations gratuites !

Depuis la révocation de l'Edit de Nantes, les huguenots de Nîmes et de sa région, convertis de force, ne cessaient de s'agiter. Périodiquement les plus ardents d'entre eux s'improvisaient prédicateurs du désert et partaient pour la montagne. En 1698, l'un de ces pasteurs, Claude Brousson, fut capturé et roué en place publique. Un certain Duserre fanatisa de jeunes enfants et des femmes ; il leur apprit à réciter des prophéties de son invention, avec des tremblements simulés qui les firent surnommer « trembleurs ». Ces petits prophètes et ces prophétesses répandus dans la campagne créèrent un climat insurrectionnel. La nuit du 27 juillet 1702, une centaine d'hommes masqués et vêtus de chemises blanches (les camisards) massacrèrent le curé de Pont-de-Montvert qui manifestait un zèle redoutable à l'encontre des protestants. Le gouverneur du Languedoc, de Broglie, réprima durement ce meurtre. Quelques semaines plus tard, les Camisards, organisés en bandes armées, se répandirent dans les Cévennes, pillant et incendiant des églises, et assassinant les prêtres catholiques. Broglie eut la malencontreuse idée d'envoyer contre eux les milices bourgeoises. Elles laissaient échapper les rebelles qu'elles surprenaient. Ceux-ci ne prirent plus la peine de se cacher ; ils agirent au grand jour et célébrèrent publiquement leur culte, processionnant dans les villages en chantant des psaumes. Les mois suivants, ils s'organisèrent en bandes permanentes et établirent leurs camps dans la montagne. Jean Cavelier devint leur chef. Huguenot militant, il s'était réfugié à Genève où, pour survivre, il avait été garçon boulanger. De retour au pays natal, il révéla immédiatement son autorité et ses qualités d'organisateur. Le 24 décembre, il battit une troupe royale près d'Alais. Broglie fut lui-même battu dans la plaine de Nîmes, où les Camisards brûlèrent quarante églises et tuèrent quatre-vingts curés.

Il fallait en finir, empêcher que la rébellion se propageât dans les régions voisines. Louis XIV expédia en Languedoc le maréchal de Montrevel, avec des dragons, des canons et dix mille soldats d'élite qui eussent été mieux employés ailleurs. Montrevel n'eut aucun mal à écraser la troupe de Cavelier, mais, au lieu de capturer les fuyards et leurs chefs, il se mit en tête de terroriser la population par des représailles. Il ne fit qu'attiser l'insurrection en frappant des innocents, parfois même de vrais catholiques. Des villages furent détruits à la mine, cependant que leurs habitants cherchaient refuge dans la montagne. Bientôt des « camisards noirs » apparurent. C'étaient des bandits de grand chemin pillant et assassinant au nom de la religion réformée. Quant aux catholiques, ils ne tardèrent pas à s'organiser eux aussi en bandes, lesquelles exerçaient de terribles vengeances au cours d'expéditions soi-disant punitives : on les appelait « les cadets de la croix ». Anticipons un peu. En mars 1704, Cavelier surprit un régiment et le tailla en pièces. En avril, Montrevel le battit à son tour. Louis XIV comprit que Montrevel, cruel et médiocre, ne viendrait pas à bout de la rébellion. Il envoya le maréchal de Villars, rappelé de Bavière dans les conditions que l'on a dites. Triste besogne pour le vainqueur de Friedlingen et de Höchstaedt ! Mais Villars, après avoir fait une analyse correcte de la situation, offrit l'amnistie aux rebelles de bonne volonté. Il leur proposa de rendre les armes sous huit jours, les assurant de l'impunité. Quant à ceux qui s'obstineraient, ils seraient pourchassés sans pitié et fusillés. Cavelier accepta de rencontrer le maréchal. Il ne put obtenir le rétablissement de l'Edit de Nantes, mais Villars lui accorda la libération des Camisards envoyés aux galères. Le maréchal ne pouvait se retenir d'admirer ce paysan capable d'avoir organisé et soutenu un mouvement de cette ampleur, et assez habile pour battre les soldats du roi. Il lui offrit de former un régiment avec les insurgés et d'en prendre le commandement. Séduit par cette perspective et aussi par la faconde du vieux soldat, Cavelier accepta. Mais, comme il est de règle, ses lieutenants l'accusèrent de trahison et prétendirent continuer le combat sans lui. Villars réduisit les dernières bandes, en alternant la sévérité et la clémence. A la fin de 1704, la rébellion avait cessé d'exister. Pour avoir pacifié les Cévennes, Villars reçut un brevet de duc.

Mais il nous faut revenir à l'année 1703, fertile en revers. Don Pedro, roi du Portugal, s'empressa d'imiter le duc de Savoie. Il conclut un traité d'alliance avec l'Angleterre, contre la promesse de territoires détachés de l'Espagne. Aussitôt que ce traité fut connu, l'archiduc Charles prit le titre de roi d'Espagne. L'amiral Rooke le transporta à Lisbonne avec un corps de débarquement. Louis XIV savait son petit-fils incapable de se défendre. Il lui envoya une armée placée sous les ordres du duc de Berwick. Tel était le bilan de l'année 1703 : la campagne d'Allemagne manquée, le front de Flandre menacé, le front d'Italie quasi perdu, l'Electeur de Bavière hésitant, le duc de Savoie et le roi du Portugal passés à l'ennemi, le trône de Philippe V remis en question !

V

LES REVERS

Le 1ᵉʳ mai 1704, Philippe V se montra à ses troupes : démonstration gratuite, car il laissa l'initiative à Berwick. Ce dernier s'empara aisément d'une partie du Portugal, mais, par suite de l'inertie des troupes espagnoles, ne put poursuivre et dut se replier sur l'Espagne. Pendant ce temps, les Anglais tentèrent de s'emparer de Barcelone, mais l'apparition d'une escadre française, commandée par le comte de Toulouse, contraignit l'amiral Rooke à lâcher prise. Faute de mieux, Rooke bombarda la forteresse de Gibraltar, dont la garnison, peu nombreuse, se laissa surprendre par une poignée de matelots. On estima à Versailles la prise de Gibraltar « peu importante », sans comprendre que cette place bien gardée et pourvue d'une bonne artillerie fermait le passage de la Méditerranée et donnait, pour des siècles, aux Anglais la maîtrise de cette mer ! Tel ne fut pas l'avis de Philippe V qui voulait la reprendre à tout prix. Mais le comte de Toulouse ne put battre la flotte anglaise au cours de la fameuse, et stérile, canonnade de Malaga et Berwick refusa de laisser libre la route de Madrid aux Anglo-Portugais.

C'était une fois de plus en Allemagne que Louis XIV avait décidé de porter son effort. Il comptait absolument sur le développement de l'insurrection hongroise pour immobiliser partiellement les Impériaux. Mais les rebelles de Ragotsky avaient plus d'ambition que de moyens. L'Electeur de Bavière se montrait toujours aussi hésitant. Et l'armée française, commandée par Marsin, manquait du nécessaire et était décimée par la maladie. Louis envoya Tallard, avec un renfort de 12 000 hommes, des armes, des munitions et de l'argent. Bien que, durant l'hiver, les Impériaux eussent rompu les ponts et fortifié les passages de la Forêt-Noire, Tallard opéra sa jonction avec Marsin. Mais les Impériaux avaient résolu de leur côté de rassembler le gros de leurs forces, d'appeler à l'aide le prince Eugène et le duc de Marlborough, afin de détruire les Franco-Bavarois et d'obliger Maximilien de Bavière à conclure une paix séparée. Villeroy manifesta derechef son incapacité ; il laissa Marlborough et ses 30 000 hommes entrer paisiblement en Allemagne. Tallard et Marsin ne firent rien pour éviter la bataille décisive qui se préparait. Ils tablaient sur les 60 000 hommes dont ils disposaient et se flattaient, eux aussi, de remporter une victoire qui déciderait du sort de la guerre. La rencontre eut lieu, le 13 août, dans cette même plaine de Höchstaedt où, l'année précédente, Villars avait été vainqueur. Malheureusement Tallard et Marsin n'avaient que de médiocres talents ; ils laissèrent un espace entre les deux corps d'armée, espace théoriquement gardé par la cavalerie. Marlborough ne fut pas long à repérer le point faible du dispositif ; il attaqua massivement le centre et submergea la cavalerie française, bien que Tallard payât de sa personne. Ce dernier tomba aux mains de l'ennemi. Ni Maximilien de Bavière, ni Marsin ne firent la moindre tentative pour le dégager, ou pour attaquer les Anglais pris en tenaille entre les deux corps d'armée. Ils estimèrent la bataille perdue et ordonnèrent la retraite. Une partie des cavaliers se noya dans le Danube. L'artillerie abandonnée, fut presque entièrement capturée. Quatre régiments de dragons et vingt-sept bataillons d'infanterie capitulèrent. Sur les 60 000 hommes qui formaient l'armée, l'Electeur et Marsin n'en avaient plus que 20 000. Marlborough eût voulu envahir immédiatement la France ; les Allemands préférèrent assiéger Landau qui tomba le 24 novembre. L'Allemagne était perdue pour nous, et d'autant que les Electeurs de Bavière et de Cologne, nos seuls alliés au-delà du Rhin, venaient d'être chassés de leurs Etats. Il était clair que, désormais, ce serait le royaume de France qu'il faudrait défendre. La gloire de Churchill-Marlborough atteignait son zénith. L'empereur lui fit don d'une principauté en Allemagne et le Parlement britannique, d'un palais. Rien désormais ne semblait pouvoir résister à son génie ; aux yeux des coalisés il surclassait Turenne et Condé.

La nouvelle de la défaite d'Höchstaedt fit l'effet d'un coup de tonnerre à Versailles. On n'y pouvait concevoir l'idée même d'une débâcle de nos armées. Le Roi-Soleil en était le principal fautif, auquel l'expérience de la seconde coalition n'avait rien appris et qui se berçait toujours de son illusion d'invincibilité. On ne connut pas tout de suite l'étendue du désastre. On crut, on voulut croire, à une rencontre défavorable, suivie d'une retraite bien ordonnée. Ceux qui étaient informés, n'osaient apprendre à Louis que l'armée d'Allemagne n'existait plus ! Saint-Simon : « Le roi, jusque par lui-même, cherchait des nouvelles ; il en demandait, il se faisait apporter ce qui arrivait de la poste, et il n'y arrivait rien, ou rien qui l'instruisît ; on mettait bout à bout ce que chacun savait pour en faire un tout qui ne contentait guère. Le roi ni personne ne comprenaient point une armée entière placée dedans et autour d'un village, et cette armée rendue prisonnière de guerre par une capitulation signée ; la tête en tournait... On peut juger quelle fut la consternation générale, où chaque famille illustre, sans parler des autres, avait des morts, des blessés et des prisonniers, quel fut l'embarras du ministre de la Guerre et de la Finance d'avoir à réparer une armée entière détruite, tuée ou prisonnière et quelle fut la douleur du roi qui tenait le sort de l'empereur entre ses mains et qui, avec cette ignominie et cette perte, se vit réduit aux bords du Rhin, à défendre le sien propre. »

Louis XIV se rendait soudain compte des erreurs grossières commises par ses généraux, de leur aveugle confiance en eux-mêmes, de leur incroyable insuffisance. Mais, quelles que fussent son humiliation et son inquiétude, il ne voulut pas perdre la face, ni même paraître contristé. Le 27 août, il assista, comme si rien ne s'était passé, à un feu d'artifice offert par Monseigneur pour fêter la naissance du duc de Bretagne, son second petit-fils. Le lendemain, il fit lui-même tirer un feu d'artifice sur le thème du triomphe de la Seine et du Tage sur les fleuves et rivières ennemis : on ne pouvait plus mal choisir ! Les divertissements continuèrent de la sorte dans le palais enchanté. Les courtisans louaient le grand courage du roi devant l'adversité. Mais était-ce seulement du courage ?

En 1705, le front du Rhin resta stationnaire. Marlborough fut rejoint avec trop de lenteur par le prince de Bade pour rien tenter d'utile. Louis XIV avait envoyé sur le Rhin le maréchal de Villars qui organisa supérieurement la défense et tint l'ennemi partout en respect.

En Italie, Vendôme, cependant mal secondé par La Feuillade (gendre de Chamillart), tenait toujours le Piémont et résistait aux attaques des Autrichiens.

Par contre en Espagne la situation tournait au désastre. Philippe V avait en vain tenté de reprendre Gibraltar. La flotte anglaise avait empêché l'escadre de Pointis d'aider les assiégeants. En avril, il fallut envoyer les débris de l'armée espagnole en Estrémadure pour barrer la route aux Anglo-Portugais. Tessé, qui avait remplacé Berwick rappelé à Paris, parvint à grand-peine à repousser l'invasion. Les Anglais regagnèrent Lisbonne, mais ce fut pour préparer méthodiquement leur débarquement en Catalogne. L'archiduc Charles qui s'était proclamé roi d'Espagne sous le nom de Charles III, embarqua sur le navire amiral. Cette armada vint investir Barcelone. Après un siège difficile, la ville capitula le 14 octobre. Charles III fut bientôt reconnu pour roi d'Espagne par toute la côte orientale de la péninsule. Tout de même, Philippe V, roi légitime, se ressaisit. Il obligea Tessé à ramener ses troupes d'Estrémadure et à mettre le siège devant Barcelone. Louis XIV envoya à regret un petit corps d'armée par le Roussillon, avec Berwick. L'arrivée d'une escadre anglaise obligea Tessé à lever le siège de Barcelone. Anglais, Portugais, augmentés d'Aragonais et de Catalans, convergeaient vers Madrid, où Philippe V était rentré précipitamment. Il dut transférer son gouvernement à Burgos car, si les Madrilènes l'acclamaient volontiers, ils n'avaient point la volonté de se battre pour lui et, même, il leur était indifférent que le roi d'Espagne fût Français ou Autrichien : ils eussent aussi bien applaudi Charles III !... Ce dernier fit d'ailleurs son entrée dans la capitale espagnole le 25 juin, au milieu des ovations habituelles. Tout semblait donc perdu pour Philippe V, quand une explosion de patriotisme souleva en sa faveur les deux Castilles, la Manche, l'Estrémadure et l'Andalousie. Les populations de ces provinces répugnaient à servir dans les armées régulières, mais du moment qu'il s'agissait de volontariat, de guerre partisane, elles accoururent ! Le corps expéditionnaire anglais et ses auxiliaires se trouvèrent promptement submergés. Trois mille hommes furent de la sorte assassinés dans des conditions atroces : ce fut un Dos de Mayo avant la lettre, éclatant pour les mêmes raisons. Le 5 août, l'avant-garde de Berwick entra à Madrid. Le 4 octobre, Philippe V se réinstallait dans son palais. En somme plébiscité pour résistance à l'ennemi, il était devenu, sans le savoir encore, le véritable roi d'Espagne ! Toutefois son rival, Charles III conservait encore Valence, l'Aragon et la Catalogne.

Ce retour de fortune rendit l'espoir à Louis XIV. Il avait

l'optimisme chevillé au cœur et ne douta pas de remporter en 1706 les succès qui lui permettraient de signer une paix honorable. Il recommanda à ses généraux, non la prudence, mais la résolution et la vigueur. Mal lui en prit ! Il donna l'ordre à son « ami » Villeroy d'attaquer en Flandre, il est vrai après avoir fait sa jonction avec Marsin. Comme on pouvait le prévoir, au lieu de « cueillir des lauriers », Villeroy accumula les fautes. Sans attendre Marsin, il établit son armée — forte de 70 000 hommes —, au village de Ramillies, mais en oubliant de protéger son aile droite. Marlborough, qui disposait d'une armée à peu près égale, profita de cette faute. L'aile droite française plia au premier choc. Villeroy tenta maladroitement de la dégager. Sa cavalerie fut acculée à un marais et détruite. Marlborough retourna ensuite son attaque vers Ramillies où Villeroy ne put résister. Il fit sonner la retraite, qui commença en bon ordre. Mais, pour se replier sur Louvain, les Français devaient franchir un défilé fort étroit. Les cavaliers de Marlborough changèrent la retraite en débandade. Pendant la bataille de Ramillies nous avions perdu 2 000 hommes ; 6 000 moururent dans le défilé. Il ne restait plus que quelques milliers de soldats en état de combattre à Villeroy, cependant que Marlborough cherchait à l'atteindre et à l'anéantir. Anvers, Bruges, et Gand étaient perdus et, avec ces villes, les Pays-Bas espagnols si longtemps et victorieusement défendus ! La défaite de Ramillies était du 22 mai ; le 1er juin, Villeroy toujours rétrogradant, s'arrêta à Courtray.

Nouveau coup de tonnerre à Versailles ! « Le roi porte tout en grand homme, écrit Mme de Maintenon, mais il souffre... Il est très sensible à l'honneur de la nation. »

Il expédia Chamillart sur le front de Flandre, pour enquêter. Il fallut que le ministre se résigna à dire que Villeroy n'avait pas su prendre ses dispositions et qu'au moment critique il avait perdu la tête. « Jamais, dit Saint-Simon, de bataille où la perte a été plus légère, jamais aucune dont les suites aient été plus prodigieuses. » Ce n'était pas seulement une armée que Villeroy venait de perdre, mais les deux tiers de la Belgique et seize grosses places fortes couvrant notre frontière du nord. Cependant Louis XIV était aussi obstiné dans ses vindictes que dans ses amitiés. Il ne prit aucune sanction contre Villeroy, ne lui fit même aucun reproche. Il céda pourtant à l'opinion unanime des soldats et consentit, de mauvaise grâce, à le remplacer. Encore le pria-t-il simplement de se démettre de ses fonctions et, quand Villeroy se présenta à Versailles, il se contenta de lui dire :

— Monsieur le maréchal, on n'est plus heureux à notre âge.

271

Vauban s'en fut en hâte fortifier Dunkerque et Lille. Et Vendôme, rappelé d'Italie, vint prendre la difficile succession de Villeroy dans ce qui nous restait des Pays-Bas ; il ne put empêcher Marlborough de prendre Menin. L'invasion menaçait !

Pour remplacer Vendôme en Italie, Louis XIV avait désigné Philippe d'Orléans, son neveu et son gendre, chef de la branche d'Orléans depuis la mort de Monsieur en 1701. Malgré les mérites de Philippe, le roi l'avait tenu longtemps écarté des commandements. La gloire acquise par le prince à Steinkerque et à Neervinde lui portaient ombrage. Or ce dernier était militaire dans l'âme, avec quelque génie hérité d'Henri IV. La mission que le roi lui confiait était malaisée. La Feuillade et Marsin, qui devaient servir sous ses ordres, s'entendirent pour entraver ses initiatives. Il s'agissait essentiellement de couvrir l'armée assiégeant Turin et que menaçait le prince Eugène. Par suite de la mésentente entre les trois chefs, il fut impossible d'arrêter les Autrichiens. Le prince Eugène attaqua les assiégeants que Philippe d'Orléans ne put rallier. Aucun des ordres qu'il donna pour regrouper les fuyards ne fut écouté. Les Français évacuèrent l'Italie du Nord par bandes éparses.

Louis XIV ne tint pas rigueur à son neveu de cet échec. Par contre, jamais plus il n'adressa la parole à La Feuillade. Marsin s'était fait bravement tuer devant Turin, ce qui lui évitait semblable disgrâce. Mais enfin, après les Pays-Bas, c'était l'Italie qui était perdue. Louis XIV devait se rendre à l'évidence : cette guerre n'avait désormais plus de raison d'être. Il fit de discrètes avances de paix, par l'intermédiaire de la Hollande ; elles furent rejetées avec hauteur. Le vieux roi avait trop humilié de nations pour ne pas l'être à son tour. Le 28 novembre 1706, il écrivit à Philippe V qu'il fallait se résigner à reconnaître l'état de fait et consentir au démembrement des possessions espagnoles ; que c'était là un sacrifice nécessaire, mais que la poursuite d'une guerre inutile rendrait encore plus dur. Philippe V le supplia de différer.

VI

LA DIME ROYALE

Le 30 mars 1707, Vauban mourut. « Il était, écrit Saint-Simon, le plus honnête homme et le plus vertueux de son siècle, et avec la plus grande réputation du plus savant homme dans l'art des sièges et de la fortification, le plus simple, le plus vrai et le plus modeste. » Mais aussi : « Vauban avait fait cinquante-trois sièges en chef, dont une vingtaine en présence du Roi qui crut se faire Maréchal de France soi-même et honorer ses propres lauriers en donnant le bâton à Vauban. » Il suffit en effet de regarder le visage de cet homme pour se persuader de sa bonté, de son honnêteté, de sa tranquille sagesse. Or cet ingénieur général qui avait réussi dans presque toutes ses entreprises et ceinturé la France d'imprenables places, crut servir le roi et son peuple en se mêlant de finance. La misère du Trésor était tragique et la dette énorme. Il rédigea cette « Dîme Royale », en laquelle on a voulu voir des motivations prérévolutionnaires. Mais Vauban était bien trop attaché au roi pour avoir conçu une autre sorte de gouvernement. Toutefois il l'estimait mal informé, fâcheusement influencé par les flatteurs de la cour et des ministres incapables.

« La vie errante que je mène depuis quarante ans et plus, écrivait-il, m'ayant donné l'occasion de voir et de visiter plusieurs fois et de plusieurs façons la plus grande partie des provinces de ce royaume, tantôt seul avec mes domestiques et tantôt en compagnie de quelques ingénieurs, j'ai souvent eu occasion de donner carrière à mes réflexions et de remarquer le bon et le mauvais du pays ; d'en examiner l'état et la situation et celui des peuples dont la pauvreté ayant souvent excité ma compassion m'a donné lieu d'en rechercher la cause... »

Suivait une description pathétique de la misère générale. Puis :

« Je me sens obligé d'honneur et de conscience de représenter à Sa Majesté qu'il m'a paru que de tout temps on n'avait pas eu assez d'égards en France pour le menu peuple et qu'on en avait fait trop peu de cas ; aussi c'est la partie la plus ruinée et la plus misérable du royaume ; c'est elle cependant qui est la plus considérable par son nombre et par les services réels et effectifs qu'elle lui rend ; car c'est elle qui porte toutes les charges, qui a toujours le plus souffert et qui souffre encore le plus ; et c'est sur elle aussi que tombe toute la diminution des hommes qui arrive dans le royaume. »

Ce qu'il réclame, c'est la justice fiscale. Il suggère l'établissement d'un impôt unique sur le revenu, tout en laissant subsister les impôts indirects : l'idée fera son chemin ! Mais il préconise aussi une réforme complète de l'administration financière. Un tel projet était évidemment inopportun : on ne réforme pas une administration en temps de guerre ! La « Dîme Royale » fit sourire les spécialistes et irrita le roi ! Il n'aimait pas les leçons, si bien intentionnés fussent ceux qui les lui donnaient. Il n'aimait pas davantage les appels à la compassion, car, s'il n'ignorait point les souffrances de son peuple, il ne voulait point renoncer à sa politique de prestige, ni à sa magnificence. Au surplus, la situation extérieure était telle que l'on se devait d'aller jusqu'au bout. Cependant, contrairement à ce que l'on a souvent dit, la disgrâce de Vauban fut relative. Un arrêt interdit « la Dîme Royale », mais Louis XIV garda son estime au vieux serviteur. Apprenant sa mort, il dit :

— Je perds un homme fort affectionné à ma personne et à l'Etat.

Ce qui, sur les lèvres royales, était une véritable et rarissime oraison funèbre ! La disparition de Vauban accroissait encore la solitude du vieux roi. Désormais personne ne l'aiderait à préparer les plans de campagne, les recrutements, la défense des forteresses. Il ne disposait plus pour gouverner le royaume que de Chamillart au bord de l'épuisement.

LE CRÉPUSCULE

— Sire, gémissait le ministre, j'y périrai !
— Eh bien, nous périrons ensemble.

Louis s'accrochait à sa table de travail. Il parvint à lever 20 000 miliciens, à remonter sa cavalerie terriblement éprouvée, à regarnir les magasins et les arsenaux, à répartir ses corps d'armée en vue de la prochaine campagne. Se flattait-il encore de vaincre ? Plus simplement de s'assurer une position forte pour négocier.

Les Anglais s'étaient emparés des Baléares ; ils débarquaient en masse à Valence. Tout laissait donc prévoir qu'ils passeraient prochainement à l'offensive. Louis XIV envoya son neveu Philippe d'Orléans en Espagne. Avant l'arrivée de celui-ci, le duc de Berwick avait remporté une brillante victoire à Almanza. Philippe d'Orléans reconquit rapidement l'Aragon, puis vint mettre le siège devant Lérida, place réputée imprenable. Il se piquait de réussir là même où le prince de Condé avait naguère échoué. Il prit la citadelle d'assaut. Selon le témoignage de Saint-Simon, le roi eut la petitesse de le faire remarquer publiquement au fils du Grand Condé qui dut ravaler sa rage, pour le divertissement de la cour.

Les Austro-Piémontais qui avaient envahi la Provence à la suite de notre défaite en Italie, furent vigoureusement repoussés. Sur le front du Rhin, l'énergique Villars bouscula les Impériaux et marcha sur Stuttgart. Il levait sur le pays d'énormes contributions de guerre. Elles lui furent reprochées. On l'accusa de s'enrichir par ce moyen. En réalité, Villars ne pouvait plus rien demander à Chamillart ; ses troupes n'étant pas payées depuis 1706, il faisait contribuer les vaincus ! Il écrivit au roi que son armée ne coûterait rien de toute la campagne !

Chamillart obtint le rappel de Desmaretz, ancien commis de Colbert ; il ne savait quel expédient imaginer pour combler le gouffre et réclamait la paix à n'importe quelles conditions. Desmaretz se mit en rapport avec Samuel Bernard, ci-devant huguenot, peut-être juif, en tout cas le plus considérable banquier de l'Europe. Il le présenta à Louis XIV, au château de Marly. Le Trésor étant aux abois, le vieux monarque fut plus qu'aimable.

— Vous êtes bien homme à n'avoir jamais vu Marly, s'exclama-t-il. Venez le voir à ma promenade et je vous rendrai après à Desmaretz.

Et voilà le roi qui s'improvise guide, métier toujours « délicieux » pour un maître de maison tel que lui. Fasciné, subjugué, Samuel Bernard était prêt à risquer la ruine. Grâce à son aide, Louis XIV put continuer la guerre.

Il fut moins heureux dans le choix de ses généraux pour l'année 1708, ayant eu l'idée malencontreuse de confier l'armée de

Flandre à la fois au duc de Vendôme et au duc de Bourgogne, un paillard valeureux et un dévôt dénué de combativité. Le premier avait pleine conscience de la gravité de la situation. Le second était imprégné des doctrines pacifistes de Fénelon. Il n'eut rien de plus pressé en se rendant à son poste que de visiter l'évêque de Cambrai : les témoins de cette entrevue purent constater que l'emprise du maître sur l'élève restait entière. Or, quand le danger menace, un peu de bellicisme vaut mieux qu'une tendre rêverie sur la bonté de l'humanité ! Les Français étaient 80 000 ; Marlborough avait 70 000 hommes, mais le prince Eugène le rejoignit avec 30 000 hommes. Le duc de Bourgogne et Vendôme occupèrent Bruges et Gand presque sans combat et, déjà Versailles criait victoire. Le 11 juillet, les deux armées se rencontrèrent à Audenarde. Rien n'était désespéré, malheureusement les divergences de vues entre Vendôme et Bourgogne perdirent tout. Petit-fils du Roi-Soleil et se considérant comme futur roi, Bourgogne assumait le commandement en chef nominal, Vendôme devant se borner à le conseiller. Or il semble que Bourgogne n'avait guère envie de se battre et que Vendôme ne fit rien pour l'aider. En tout cas l'armée n'avait aucun plan ; elle avançait en désordre ; elle n'était pas réellement commandée et chaque corps avait pris position selon la fantaisie de son chef. Le combat s'engagea de lui-même. Vendôme supporta seul le choc, et Bourgogne, conseillé en dépit du bon sens, ne fit rien pour le soutenir. La nuit permit aux Français de se retirer ; mais ce fut une retraite dispersée. Une partie de l'armée n'avait même pas tiré un coup de fusil. Il y eut pourtant trois mille morts, quatre mille blessés et huit mille prisonniers. Bourgogne et Vendôme s'accablèrent de reproches réciproques ; les officiers et les soldats se partagèrent entre « bourguignons » et « vendômistes ». Le bruit de cette lamentable querelle parvint à Versailles, en même temps que l'annonce de la défaite d'Audenarde. Dilemme pour Louis XIV qui ne voulait point donner tort au duc de Bourgogne, mais ne pouvait se permettre de sacrifier Vendôme. Il avait très bien compris que, si l'on pouvait, tout au plus, reprocher un manque de prudence à ce dernier, le principal responsable était son petit-fils. D'un autre côté, il lui était difficile de pardonner certains outrages proférés par Vendôme à l'encontre d'un prince du sang. Il trouva un compromis, qui était d'imposer une réconciliation, au moins apparente, aux deux rivaux. Pendant ce temps, Marlborough et le prince Eugène continuaient à avancer. Ils investirent la place forte de Lille, et personne ne fit rien pour les en empêcher. Tout ce que Vendôme voulait tenter était systématiquement rejeté par Bourgogne. Louis XIV tenait extrêmement à garder cette ville qui avait été sa première conquête. Il envoya Berwick en renfort, ce qui eut pour résultat de compliquer le problème. Berwick ne voulait obéir qu'à un véritable prince du sang et, par principe, se considérait comme le supérieur de Vendôme. D'où conflit, que le vieux roi dut régler de son cabinet de Versailles, en donnant l'ordre formel aux trois généraux de conjuguer leurs efforts pour secourir les assiégés. Vendôme lui demanda, directement, la permission d'attaquer. Berwick et Bourgogne jugèrent son plan trop téméraire. L'ennemi avait consacré le temps perdu en récriminations à fortifier ses lignes. Il fallut renoncer à le combattre. On ne fut pas même capable d'intercepter ses convois de vivres et de munitions.

Lille était défendue par le maréchal de Boufflers, dont Saint-Simon disait : « Sa valeur était nette, modeste, naturelle, franche, froide. » C'était en effet un beau caractère de soldat et un parfait technicien, mais il manquait d'envergure dans la conception. Il parvint à insuffler à la population, grâce à son zèle de tous les instants, son propre patriotisme. Malgré la pénurie de soldats, de munitions et de vivres, il parvint à tenir la ville jusqu'au 23 octobre ; après quoi, il se retira dans la citadelle. On pouvait encore lui porter secours. Mais Bourgogne, Berwick et Vendôme disputaient toujours âprement sur la conduite des opérations, et plus encore sur leurs mérites respectifs. Chamillart dut une seconde fois se rendre en Flandre pour faire la paix entre les généraux. Il ne sut que renvoyer Berwick sur le Rhin. Le 9 décembre, Boufflers capitula avec les honneurs de la guerre. Louis XIV, pour honorer sa belle conduite, le fit pair de France et premier gentilhomme de la Chambre. Le temps n'était plus où le roi ne pouvait souffrir un général qui n'était pas « heureux ». Bourgogne fut rappelé à Versailles ; il ne reçut aucun reproche de son grand-père. Seul, Vendôme fut accueilli froidement. L'armée prit ses quartiers d'hiver. Marlborough en profita pour recouvrer Bruges et Gand.

D'ailleurs, tout allait du même pas. On avait imaginé de faire un débarquement en Ecosse, avec Jacques Stuart, prétendant au trône d'Angleterre. On pensait qu'à sa seule vue, l'Ecosse fidèle entrerait en ébullition. Mais le chef d'escadre Forbin, menacé par la flotte anglaise, n'osa pas tenter le débarquement. Le seul résultat de cette misérable opération fut d'électriser le bellicisme chancelant de l'Angleterre. Sur le front des Alpes, Villars n'avait pas réussi à contenir les Piémontais. Le front du Rhin était statique, mais seulement par suite du retrait provisoire de l'armée du prince Eugène. En Espagne, l'impuissance de Philippe V se faisait durement sentir, malgré les succès de Philippe d'Orléans. Les troupes espagnoles croupissaient dans le dénuement le plus complet, faute d'argent, et l'Eglise refusait de contribuer à l'effort de guerre. En conflit avec Philippe V, le duc d'Orléans demanda son rappel. Il fut accusé d'avoir voulu supplanter le jeune roi, presque de trahison. Heureusement Louis XIV vit assez clair pour imposer silence aux détracteurs de son neveu. L'Espagne, réduite à se défendre seule, perdit coup sur coup Oran, enlevé par les Maures, Minorque et la Sardaigne. Le dépeçage de l'empire de Charles Quint continuait.

Mais le plus grand malheur vint de la nature. Un terrible hiver s'abattit sur l'Europe épuisée par des années de guerre. Il gela du 5 au 24 janvier, puis, après douze jours d'accalmie, le froid redoubla jusqu'au début de mars. Saint-Simon : « Un faux dégel fondit les neiges qui avaient couvert la terre pendant ce temps-là ; il fut suivi d'un subit renouvellement de gelée aussi forte que la précédente, trois autres semaines durant. La violence de toutes les deux fut telle que l'eau de la reine de Hongrie, les élixirs les plus forts et les liqueurs les plus spiritueuses cassèrent leurs bouteilles dans les armoires de chambres à feu et environnées de tuyaux de cheminées, dans plusieurs appartements du château de Versailles où j'en vis plusieurs ; et, soupant chez le duc de Villeroy, dans sa petite chambre à coucher, les bouteilles sur le manteau de cheminée, sortant de sa très petite cuisine, où il y avait grand feu et qui était de plain-pied à sa chambre, une très petite anti-chambre entre deux, les glaçons tombaient dans nos verres. » Cela, c'était à Versailles, dans les logements privés des courtisans ! Que dire des galetas parisiens et des chaumières villageoises ? Fleuves et rivières étaient gelés, même le Rhône. La mer gelait dans les ports et sur les côtes. Le redoublement de gelées détruisit les vignes, les arbres fruitiers, les grains ensemencés. Il y eut un moment où les théâtres, les tribunaux, tous les lieux publics de la capitale fermèrent leurs portes ; les églises étaient désertes ; les convois n'arrivaient plus ; la disette menaça. Les accapareurs entrèrent en action, toujours impatients d'exploiter la misère générale. Le marché noir ne tarda pas à sévir, cependant que l'on commençait à manger du pain d'avoine. Les hôpitaux regorgeaient de malades. La mortalité doubla. Des émeutes éclataient, suscitées par des affamés. Des placards injurieux et menaçants proliféraient. Le lieutenant de police d'Argenson, d'ordre du roi, taxa les marchandises de première nécessité, réquisitionna les blés, ouvrit des ateliers de charité et parvint à maintenir à peu près l'ordre. Louis XIV, pour donner l'exemple, voulut que la cour

se nourrît de pain bis. La disette du Trésor était telle qu'il engagea une partie de ses pierreries et fit porter sa vaisselle à la
Monnaie. Bon gré mal gré, les grands seigneurs durent l'imiter,
pour ne pas déplaire. « Tout ce qu'il y eut de grand et de considérable, ronchonne Saint-Simon, se mit en huit jours en
faïence... »

VII

J'OUBLIE DONC MA GLOIRE

Désormais Louis XIV ne connaîtra plus guère que des malheurs. Ce sont d'épaisses ténèbres qui vont environner le crépuscule du Roi-Soleil, celui que Goethe surnommait « l'homme souverain », à coup sûr le plus roi de nos rois ! Cette épithète de « grand » qu'il s'était fait, si complaisamment et prématurément, décerner par les flatteurs et les artistes de service, il en acquerra le mérite réel, à mesure que l'infortune le dépouillera de ses artifices et le révélera tel qu'en lui-même. Car cet homme qui s'est identifié au triomphe de la France, qui a accaparé toutes les gloires, voulu maîtriser tous les arts comme toutes les nations de l'Europe, affirmé la grandeur du royaume à travers sa propre magnificence, servi de point de mire et de modèle aux autres souverains, roi artiste, collectionneur, architecte, metteur en scène, incomparable dans la moindre de ses déclarations, voici qu'à l'heure de la détresse, il s'identifie pareillement à son peuple, parce qu'il estime que c'est son devoir d'état : être le roi souffrant d'une France souffrante ! D'où que ce vieillard — il a soixante-douze ans, ce qui est un âge considérable pour l'époque ! — donne l'exemple du sang-froid et du courage à des courtisans craintifs ou consternés. D'où qu'il reste le seul à vouloir se battre, quand partout sonnent les appels à la paix, car il sait que cette paix forcée serait pour l'avenir la pire catastrophe, laissant le royaume exsangue, mutilé et déshonoré. Il trouve les ultimes ressources d'énergie pour imposer sa volonté, comme se réveille en lui l'antique alliance du roi et du peuple. C'est vers ce dernier qu'il se tourne enfin, certain d'être entendu et aidé. Alors, oui, il fut grand, au point de faire oublier ses fautes et ses faiblesses. L'on touche ici la fibre la plus intime de la vieille royauté française : le roi et ses sujets pour un instant confondus !

Il savait que les Hollandais, gênés dans leur trafic maritime et leurs pêcheries, aspiraient eux aussi à la paix. Il crut pouvoir les détacher de la coalition. Il leur dépêcha ses agents, parmi lesquels le président Rouillé. On convint de tenir une conférence secrète à Bodegrave. Mais, d'entrée de jeu, l'arrivée à La Haye de Marlborough et du prince Eugène accrut les exigences des négociateurs hollandais. Ce qu'exigeaient les coalisés, ce n'était rien de moins que l'abdication pure et simple de Philippe V, auquel on laisserait en dédommagement Naples et la Sicile. Dunkerque serait cédée aux Anglais et Strasbourg aux Allemands. La « barrière » hollandaise serait augmentée de Lille, Condé et Tournay. Le président Rouillé rendit compte de sa mission. Louis XIV tint un conseil extraordinaire, où chacun nota sa fermeté en même temps que sa résignation. Il répondit à Rouillé qu'il acceptait les conditions des alliés, se réservant toutefois de raser les remparts de Strasbourg. La dépêche qu'il dicta se terminait par ces phrases empreintes de tristesse, mais aussi d'une authentique grandeur : « Vous serez étonné en lisant cette dépêche des ordres qu'elle contient, si différents de ceux que je vous ai donnés jusqu'à présent, et que je croyais encore trop étendus ; mais je me suis toujours soumis à la volonté divine, et les maux dont il lui plaît d'affliger mon royaume ne me permettent plus de douter du sacrifice qu'il demande que je lui fasse de tout ce qui pouvait m'être le plus sensible. J'oublie donc ma gloire... »

Le ministre des Affaires étrangères, Torcy, offrit de se rendre lui-même en Hollande pour négocier. Il partirait sous un déguisement. Louis XIV y consentit. C'était une humiliation de plus. « Remettons-nous devant les yeux, écrit Saint-Simon, l'éclat où il avait porté ses ministres et l'humiliation plus que servile où il avait réduit les Hollandais. Entrons après dans l'esprit et dans le cœur de ce monarque de bonheur, de gloire, de majesté ; ne craignons pas d'ajouter d'apothéose après les monuments que nous en avons vus... »

LES ROIS QUI ONT FAIT LA FRANCE

Accompagné par un banquier de Rotterdam, Torcy fit modestement antichambre chez le Pensionnaire. Quelle ne fut pas la surprise, vraie ou supposée, d'Heinsius, toujours aussi haineux à l'égard de la France, de voir apparaître devant lui l'un des plus grands ministres du plus grand des rois, travesti en mendiant de la paix ! Cependant la conférence fut rouverte, à laquelle prirent part Marlborough et le prince Eugène. Désormais les alliés, doutant de l'abdication de Philippe V, exigeaient de nouvelles garanties. Anglais, Hollandais, Impériaux renchérissaient, sachant leur armée prête pour une nouvelle campagne et connaissant le dénuement de la France. Ce n'était plus une négociation, mais une véritable curée. Torcy consentait à tout. Il renonçait même à Naples et à la Sicile pour Philippe V qui devrait se contenter de... la Franche-Comté érigée en principauté ! Le prince Eugène demanda alors l'Alsace entière pour l'empereur. C'en était trop ! Torcy répondit qu'il devait prendre les ordres de Louis XIV. Les négociations furent rompues lorsque les alliés prétendirent exiger l'aide de la France quant à l'éviction de Philippe V.

Louis XIV pouvait sacrifier beaucoup, et même son orgueil, mais non consentir à pactiser avec l'ennemi pour chasser son petit-fils du trône d'Espagne, c'est-à-dire anéantir toute la politique de son règne et de ceux d'Henri IV et de Louis XIII à l'égard des Habsbourgs ! Car on observera que, si Philippe V avait été chassé de Madrid, l'archiduc Charles l'eût immédiatement supplanté, en sorte que les Habsbourgs eussent, comme au temps de Charles-Quint, régné à la fois en Espagne et en Allemagne. Le vieux roi en appela alors à son peuple, par une lettre-circulaire envoyée dans tout le royaume :

« ... L'espérance d'une paix prochaine était si généralement répandue dans mon royaume, que je crois devoir à la fidélité que mes peuples m'ont témoignée pendant le cours de mon règne, la consolation de les informer des raisons qui empêchent encore qu'ils jouissent du repos que j'avais dessein de leur procurer. J'avais accepté, pour le rétablir, des conditions bien opposées à la sûreté de mes provinces frontières. Mais plus j'ai témoigné de facilité et d'envie de dissiper les ombrages que mes ennemis affectent de conserver de ma puissance et de mes desseins, plus ils ont multiplié leurs prétentions ; en sorte qu'ajoutant par degrés de nouvelles demandes aux premières, et se servant ou du nom du duc de Savoie, ou du prétexte de l'intérêt du prince à l'Empire, ils m'ont également fait voir que leur intention était seulement d'accroître, aux dépens de ma couronne, les Etats voisins de la France et de s'ouvrir des voies faciles pour pénétrer dans l'intérieur de mon royaume...

Je passe sous silence les insinuations qu'ils m'ont faites de joindre mes forces à celles de la ligue et de contraindre le roi, mon petit-fils, à descendre du trône... Il est contre l'humanité de croire qu'ils aient seulement eu la pensée de m'engager à former avec eux une pareille alliance. Mais quoique ma tendresse pour mes peuples ne soit pas moins vive que celle que j'ai pour mes propres enfants, quoique je partage tous les maux que la guerre fait souffrir à des sujets aussi fidèles, et que j'aie fait voir à toute l'Europe que je désirais sincèrement de les faire jouir de la paix, je suis persuadé qu'ils s'opposeraient eux-mêmes à la recevoir à des conditions également contraires à la justice et à l'honneur du nom français... »

Cette lettre eut un retentissement énorme ; elle balaya le défaitisme et retourna l'opinion en faveur du vieux roi. Le pain manquait, et pourtant, sur les Alpes et le Rhin, les Français repoussèrent l'envahisseur. En Flandre, le prince Eugène et Marlborough parvinrent, difficilement, à prendre Tournai. Mais, quand ils voulurent entrer en Picardie, ils se heurtèrent à Boufflers et Villars. Sans doute la sanglante bataille de Malplaquet (11 septembre 1709) obligea-t-elle les Français à retraiter, mais cette retraite opérée en bon ordre ressemblait à une victoire, puisque les Alliés avaient été si éprouvés qu'ils renoncèrent à pousser plus avant.

Les négociations reprirent avec les Alliés. Leurs exigences restèrent telles que Louis XIV déclara :

— Puisqu'il faut faire la guerre, j'aime mieux la faire à mes ennemis qu'à mon petit-fils.

Il adressa, et publia, une lettre ouverte à Heinsius pour rejeter sur lui la responsabilité de la guerre. Les opérations reprirent sous l'impulsion de Marlborough. Il perdit beaucoup d'hommes et dépensa d'énormes sommes à prendre des places insignifiantes. Villars n'avait pas les moyens de livrer une grande bataille ; il se replia donc méthodiquement entre la Scarpe et la Canche pour barrer les routes de l'invasion. Les autres fronts stagnèrent, sauf en Espagne, où Philippe V après avoir quasi perdu son trône, le reconquit aussitôt grâce à la victoire enfin décisive de Vendôme à Villaviciosa (10 décembre 1710). Désormais les Alliés ne pourraient exiger son abdication. Le vent de la fortune tournait à nouveau, mais il n'était que temps, car la France était lasse d'aider un pays incapable de s'aider lui-même. Desmarets, reprenant à son compte l'idée de Vauban, institua « le dixième », qui était un impôt sur le revenu dû par tous les sujets du roi sans exception. On a dit parfois que cet impôt avait sauvé le pays ; il y contribua certainement.

Mais il n'y avait pas que l'opinion française à souhaiter la fin de cette interminable lutte. Les Anglais aussi réclamaient la paix. Ils voulaient profiter de leurs conquêtes et s'alarmaient de l'état de leurs finances : la dette prenait des proportions jamais atteintes. Ils commençaient à murmurer contre Churchill-Marlborough et sa femme. La reine Anne s'aperçut, opportunément, que le duc et son épouse détenaient en fait la totalité du pouvoir. Elle affaiblit progressivement leur position, avant de les disgracier, en plein accord avec le Parlement. Simultanément elle fit entamer des pourparlers secrets en vue de conclure une paix séparée avec la France. Sur ces entrefaites, l'empereur Joseph Iᵉʳ mourut brusquement, de la petite vérole, le 17 avril 1711. Le candidat à l'empire n'était autre que cet archiduc Charles, qui s'était naguère proclamé roi d'Espagne. L'Angleterre ne voulait pas plus que la France que l'empereur fût en même temps roi d'Espagne. Dès lors, et bien qu'ils exigeassent la destruction de Dunkerque et l'éviction de Jacques Stuart, il devenait possible de s'entendre avec eux.

Le revirement anglais déconcerta les Alliés. Ce fut en vain que le nouvel empereur d'Allemagne, sacré à Francfort le 22 décembre 1711, tenta une démarche auprès de la reine d'Angleterre. Les conférences de paix s'ouvrirent à Utrecht, en janvier 1712. Il y avait trop d'appétits en jeu, trop d'intérêts opposés pour que les négociations ne traînassent pas en longueur. La guerre languit sur tous les fronts. Cependant Duguay-Trouin prit et pilla Rio de Janeiro, avec une petite escadre. Cet événement incita Don Pedro, roi du Portugal, à traiter. A moins d'un incident majeur, on pouvait désormais considérer que Louis XIV était tout de même parvenu à sauver l'essentiel, qui était la Paix des Pyrénées.

VIII

LES DEUILS

On pouvait croire en 1711 que « Monseigneur » (le Grand Dauphin), fils aîné du Roi-Soleil, serait Louis XV ; que le duc de Bourgogne serait Louis XVI et que le fils aîné de celui-ci, le duc de Bretagne, alors âgé de quatre ans, deviendrait Louis XVII. Jamais descendance n'avait paru mieux assurée que celle du vieux monarque. Mais la fortune en disposa autrement. Jadis, les trois fils de Philippe-le-Bel, emportés prématurément, avaient laissé la couronne aux Valois. En deux ans, la mort, largement aidée par Fagon, faucha les fils, petit-fils et arrière-petit-fils de Louis XIV.

Cela commença par le Grand Dauphin. Le soir du 8 avril 1711, en rentrant à son château de Meudon, il se plaignit de violentes douleurs à la tête et aux reins. La petite vérole courait dans la région. Le lendemain, il ne put se lever. Fagon, appelé en consultation, diagnostiqua une fièvre de printemps ; il avait été très savant et fort honnête homme, mais il prenait de l'âge et radotait un peu ; cependant Louis XIV qui n'aimait pas les nouvelles figures lui conservait sa confiance. Le duc de Bourgogne et sa femme s'installèrent au chevet du malade. A Versailles, personne

285

ne s'inquiétait encore. Cependant le roi décida de se rendre à Meudon et, quoique rassuré par Fagon, défendit à sa famille de l'accompagner ; il interdit pareillement aux courtisans qui n'avaient pas eu la petite vérole de faire le voyage. Le 10 avril, la maladie fut déclarée par les médecins. Les deux jours suivants se passèrent bien. Le roi s'était installé à Meudon, avec ses ministres et Mme de Maintenon. Toutefois celle-ci habitait, par prudence, une propriété voisine ! Le duc et la duchesse de Bourgogne avaient été renvoyés à Versailles : déjà, les plus avisés des courtisans faisaient leur siège ; il s'agissait de préparer l'avenir sans perdre un seul jour ! Le 13 avril, Monseigneur passa pour guéri. Fagon et ses confrères exultaient. Le 14, le malade était assez dispos pour recevoir une délégation des dames de la Halle. Louis XIV venait voir son fils plusieurs fois par jour, sans redouter la contagion. Saint-Simon a suffisamment parlé de la dureté de cœur du roi, pour qu'on le montre assidu au chevet du dauphin. On eût dit qu'en dépit de l'assurance de Fagon, une intuition bizarre le retenait à Meudon. Mais aussi le prince, auquel les médecins répétaient que tout allait pour le mieux, éprouvait-il de vagues appréhensions. Son médecin particulier qui se nommait Boudin, proposait avec insistance que l'on appelât des confrères de Paris. Fagon se récria. C'était à lui seul, en sa qualité de premier médecin, qu'il appartenait de prendre, ou de ne pas prendre, cette initiative. Mais enfin Monseigneur sombrait par instants dans la « mélancolie ». Vers le soir, il se mit à « bouffir » (à enfler) ; il changeait à vue d'œil. Tous les domestiques jugeaient leur maître perdu. Fagon bravait l'évidence. Quand il recourut aux remèdes extrêmes, il était trop tard, le dauphin mourait. Le curé de Meudon survint alors. Il cria presque, pour éveiller le moribond de sa torpeur :

— Monseigneur, n'êtes-vous pas fâché d'avoir offensé Dieu ? Le prince acquiesça d'un signe.

— Si vous étiez en état de vous confesser, ne le feriez-vous pas ?

Nouveau signe affirmatif. Déjà le prince n'avait plus de voix et son regard faiblissait. Louis XIV, auquel on avait caché l'état de son fils, achevait son dîner, en présence des courtisans. Il fallut tout de même le prévenir ; Fagon s'en chargea. A cette nouvelle, le vieux roi faillit tomber à la renverse et, bousculant l'assistance, il se précipita vers la chambre du mourant. On l'empêcha d'y entrer, de crainte que l'émotion ne le terrassât. On le fit asseoir sur un canapé dans le cabinet voisin, où Mme de Maintenon le trouva, tremblant des pieds à la tête, et muet ! Il s'inquiéta seulement de savoir si son fils avait pu recevoir « une absolution bien fondée ». Une heure après, Monseigneur était

mort sans avoir proféré de ces mots que l'on prête aux mori-
bonds royaux et que la postérité puisse répéter. Mais ç'avait
toujours été un prince effacé et un fils docile ; cette fin rapide
et discrète était à l'image de sa vie. Quittant aussitôt Meudon,
Louis XIV eut le courage de convoquer le conseil pour le lendemain, à Marly. Après son départ, le château de Meudon se vida
comme sous l'effet d'un sortilège. Le cadavre de Monseigneur
fut abandonné aux domestiques et aux officiers de second rang
laissés sans ordres précis. Presque tous s'enfuirent par crainte
de contracter la maladie. On dut appeler des capucins pour
ensevelir le corps et ce fut un menuisier de village qui fabriqua
le cercueil. Ensuite Monseigneur fut emporté à Saint-Denis dans
un simple carrosse, et le peuple de Paris qui, ne le connaissant
guère, l'aimait, se prit à murmurer.

« Vous pouvez penser l'horrible effet que produisit cette nouvelle, écrivait la princesse palatine. Je fis également chercher
ma voiture et me rhabillai en toute hâte, puis je courus chez
la duchesse de Bourgogne, où j'assistai à un spectacle navrant.
Le duc et la duchesse de Bourgogne, étaient bouleversés, pâles
comme la mort, et ne disant pas un mot ; le duc et la duchesse
de Berry étaient étendus par terre, les coudes sur un lit de repos,
et criaient tellement qu'on les entendait à trois pièces de là ;
mon fils et Mme d'Orléans pleuraient en silence et faisaient leur
possible pour calmer le duc et la duchesse de Berry. Toutes les
dames étaient par terre, à pleurer autour de la duchesse de
Bourgogne. »

Mais Saint-Simon, qui, en bon reporter, ne pouvait manquer
un spectacle aussi instructif, tient un autre langage que la Palatine, dont le cœur allemand s'humectait facilement ! Il y a lieu
de croire que le petit duc, rassasié de pleurs et de cris, courut
à sa chambre et trempa sa plume dans le vinaigre : « Le plus
grand nombre, c'est-à-dire les sots, écrit-il, tiraient des soupirs
de leurs talons, et, avec des yeux égarés et secs, louaient Monseigneur, mais toujours de la même louange, c'est-à-dire de
bonté, et plaignaient le roi de la perte d'un si bon fils. Les plus
fins d'entre eux, ou les plus considérables, s'inquiétaient déjà
de la santé du roi, ils se savaient bon gré de conserver tant de
jugement parmi ce trouble, et n'en laissaient pas douter par
la fréquence de leurs répétitions. D'autres, vraiment affligés et
de cabale frappée, pleuraient amèrement ou se contenaient
avec un effort aussi aisé à remarquer que les sanglots. Les plus
forts de ceux-là, ou les plus politiques, les yeux fichés à terre,
et reclus en des coins, méditaient profondément aux suites d'un
événement si peu attendu et bien davantage sur eux-mêmes... »

Quant au roi, la douleur qu'il s'efforçait de contenir, brisait

les cœurs les plus endurcis. Rien ne changeait dans son comportement extérieur, mais il arrivait qu'une larme lui échappât. Sa Majesté ne pouvait se permettre qu'une douleur silencieuse et digne. Le lecteur aura cependant remarqué que les plaintes, les cris, les larmoiements collectifs relatés par la Palatine s'accordaient à l'ostentation de l'époque et, finalement, aux attitudes un peu théâtrales du roi. Paraître, au XVIIᵉ siècle, c'était commencer d'être, autant que céder aux convenances !

Le nouveau dauphin était donc désormais le duc de Bourgogne. Il avait vingt-neuf ans. Le roi décida qu'on ne l'appellerait pas « Monseigneur », sauf dans les lettres qu'on lui écrirait, mais « Monsieur » et qu'en parlant de lui, on dirait : « Monsieur le dauphin. » Le premier geste du nouveau dauphin fut de demander à son grand-père que les cinquante mille livres mensuelles octroyées à Monseigneur fussent réduites à douze mille, la différence devant être employée au service de l'Etat. Les leçons de Fénelon portaient leurs fruits. Nul ne douta que le dauphin, élevé dans cette mirifique influence, ne fût bientôt le meilleur, le plus économe et le plus vertueux des rois. On oublia même son triste passé de général pacifiste ! Les dévôts se prenaient à rêver, avec les bons ducs de Chevreuse et de Beauvilliers, que l'évêque de Cambrai allait revenir, appelé comme premier ministre.

Avec cette faculté d'adaptation qui était la sienne en cas de besoin et qui avait à plusieurs reprises stupéfié son entourage, Louis XIV modifia du tout son attitude envers son petit-fils. Non seulement il se montra cordial, et même affectueux, envers lui, mais il l'associa immédiatement aux affaires. Les ministres reçurent l'ordre d'aller travailler chez le futur roi, chaque fois qu'il en exprimerait le désir, et de lui rendre compte des séances de travail. Et, certes, l'étoffe se révéla plus riche chez le petit-fils que chez le fils. Il avait une instruction solide, une conversation aisée et heureuse, une curiosité d'esprit du meilleur aloi, et d'évidentes intentions de bien faire. Le vieux monarque eut la surprise délicieuse de découvrir ainsi un prince digne de lui succéder, lui parlant avec respect, mais non les paupières baissées, parce que le jeune homme l'aimait réellement. Il en vint à laisser le dauphin prendre des initiatives et des décisions. « Ce fut, dit Saint-Simon, un étonnement extrême et un bourdonnement étrange, et, en même temps, un événement qui imprima à toute la cour un grand respect pour le dauphin et une persuasion parfaite de tout ce qu'il pouvait. »

Ainsi la vieillesse du grand roi s'enchantait de préparer sa succession ; le soleil près de s'éteindre y prenait un ultime éclat et une dernière chaleur. Mme de Maintenon elle-même s'effaçait derrière la nouvelle dauphine dont la gaieté animait toute la cour. Or, en janvier 1712, la dauphine souffrit d'une fluxion assez grave, mais dont personne ne s'alarma. Le 4 février, il lui prit fantaisie de confectionner un gâteau de son pays. Elle en mangea jusqu'à se donner une indigestion. La fluxion revint, plus violente. Les médecins prescrivirent du tabac à mâcher et de l'opium pour apaiser la douleur. Des rougeurs apparurent. Fagon pratiqua deux saignées. On empêcha le roi de voir la malade, parce qu'on craignait qu'elle n'eût la rougeole. Le dauphin, désolé et follement inquiet, ne quittait point le chevet de sa femme : il l'adorait. Divers remèdes furent tentés pour calmer la fièvre. Les médecins alterquaient véhémentement avec les chirurgiens, notamment Maréchal qui suggérait des vésicatoires : on ne l'écouta pas, car il sortait, une fois de plus, de ses attributions ! Les jours suivants, l'état de la dauphine s'aggrava. Elle demanda à recevoir les sacrements. Le roi, ne pouvant celer son chagrin, conduisit en personne le saint sacrement de la chapelle à la chambre. Le dauphin exigea que l'on fît venir quatre médecins de Paris. Cette consultation aboutit à une nouvelle saignée qui affaiblit encore un peu plus la malade. Le soir du 12 avril, elle entra en agonie et, peu après, mourut, laissant un jeune époux navré de douleur. Mais le chagrin du roi n'était pas moins extrême, car la dauphine avait eu l'art de lui plaire infiniment et d'être pour lui comme un divertissement perpétuel. La Palatine : « Elle était toute sa consolation, son unique plaisir ; elle avait l'humeur si gaie qu'elle trouvait toujours quelque chose pour l'égayer, quelque triste qu'il pût être. Cent fois par jour elle entrait et sortait, rapportait chaque fois quelque chose de drôle ; aussi elle manque partout au roi. »

Quant au dauphin, il était livide et fiévreux, et semblait comme détaché du monde. Le 15 février, on apprit qu'il avait la rougeole, encore que les médecins ne fussent pas d'accord sur le diagnostic. On le soigna sans recourir aux lumières de Fagon. Cependant, dès le 17 février, il commença à s'affaiblir. Se jugeant lui-même perdu — voulant peut-être qu'il en fût ainsi pour rejoindre plus vite sa femme — il demanda l'extrême onction. Le lendemain matin, il était mort. Lorsque Louis XIV apprit la nouvelle, il versa à peine une larme et n'émit aucune plainte : sans doute avait-il déjà touché le fond de la détresse humaine. Les deux corps furent emportés ensemble à Saint-Denis.

Il ne restait plus que deux enfants : le petit duc de Bretagne, qui avait quatre ans et reçut le titre de dauphin, et son frère, le petit duc d'Anjou, qui avait deux ans et était encore aux nourrices. Le 7 mars, le duc de Bretagne fut pris de rougeole, ainsi que son frère. Les médecins saignèrent joyeusement le troisième dauphin, jusqu'à ce que mort s'ensuivît ; le pauvret résista jusqu'au 9 mars. Quant à l'enfantelet d'Anjou, sa gouvernante, Mme de Ventadour prit sur elle de le soustraire à la Faculté et de le soigner à la manière toute simple des femmes de son pays, à savoir de le tenir au chaud sous les couvertures et de lui administrer un peu de biscuit trempé dans du vin. Il survécut et, le 10 mars, Louis XIV lui donna le titre de dauphin. L'enfant paraissait si faible que l'on ne croyait pas qu'il vivrait : il sera pourtant le futur Louis XV ! Comme on pensait aussi qu'après tant de deuils, et aussi cruels, le vieux roi ne pourrait vivre longtemps, on commençait à s'intéresser au futur régent : le duc de Berry, frère de Philippe V d'Espagne et de feu le Grand Dauphin.

Le peuple, à son habitude, ne put croire à des morts naturelles. Les autopsies n'apportèrent aucune lumière. Les cabalistes de cour s'en mêlèrent. La rumeur publique accusa Philippe d'Orléans d'avoir empoisonné les princes, comme elle l'avait accusé d'avoir essayé de détrôner Philippe V. Des placards affreux couvraient le Palais-Royal, où habitaient les Orléans. Le roi n'avait-il pas qualifié naguère son neveu de « fanfaron du crime » ? Mais c'était en raison de son athéisme ostentatoire, de sa sympathie pour les alchimistes et de sa conduite scandaleuse ! Philippe d'Orléans, en butte aux insultes de la population parisienne et au silence méprisant de la cour, demanda à être jugé. Le roi lui opposa un refus ; il ne le croyait pas coupable, malgré les insinuations de Mme de Maintenon. La Palatine rapporte, dans l'une de ses lettres, l'étrange scène au cours de laquelle, excédé par les calomnies, le vieux roi questionne les médecins sur la mort du dauphin et de la dauphine. Les médecins répondent qu'ils ont examiné minutieusement les viscères, sans trouver la plus petite trace de poison.

— Eh bien, Madame, dit le roi à la Maintenon, eh bien, ne vous avais-je pas dit que ce que vous m'avez dit de mon neveu était faux ?

« Cela prouve, ajoute la Palatine, que nous avions très bien jugé, et que la vieille voudrait bien voir sur le trône celui qu'elle a élevé. Elle nous hait tous... »

Ces déchirements au sein de sa famille augmentaient le désespoir secret du roi. Tout semblait lui manquer à la fois, rendre sa solitude plus pesante et tragique. Il se guindait cependant dans sa majesté ; nul ne pouvait déchiffrer les pensées amères que recouvrait ce masque inaltérable mais qui prenait une teinte de plus en plus cireuse...

Cette année 1712, un ultime danger menaçait le royaume. Les négociations d'Utrecht traînaient en longueur, parce que, depuis la mort de tant de princes français, les Anglais redoutaient que Philippe V héritât de son grand-père et régnât simultanément à Madrid et à Paris. Philippe V renonça à la succession. Mais le prince Eugène força la frontière du nord, s'avança comme à découvert. Il avait cent trente mille hommes. Le maréchal de Villars ne pouvait lui opposer que soixante-dix mille vieux soldats, la dernière réserve du royaume. Louis XIV lui avait déclaré qu'en cas de revers, il se rendrait à Péronne ou à Saint-Quentin pour y ramasser ce qu'il y aurait de troupes et faire avec lui un dernier effort, afin de « périr ensemble ou de sauver l'Etat » : « Car je ne consentirai jamais à laisser approcher l'ennemi de ma capitale ! »

Le prince Eugène, après avoir ravagé la Champagne et failli enlever l'archevêque de Reims, résolut de frapper un coup décisif et de marcher vers Paris. Le brusque retrait du corps expéditionnaire britannique l'exaspérait. Il vint mettre le siège devant Landrecies : cette place lui ouvrait la route de la capitale. La panique s'empara de la cour. On pressa le roi de ne pas s'exposer à être capturé, de se retirer sur la Loire. Le vieux roi refusa avec hauteur d'abandonner son poste devant l'ennemi. Trop sûr de vaincre, le prince Eugène commit l'imprudence d'espacer un peu trop ses magasins du principal corps d'armée, le camp de Denain devant garder les communications entre eux. Ce détail fut signalé par un habitant au maréchal de Montesquiou qui rendit compte immédiatement à Villars, son supérieur. On donna le change au prince Eugène par une attaque simulée et l'on se porta en masse sur le camp de Denain dont les défenseurs, après un combat très vif, furent tous pris. Le prince Eugène arriva trop tard et fut vigoureusement repoussé. Tous les postes secondaires tombèrent entre nos mains et les magasins, situés à Marchiennes, furent enlevés bien qu'ils fussent gardés par quatre mille hommes. Le prince Eugène, désormais sans vivres et sans munitions, fut obligé de lever le siège de Landrecies et de rétrograder vers les Pays-Bas ; il avait perdu cinquante bataillons ! Il est de bon ton d'amenuiser l'importance de cette victoire de Denain, et de dénigrer Villars. Mais, déjà, certains courtisans prétendaient que le prince Eugène n'avait pas voulu faire au roi « l'impolitesse » de marcher sur Paris. Ces quelques précisions mettent le lecteur à même de juger. Une fois de plus, certes, Villars avait été un général heureux, mais aussi il avait quelque peu aidé la chance en manœuvrant supérieurement, mais encore il avait obéi aux ordres formels de Louis XIV en livrant cette bataille quasi désespérée. Car, en prenant cette décision ultime, et en faisant taire les défaitistes, le vieux roi avait tiré son royaume du désastre. Au milieu de ses deuils, cette gloire, qui lui avait été si chère lui souriait à nouveau.

IX

LE TRAITÉ D'UTRECHT

Le 11 avril 1713, la France, l'Angleterre, la Hollande, la Savoie, le Portugal et la Prusse signèrent à Utrecht le traité de paix. La France y recouvrait à peu près ses frontières de 1679, et notamment Lille, Aire, Béthune et Saint-Venant. La Hollande obtenait enfin sa fameuse « barrière », laquelle en fin de compte représentait pour elle plus une charge qu'une sécurité véritable. L'Angleterre était la grande bénéficiaire du traité, puisqu'elle acquérait à titre définitif Gibraltar, Minorque, l'Acadie, la baie d'Hudson, Terre-Neuve et divers avantages commerciaux, outre le comblement du port de Dunkerque. Le duc de Savoie recevait le comté de Nice, le titre de roi et la Sicile. Frédéric-Guillaume était reconnu roi de Prusse.

Malgré les avantages énormes qui lui étaient offerts, l'empereur se refusait à négocier. Il se croyait assez fort pour continuer seul la lutte et prétendait remporter quelque bonne victoire qui lui eût permis de dicter sa loi à la France. Il estimait Louis XIV incapable de faire face à une nouvelle campagne, fût-elle limitée au front du Rhin. C'était méconnaître l'obstination du vieux monarque et les ressources de son royaume,

mais aussi oublier que la paix d'Utrecht rendait immédiatement disponibles les forces occupées sur les autres fronts.
Villars disposa rapidement d'une armée supérieure en nombre
et profita de la lenteur des Impériaux à se rassembler. Il enleva
sans difficulté Spire, Worms et Landau, disloqua la ligne de
défense allemande, assiégea et prit Fribourg. L'empereur, sérieusement menacé et surtout déconcerté par un tel déferlement
d'échecs, préféra céder. Ce furent les deux chefs rivaux, Villars
et le prince Eugène, qui furent chargés des négociations. En
position de force, Louis XIV prit une part active aux discussions, en donnant à Villars des instructions fréquentes et précises. Avant le traité d'Utrecht, il était prêt à céder à l'empereur plusieurs places stratégiques de premier ordre, et même
Strasbourg. Il pouvait désormais manifester des exigences.
L'empereur dut renoncer à l'Alsace et à la Franche-Comté, rétablir dans leurs possessions nos alliés, les Electeurs de Bavière
et de Cologne. Il est vrai qu'il se payait sur l'Espagne que l'on
dépouillait des Pays-Bas, de Naples et du Milanais. Le traité
fut signé à Rastadt le 6 mars 1714, et bientôt approuvé par les
princes allemands. Philippe V, de plus en plus espagnol, accepta
difficilement le double traité consacrant, il est vrai, le démembrement du vieil empire de Philippe II. L'Espagne eût été bien
incapable de résister au reste de l'Europe. Ainsi prenait fin
la lutte commencée jadis par François Iᵉʳ et par Charles-Quint.
La grande Espagne était cette fois définitivement abattue et
ce ne seraient point les successeurs de Philippe V qui arrête-
raient son déclin. Les Habsbourgs autrichiens subsistaient et
conservaient leur titre d'empereur, devenu héréditaire ; cependant leur puissance restait plus théorique que réelle, comme la
dernière campagne de Villars venait de le prouver. La Hollande
avait dépensé des sommes considérables pour solder des mercenaires ; les avantages qu'elle retirait de la paix étaient illusoi-
res ; son commerce ruiné par la guerre ne se relèverait jamais
entièrement ; après avoir été le pivot de la résistance et l'âme
de la coalition, elle n'était plus qu'une puissance de second
ordre. Par contre les Anglais s'étaient rendus maîtres de la
mer et, par là, du commerce international. Leur retrait de la
coalition avait été capital. L'Angleterre s'était haussée au niveau
des grands Etats européens ; elle n'était pourtant alors ni assez
forte ni assez riche pour assumer le rôle d'arbitre de l'Europe,
mais elle s'apprêtait à jouer ce rôle. La France était à bout de
souffle ; elle avait cependant été capable de se faire craindre de
l'empereur ; elle restait encore une grande puissance. Le Roi-
Soleil avait cru pouvoir dominer l'Europe ; il avait échoué dans
son entreprise, comme Napoléon Iᵉʳ échouera, quasi pour les

mêmes raisons et dans des circonstances identiques. Mais, si le songe héroïque de Napoléon s'abîma dans la plaine de Waterloo, si, pourtant pour Sainte-Hélène, l'Empereur laissait une nation amputée de ses conquêtes et occupée par l'ennemi, Louis XIV avait tout de même supprimé « les Pyrénées » (ou plutôt mis fin au conflit franco-espagnol), annexé définitivement l'Alsace et la Franche-Comté. Son royaume en 1713 comptait plus de places-fortes qu'en 1661 et ses frontières étaient plus solides. Quelles que fussent les haines que son orgueil et ses appétits de conquête avaient allumées, il avait imposé le respect général par sa grandeur et son obstination dans les revers. Son prestige restait immense, à l'étranger surtout. La France lui devait en tout cas son rayonnement artistique et son influence intellectuelle.

La publication de la paix d'Utrecht fut célébrée à Paris par des feux d'artifice et les banquets habituels, et par un *Te Deum* chanté à Notre-Dame. Certes, on éprouvait un immense soulagement et chacun se reprenait à espérer. Mais l'euphorie générale ne faisait que masquer, provisoirement, l'amère réalité : le royaume, ruiné par vingt-sept ans de guerre (car la paix de Ryswick n'avait été qu'une trêve !) était presque entièrement à refaire : l'agriculture comme le commerce et l'industrie ; l'absolutisme avait vécu en tant que forme de gouvernement. Il était urgent de desserrer la gangue où s'étiolaient les institutions et l'économie ; des réformes profondes étaient à promouvoir et d'autant que les idées nouvelles commençaient à pénétrer dans les salons, celles qui feront connaître le dix-huitième siècle sous le nom de « Siècle des Lumières ». A moins d'un effort gigantesque, et poursuivi pendant des années, on ne pourrait résorber la dette publique estimée à deux milliards et demi (or) !

Le roi était trop vieux pour résoudre ces problèmes quasi insurmontables. D'ailleurs, il y avait déjà des décennies que Versailles ne contrôlait plus la vie intellectuelle ; elle avait émigré dans les salons parisiens qui avaient repris toute leur importance : ils prépareront la nouvelle Fronde, qui sera 1789, celle-là réussie ! Sclérosé par l'âge, et plus encore par la mécanique de cour, Louis XIV n'apercevait point l'importance de l'évolution politique. Il constatait tristement que les jeunes nobles désertaient Versailles, parce que, croyait-il, ils s'amusaient davantage à Paris. Ne restait autour de lui qu'une cohorte de seigneurs domestiqués, blanchis et énervés sous le harnois de cour, sans autres talents que l'intrigue. « Tout est mort ici ! » écrivait Mme de Maintenon, qui ne savait plus comment distraire son époux. Ce dernier s'attardait plus longtemps près d'elle, en de mornes face à face. Il arrivait qu'au milieu de ces silences accablants, une larme coulât sur la joue du vieux roi. C'étaient, non seulement ses morts qu'il pleurait, mais le siècle évanoui. Il restait pourtant droit et vert et, comme autrefois, indifférent aux intempéries. Quand il ne souffrait pas de la goutte et ne se faisait pas rouler dans son chariot, on le voyait se promener dans ses jardins, ou conduire une petite calèche avec sa maîtrise coutumière, ou tirer les oiseaux d'un œil infaillible et d'une main qui ne tremblait pas. Pourtant il advenait que l'énergie se débandât en lui ; alors il devait se faire violence pour présider le conseil et dicter les dépêches. Peu à peu une lassitude le gagnait et l'on eût dit qu'il était encore plus las de sa personne que les courtisans ne l'étaient de lui : il régnait depuis trop longtemps ; il avait usé trop de bonnes volontés, à commencer par celle de son peuple ! Pour le désennuyer, Mme de Maintenon eut l'habileté de faire rappeler Villeroy à la cour. Le vaincu de Ramillies portait bien ses soixante-dix ans ; il restait gai et disert ; la vie, les échecs ne lui avaient rien appris. Mais enfin ce vieux fol plastronnant déridait un peu le roi par ses récits de leur commune jeunesse et, ne comprenant point le rôle qu'on lui faisait jouer, se flattait de recommencer une « carrière » et de reconquérir son titre de favori.

L'insidieuse Maintenon fit davantage. Elle n'avait jamais pu amener le roi à une vraie dévotion telle du moins qu'elle l'entendait ! Il était croyant et pratiquant, mais il détestait les mômeries du parti dévôt, les tartufferies. La vieille sultane était une dévote professionnelle, ayant toujours Dieu sur les lèvres et acceptant tout en son nom, y compris la place de reine morganatique et les avantages y étant attachés ! Au cours de leurs veillées à demi solitaires, les pieds aux chenets, la broderie à la main, cette merveilleuse épouse, tout en évoquant avec discrétion les tumultes du passé, amena le vieillard à craindre pour son salut. Bien sûr elle agissait pour le compte d'autrui et — est-il besoin de le préciser ? — exécutait les consignes de certains prélats. Bref, elle sut le convaincre, de sa voix feutrée, coupée de soupirs, qu'il sauverait son âme coupable en donnant des gages précis et consistants de sa soumission à l'Eglise. Jusque-là il avait fait la sourde oreille, se sachant peu instruit en matière religieuse et n'appréciant que fort peu les arguties subtiles des théologiens. Mais le Père Le Tellier, son nouveau confesseur (depuis la mort du Père La Chaise), aidait quelque peu Mme de Maintenon. Tant et si bien que le vieux roi mit le doigt dans leur engrenage. La condamnation contre le jansénisme ayant été confirmée en 1705 par une bulle du pape Clément XI, les persécutions reprirent sous l'impulsion de Le

Tellier, dont Saint-Simon écrit qu' « il eût fait peur au coin d'un bois. Sa physionomie était ténébreuse, fausse, terrible ; les yeux ardents, méchants, extrêmement de travers... ». Ce fanatique tenta de contraindre le cardinal de Noailles, archevêque de Paris, à chasser les dernières sœurs de Port-Royal-des-Champs. Cette manœuvre ayant échoué, il extorqua l'ordre d'envoyer le lieutenant de police d'Argenson à ce monastère et d'en extirper la vingtaine de malheureuses qui y subsistaient tant bien que mal. En 1710, il parvint à faire démolir les bâtiments, et exhumer les corps des religieuses et des solitaires. On procéda sans ménagement et cette mesure passablement odieuse éveilla la pitié. Le Père Quesnel ayant publié, avec un grand succès, deux ouvrages contenant l'essentiel de la doctrine janséniste, Le Tellier les fit condamner en 1713 par la bulle Unigenitus. Ce document revêtait un double aspect qu'il importe de souligner : d'une part il sanctionnait diverses propositions du Père Quesnel comme hétérodoxes, d'autre part il proclamait l'infaillibilité du pape. Le clergé français se divisa, les uns soutenant Noailles, les autres le confesseurs du roi. Mais le Savonarole versaillais insinuait sans relâche à Louis qu'en sa qualité de protecteur de l'Eglise, il se devait de prendre position, autrement dit de choisir entre le gallicanisme et l'ultramontanisme. Le roi exila Noailles et sept évêques qui avaient embrassé sa cause. C'était porter atteinte aux libertés gallicanes ; adhérer sans la moindre réserve aux décisions du Saint-Siège. Le Père Le Tellier voulait plus ! Au risque de provoquer un schisme, il persuada le roi, toujours pour le rachat de son âme, de réunir une sorte de Concile qui déposerait l'archevêque rebelle. Il obtint enfin, suprême sottise, que la bulle Unigenitus fût enregistrée comme loi d'Etat, ce qui eût anéanti, officiellement et définitivement, les libertés gallicanes pour le plus grand profit de Rome. Mais le Parlement refusa l'enregistrement et ce fut en vain que le roi menaça le procureur général d'Aguesseau de lui retirer sa charge. Au cours d'une scène pénible, le vieillard, au comble de sa colère, brisa sa canne, mais le procureur maintint son refus. Alors le roi menaça le parlement de tenir un lit de justice, mais ses jours étaient comptés...

Au surplus, la mort s'était comme installée à demeure à Versailles. Le 4 mai 1714, elle saisit le duc de Berry qui fit une chute de cheval et vomit le sang. Il était si glouton qu'il ne voulut pas s'imposer un régime. Ce fut une complication supplémentaire. Avec lui disparaissait le régent désigné en cas de mort du roi. Ne restait dès lors que le duc d'Orléans, exécré par tous, mais principalement par Mme de Maintenon, car on le disait libre penseur. On ne pouvait l'écarter légalement de la régence, mais on essaya de limiter celle-ci en faisant nommer un conseil de régence, comprenant entre autres le duc du Maine et le comte de Toulouse, bâtards légitimés.

La Maintenon fit un pas de plus. Exploitant la sénescence du roi, abusant de l'affection qu'il manifestait à ses bâtards (sa seule famille existante), invoquant la santé fragile du petit dauphin, elle l'amena à déclarer le duc du Maine et le comte de Toulouse princes du sang à part entière (si l'on peut dire). En cas de décès du dauphin, ils pouvaient donc, théoriquement, hériter du trône. Le Parlement n'osa pas refuser l'enregistrement. Mais quelles protestations méprisantes s'élevèrent dans le peuple et dans la noblesse et, si le futur Louis XV était mort, quels troubles en perspective, d'autant que Philippe V n'avait renoncé que du bout des lèvres à la succession de son grand-père ! Le futur Louis XV ne comptait pas beaucoup, mais, encore que personne ne crût qu'il vivrait assez pour régner, il existait, frêle garant de la paix civile ! Dès lors, les courtisans se partagèrent en deux clans, les uns allant au futur régent, les autres au duc du Maine. Le vieux roi, qui s'amaigrissait et jaunissait, n'avait plus beaucoup d'importance. On commençait à supputer la date de son trépas.

X

LE COUCHER DU SOLEIL

Le samedi 10 août 1715, ayant assisté au coucher du roi, Dangeau note dans son journal : « Il me parut en se déshabillant un homme mort. Jamais le dépérissement d'un corps vigoureux n'est venu avec une précipitation semblable à la maigreur dont il était devenu en peu de temps ; il semblait, à voir son corps nu, qu'on en avait fait fondre les chairs. » De fait, le roi déclinait depuis deux mois. Mais, comme il ne changeait rien à ses habitudes, il semblait pouvoir vivre encore des années. Quand on parcourt le journal de Dangeau du mois d'août, on constate que Louis se promène dans ses jardins, courre le cerf à Marly, assiste aux concerts de petite et grand musique, passe un régiment en revue, reçoit les ambassadeurs, travaille avec ses ministres et préside quotidiennement l'un ou l'autre de ses conseils. Il mène sa calèche de la même main experte...

Le 11 août, en revenant de Trianon, il donna quelques signes de fatigue. Le lendemain, Fagon lui fit prendre médecine, car il se plaignait de « douleurs de sciatique à une jambe et à la cuisse », ce qui ne l'empêcha pas de travailler l'après-midi avec Pontchartrain. Selon Saint-Simon, il y avait plus d'un an que

« la santé du roi tombait », par suite des chagrins qu'il avait éprouvés en perdant son fils et ses petits-fils. Maréchal, premier chirurgien, s'en était ouvert, aux alentours de la Pentecôte, à Mme de Maintenon l'assurant qu'une fièvre lente consumait peu à peu les forces du roi, mais « que son tempérament était si bon, qu'avec des remèdes et de l'attention, tout était encore plein de ressources, mais que, si on laissait gagner le mal, il n'y en aurait plus ». Mme de Maintenon se fâcha et lui répondit qu'il jalousait Fagon ; que le premier médecin ne pouvait se tromper. Selon le chirurgien, Fagon, qui bourrait le roi de fruits à la glace en toute saison, se trompait au contraire complètement ; il avait, en tout cas, détérioré son appétit proverbial. Il était exact que Louis avait peine à avaler quelque viande et ne mangeait plus que la mie du pain, mais il avait perdu toutes ses dents. Bien entendu Fagon ne voulait démordre de rien, affirmait que son régime était excellent et niait l'évidence. Il était plus étrange que Mme de Maintenon ne s'alarmât pas de l'amaigrissement subit de son époux : elle savait pourtant mieux que quiconque qu'il était charnu et portait un peu de ventre !

Le 12 août eut lieu l'entrevue orageuse avec d'Aguesseau relativement à l'enregistrement de la bulle Unigenitus. Le roi eut du mal à se remettre de son émotion. Le lendemain, il se sentit si faible qu'il se fit porter à la chapelle pour assister à la messe. Mais ensuite il se domina et, par un effort de volonté assez extraordinaire, il resta debout pendant toute l'audience de l'ambassadeur de Perse, qui fut longue. Le jour de l'Assomption, il entendit la messe dans son lit et, depuis lors, ne quitta guère sa chambre, y tenant conseil et recevant ses ministres. Fagon, un peu interloqué, coucha près de lui ; cependant il ne voulait pas admettre que le malade eût la fièvre, pour le seul plaisir d'agacer Maréchal. Néanmoins il dut convenir que le roi passait de mauvaises nuits, souffrait beaucoup d'une jambe et réclamait anormalement à boire. Les courtisans apprirent que le séjour à Fontainebleau, qui avait toujours lieu en septembre, était annulé par ordre du roi. Les douleurs se faisant plus vives, Fagon prescrivit des bains aromatisés, qui n'eurent aucun effet. L'un des valets « intérieurs » nota que le roi « gâtait son linge sans s'en apercevoir », si grande était déjà sa faiblesse.

Le 21, Fagon voulut bien consentir à ce que quatre médecins vinssent examiner le roi. Ils approuvèrent le premier médecin avec un ensemble touchant et, pour tout remède, conseillèrent l'emploi de la casse. Mais, le 22, l'état du malade s'aggravant, quatre autres médecins furent appelés à Versailles. Saint-Simon : « ... Comme les quatre premiers (ils) ne firent qu'admirer les savantes connaissances et l'admirable conduite de Fagon, qui lui fit prendre sur le soir du quinquina à l'eau, et lui destina pour le soir du lait d'ânesse. » On commençait à craindre que le mal ne fût plus sérieux qu'on ne l'avait cru, mais cette crainte n'allait pas jusqu'à l'alarme ! D'ailleurs, Louis voulut souper encore une fois en public. Il parut en robe de chambre, soutenu par des coussins, affreusement pâle, presque décharné ! Quand il eut avalé quelques gorgées de potage, il ne put supporter la douleur et, pour ne point donner aux courtisans le spectacle de sa faiblesse, il les pria courtoisement de sortir. On apprit que des marques noires étaient apparues sur la jambe malade ; qu'il s'agissait peut-être de la gangrène [1] et que le roi avait demandé le Père Le Tellier.

Le jour de la Saint-Louis (25 août), le roi ne voulut rien changer au programme prévu pour cette journée de fête. Les tambours et les hautbois vinrent jouer sous sa fenêtre, à son réveil. Pendant le dîner, les vingt-quatre violons donnèrent un concert dans l'antichambre. Mais, vers le soir, les douleurs augmentèrent ; il eut quelques convulsions et le cardinal de Rohan lui apporta le viatique. Il reçut l'extrême-onction avec fermeté et piété, en présence du futur Régent, des princes du sang et des principaux dignitaires. Il écrivit ensuite un codicille à son testament, par lequel il nommait l'évêque de Fréjus, Fleury, précepteur du dauphin et lui donnait le Père Le Tellier pour confesseur. Il s'entretint ensuite avec le maréchal de Villeroy, précédemment désigné comme gouverneur du futur roi, avec le duc d'Orléans, futur chef du gouvernement, et avec les princesses, dont sa belle-sœur, la Palatine, leur recommandant de rester unies et de se souvenir de lui.

La nuit du 25 au 26 août fut mauvaise ; le vieux roi pensa qu'il allait mourir prochainement et qu'il était temps de faire ses adieux publics. Médecins et chirurgiens parurent et, puisque les bains aromatisés n'apportaient aucune amélioration, ils se mirent en devoir d'inciser la jambe à coups de lancette, fouillant « jusqu'à l'os ». Ils convinrent, pour une fois, qu'il s'agissait indubitablement de gangrène. Le roi les renvoya en disant que « puisqu'il n'y avait plus de remède, il demandait au moins qu'on le laissât mourir en repos ». Est-ce alors qu'il congédia aussi Mme de Maintenon, abîmée dans ses prières au pied du lit, déclarant que sa présence « l'attendrissait » ?

A midi, on amena le dauphin. Il embrassa l'enfant :

— Mignon, lui dit-il, vous allez être un grand roi, mais tout votre bonheur dépendra d'être soumis à Dieu et du soin que

---

1. Il s'agissait de gangrène sénile.

vous aurez de soulager vos peuples. Il faut pour cela que vous évitiez autant que vous le pourrez de faire la guerre : c'est la ruine des peuples. Ne suivez pas le mauvais exemple que je vous ai donné sur cela ; j'ai souvent entrepris la guerre trop légèrement et l'ai soutenue par vanité. Ne m'imitez pas, mais soyez un prince pacifique, et que votre principale application soit de soulager vos peuples. Profitez de la bonne éducation que Mme la duchesse de Ventadour vous donne, obéissez-lui, et suivez aussi pour bien servir Dieu les conseils du Père Le Tellier, que je vous donne pour confesseur. »

Puis il remercia Mme de Ventadour de « la tendre amitié » qu'elle avait témoignée à l'enfant-roi et lui demanda de continuer à veiller sur lui. Ensuite il embrassa par deux fois le petit prince et, ne pouvant retenir ses larmes, le bénit.

Après avoir entendu la messe, il parla aux cardinaux de Rohan et de Bissy, déclarant qu'il regrettait de laisser les affaires religieuses inachevées, ajoutant qu'il avait toujours agi en ce domaine à l'instigation de l'Eglise :

— Dans les dernières affaires qui sont survenues depuis, je n'ai suivi que vos avis et n'ai fait que ce que vous m'avez conseillé de faire. C'est pourquoi, si j'ai pu mal faire, c'est sur vos consciences, n'y en ayant point eu d'autre part, que vous en répondrez devant Dieu ; pour moi, je n'ai eu que de très bonnes intentions.

Et, devant le silence des cardinaux, il ajouta :

— Messieurs, c'est à ce tribunal que je vous cite.

Aux courtisans qui étaient accourus en foule pour voir mourir le vieil enchanteur, il dit d'une voix à peine plus faible qu'à l'accoutumée :

— Messieurs, je suis content de vos services ; vous m'avez fidèlement servi et avec envie de me plaire. Je suis fâché de ne vous avoir pas mieux récompensés que j'ai fait ; les derniers temps ne l'ont pas permis. Je vous quitte avec regret. Servez le dauphin avec la même affection que vous m'avez servi, c'est un enfant de cinq ans, qui peut essuyer bien des traverses, car je me souviens d'en avoir beaucoup essuyé pendant mon jeune âge. JE M'EN VAIS, MAIS L'ETAT DEMEURERA TOUJOURS ; soyez-y fidèlement attachés, et que votre exemple en soit un pour mes autres sujets. Soyez tous unis et d'accord ; c'est l'union et la force d'un Etat ; et suivez les ordres que mon neveu vous donnera. Il va gouverner mon royaume ; j'espère qu'il le fera bien. J'espère aussi que vous ferez votre devoir et que vous vous souviendrez quelquefois de moi. »

Courtisans, dignitaires, grands officiers de la Couronne fondirent en larmes. Ils ne pouvaient s'empêcher d'admirer le courage du roi mourant. « Il faut avoir vu les derniers moments de ce grand roi, écrit Dangeau, pour croire la fermeté chrétienne et héroïque avec laquelle il a soutenu les approches d'une mort qu'il savait prochaine et inévitable. Il n'y a eu aucun moment, depuis hier au soir huit heures, où il n'ait fait quelque action illustre, pieuse et héroïque, non point comme ces anciens Romains qui ont affecté de braver la mort, mais avec une manière naturelle et simple, comme les actions qu'il avait le plus accoutumé de faire, ne parlant que des choses dont il convenait de parler, et avec une éloquence juste et précise... »

Après les adieux à la cour, il fit venir Pontchartrain. On lui donna les cassettes contenant ses papiers secrets. Il les tria et Pontchartrain en brûla une partie, travail qui ne dura pas moins de deux heures.

Le 27 août, les médecins constatèrent que la gangrène n'avait pas progressé ; elle restait en dessous de la marque faite par la jarretière. Cependant le roi s'affaiblissait, mais en conservant sa lucidité et cette paix intérieure qui étonnait l'assistance. Il ordonna calmement que son cœur fût porté chez les Jésuites, près de celui de son père, et que le petit dauphin fût conduit à Vincennes, où l'air était plus sain qu'à Versailles. Il pensa même à faire préparer le logement pour accueillir l'enfant-roi et sa suite.

Ses douleurs semblaient s'apaiser. Vers le soir, il dit à Mme de Maintenon :

— J'ai toujours ouï dire qu'il est difficile de mourir ; pour moi, qui suis sur le point de ce moment si redoutable aux hommes, je ne trouve pas que cela soit difficile.

Le 28 au matin, il aperçut dans un miroir les visages éplorés de deux garçons de chambre et leur dit :

— Pourquoi pleurez-vous ? Est-ce que vous m'avez cru immortel ? Pour moi, je ne l'ai jamais cru être, et vous avez dû vous préparer depuis longtemps à me perdre dans l'âge où je suis.

Un Provençal nommé Brun fut introduit dans la chambre. Il prétendait avoir inventé un élixir guérissant de la gangrène. Les médecins, à bout de ressources, autorisèrent le roi à en absorber dix gouttes dans un peu de vin d'Alicante :

— Je ne le prends, dit le roi, ni dans l'espérance ni avec le désir de guérir, mais je sais qu'en l'état où je suis je dois obéir aux médecins...

Il parut un instant revigoré et reprit un peu plus tard de cette potion magique, mais le pouls fut trouvé très mauvais. Ce qui ne retint pas Mme de Maintenon d'aller se reposer à Saint-Cyr, ce qui fit jaser.

Le 29, il semblait un peu mieux et les courtisans criaient au miracle, les plus naïfs d'entre eux et les plus hypocrites clamant que Brun était un ange descendu du ciel pour guérir Sa Majesté. Mais les raisonnables comprenaient que ce mieux annonçait la fin et que l'élixir du Provençal n'était, comme l'observe Dangeau, qu'un peu d'huile ajoutée à une lampe près de s'éteindre.

Quand, après la messe, les médecins voulurent changer le pansement, ils virent que la gangrène avait gagné le pied et montait jusqu'à l'aine. Tout espoir était perdu.

Le lendemain, ils trouvèrent « la jambe aussi pourrie que s'il y avait six mois qu'il fût mort ». Le roi sombrait dans une profonde torpeur et semblait inconscient. Ce n'était plus qu'un corps luttant contre la mort. On lui faisait avaler des cuillerées de gelée et on lui donnait de l'eau avec un biberon. Il semblait que, déjà, ce puissant esprit eût déserté la chair qui l'avait abrité. Mme de Maintenon en jugea ainsi. Ayant distribué les meubles de son appartement et fait ses adieux, elle partit pour Saint-Cyr, dont elle ne devait jamais revenir. Ce départ prématuré excita la verve de Saint-Simon et de quelques autres.

Toute la journée du 31 août, le roi fut sans connaissance. On lui administra à tout hasard un remède préparé par un certain abbé Agnan contre la petite vérole, à l'instigation de la duchesse du Maine. Fagon et ses confrères consentaient à tout ; ils n'engageaient guère leur responsabilité.

A dix heures et demie du soir, on récita les prières des agonisants, car on s'attendait à une mort imminente. Soudain, le mourant revint à lui et, d'une voix qui couvrait celle des aumôniers, il dit l'*Ave Maria* et le *Credo*. Puis on l'entendit répéter :

— *Nunc et in hora mortis...*

Et enfin :

— O mon Dieu, venez à mon aide ; hâtez-vous de me secourir !

Qui furent ses dernières paroles...

Il ne mourut pourtant que le 1er septembre, vers huit heures un quart, « sans aucun effort, dit Dangeau, comme une chandelle qui s'éteint ».

Il allait atteindre soixante-dix-huit ans et régnait depuis plus de soixante-douze ans. Il était mort comme il avait vécu, EN MAJESTE !...

LE CRÉPUSCULE

Mareschal et les garçons de la Chambre accommodèrent le corps et l'habillèrent. Ils fermèrent les yeux et placèrent un petit crucifix entre les mains jointes. Le maître des cérémonies fit apporter douze chandeliers que l'on disposa autour du lit, ainsi que les sièges destinés aux prélats, aumôniers et grands officiers de la Couronne. Le duc de Bouillon, qui était grand chambellan, s'avança alors sur le balcon de la chambre royale ; il portait un plumet noir à son chapeau ; il cria :

— Le roi Louis XIV est mort !

Puis il se retira, substitua au plumet noir un plumet blanc, reparut sur le balcon et cria, par trois fois :

— Vive le roi Louis XV !

Tel était l'usage immémorial.

Disons-le encore une fois avec l'épanchement d'un vrai Français naturellement si aise quand la vérité n'arrête point ses louanges ; c'est du fond et de la durée de cet excès de maux d'Etat et domestiques les plus cruels à un roi superbe et si longuement accoutumé à donner la loi partout, et au bonheur de règne et domestique le plus long, le plus complet et le plus suivi ; c'est, dis-je, du fond de cet abîme de douleurs de toute espèce que Louis XIV a su mériter du consentement de toute l'Europe, et ce qui met le comble aux yeux qui virent son intérieur de plus près, ce surnom de GRAND que les flatteurs lui avaient avancé devant ce temps, par le bonheur si long et la gloire de son règne. Le nom de GRAND qui ne fut alors qu'extérieur, devint en ces derniers temps, en cette horrible lie des temps, le nom justement acquis, le vrai nom, le nom propre de ce prince qui, dans l'entière et plus que nudité de tout ce qui le lui avait fait prématurer, laissa voir avec simplicité la grandeur de son âme, sa fermeté, sa stabilité, son égalité, un courage à l'épreuve des plus épouvantables revers et des plus cuisantes peines, une force d'esprit qui ne se cache rien, qui ne dissimule rien, qui voit les choses comme elles sont ; qui de là s'humilie en secret sous la main de Dieu, en espère tout contre toute espérance, affermit sa main sur le gouvernail jusqu'au bout, ne se rebute de rien, ne s'obscurcit de rien, conserve son extérieur dans tout l'ordinaire de sa vie, toutes bienséances, toute sa majesté avec une égalité si simple et si peu affectée que l'étonnement et l'admiration qui en naissaient en tous ceux qui le voyaient, et en public et en particulier, leur fut tous les jours nouvelle, en sorte que nul ne pouvait s'y accoutumer.

SAINT-SIMON.

INDEX BIOGRAPHIQUE

BARBEZIEUX (Louis-François-Marie Le Tellier, marquis de), 1668-1701. Il succéda à son père, Louvois, comme ministre de la guerre.

BEAUFORT (François de Vendôme, duc de), 1616-1669. Petit-fils d'Henri IV et de Gabrielle d'Estrées, il se distingua pendant les guerres de Louis XIII, mais dut fuir en Angleterre lors de la conspiration de Cinq-Mars. Compromis à nouveau pendant la régence d'Anne d'Autriche, il fut enfermé à Vincennes, d'où il s'évada. L'un des chefs de la Fronde nobiliaire avec Condé, il se signala par sa prompte soumission. Chargé par Louis XIV d'une expédition contre les corsaires d'Alger, tué ensuite devant Candie assiégée par les Turcs.

BERWICK (Jacques Fitz-James, duc de), 1670-1734. Fils naturel de Jacques II d'Angleterre et d'Arabella Churchill, sœur de Marlborough, il se fit naturaliser Français après l'accession au pouvoir de Guillaume d'Orange et servit avec distinction dans plusieurs campagnes. Maréchal de France en 1706, il entra au conseil de régence après la mort de Louis XIV.

BOUFFLERS (Louis-François, marquis puis duc de) 1644-1711. D'une famille picarde, il fit ses premières armes sous Turenne et Luxembourg et parvint assez tard au commandement. Maréchal de France en 1693, il est surtout célèbre pour sa défense de Namur et de Lille et sa retraite de Malplaquet.

CATINAT ou CATTINAT (Nicolas) 1637-1712. Ancien avocat, il embrassa la carrière militaire à 23 ans et s'éleva difficilement jusqu'au grade de lieutenant-général. Elève de Turenne, il se distingua dans plusieurs campagnes en Italie et sur le Rhin. Maréchal de France en 1693. Ses victoires les plus connues sont celles de la Staffarde et de la Marsaille.

CHAMILLARD (Michel de) 1652-1721. Conseiller au Parlement de Paris, puis intendant des finances, il fut nommé contrôleur général des finances après la mort de Ponchartrain, puis ministre de la guerre à la suite de Barbezieux. Son insuffisance contribua aux revers de la fin du règne de Louis XIV, comme celle de son gendre, La Feuillade, à nos revers militaires.

COLBERT (Charles, marquis de Croissy), frère du grand Colbert, 1629-1696. Il fut l'un des négociateurs des traités d'Aix-la-Chapelle et de Nimègue et succéda en 1679 à Arnaud de Pomponne aux affaires étrangères.

COLBERT (Jean-Baptiste, marquis de Torcy), fils du précédent, 1665-1746. Secrétaire d'Etat aux affaires étrangères à 31 ans, il garda cette charge jusqu'à la mort de Louis XIV et négocia la paix d'Utrecht.

CONDÉ (Louis II, prince de), surnommé « le Grand Condé », 1621-1686. D'abord duc d'Enghien et appelé alors M. le duc, il remporta à 22 ans la victoire de Rocroi, prit Dunkerque et fut à nouveau vainqueur des Espagnols à Lens (1648). Pendant la Fronde, il prit d'abord le parti de la cour, puis celui des Frondeurs avant de s'allier aux Espagnols. Vaincu par Turenne, il fit sa soumission, reprit du service et conquit la Franche-Comté en trois semaines, battit Guillaume d'Orange à Senef et prit la relève de Turenne, en Alsace. Il se retira ensuite à Chantilly.

CONDÉ (Henri-Jules, prince de), 1643-1709. Fils du précédent. Louis XIV le tint éloigné de tout commandement.

CONDÉ (Louis III, duc de Bourbon, prince de), 1668-1710. Fils du précédent, il fut contraint par Louis XIV de renoncer au titre de Monsieur le prince et de prendre celui de Monsieur le duc. Il montra la plus grande valeur en diverses batailles, aux côtés de Luxembourg, mais fut laissé dans l'inaction par le roi.

CROISSY, voir COLBERT.

HENRIETTE D'ANGLETERRE, 1644-1670. Fille d'Henriette de France (elle-même fille d'Henri IV et de Marie de Médicis) et de l'infortuné Charles Ier d'Angleterre, elle fut amenée en France à l'âge de deux ans. Il fut question de la marier à Louis XIV avant la paix des Pyrénées ; elle épousa le frère de celui-ci, Philippe d'Orléans, que l'on appelait « Monsieur », en 1661. En 1670, lorsque Louis XIV voulut détacher Charles II de l'alliance hollandaise, il lui dépêcha en ambassadrice extraordinaire sa sœur Henriette. Elle mourut à son retour en France, quasi subitement.

LA FAYETTE (Marie-Madeleine de), 1633-1693. Née Pioche de la Vergne, elle épousa François Motier, comte de la Fayette, frère de Louise de La Fayette qui fut le seul amour de Louis XIII. Veuve très jeune, elle eut avec le duc de La Rochefoucauld une liaison qui dura 25 ans. « Il m'a donné de l'esprit, disait-elle, mais j'ai réformé son cœur. » Admise à l'Hôtel de Rambouillet, elle devint célèbre en publiant « La princesse de Clèves ». Ses Mémoires laissent percer ses opinions d'ancienne Frondeuse.

LA GRANDE MADEMOISELLE, voir MONTPENSIER.

LA PORTE (Pierre de), 1603-1680. Entré au service d'Anne d'Autriche, fut compromis dans l'affaire de Buckingham, devint ensuite agent secret de la reine, fut arrêté et torturé sans rien avouer. Rentré en grâce, il fut comblé d'honneurs. Ses Mémoires fournissent d'utiles renseignements sur l'enfance de Louis XIV, malgré leur partialité.

LA ROCHEFOUCAULD (François VI, d'abord prince de Marsillac, puis duc de), 1613-1680. Mêlé à la Fronde, il occupa ensuite diverses charges honorifiques, mais il est surtout connu par les Mémoires.

LAUZUN (Antonin Nompar de Caumont, marquis puis duc de) 1633-1723. Cadet de Gascogne, il se fit connaître à la cour sous le nom de Puyguilhem (Peguillain dans les Mémoires de Saint-Simon) et devint quasi favori de Louis XIV. En 1688, il conduisit Jacques II en Irlande. Ayant séduit la Grande Mademoiselle, il partagea la captivité de Foucquet à Pignerol.

LE PELLETIER (Claude), 1630-1711. Président aux enquêtes près du Parlement de Paris, prévôt des marchands, il fut ministre des finances après la mort de Colbert, de 1689 à 1699, et se distingua par son intégrité.

LE TELLIER (Michel), 1603-1685. Fils d'un conseiller à la cour des Aides, s'attacha à Mazarin qui le nomma secrétaire d'Etat à la guerre en 1643, charge qu'il résigna en 1666 en faveur de Louvois, son fils. Nommé chancelier, il contresigna la funeste Révocation de l'Edit de Nantes.

LIONNE (Hugues de), 1611-1671. Neveu de Servien, il s'attacha à la fortune de Mazarin et devint ambassadeur. Ministre plénipotentiaire pour le traité des Pyrénées, secrétaire d'Etat de l'Etranger après le comte de Brienne, il se montra diplomate habile et ses négociations préparèrent le succès des premières guerres de Louis XIV. Il a laissé des Mémoires fort instructifs.

LORRAINE (Charles IV, duc de), 1604-1675. Prince irréfléchi et brouillon, il protégea les adversaires de Richelieu et faillit perdre ses Etats qui lui furent rendus, sous conditions, par le traité des Pyrénées. Pendant la Fronde, il se fit battre par Turenne, qui le battit à nouveau pendant la guerre de Hollande.

LORRAINE (Charles V, duc de), 1643-1690. Neveu du précédent, il se distingua au cours de la guerre contre les Turcs. Nommé généralissime des Impériaux, il remporta plusieurs victoires contre la France. La Lorraine fut rendue à son fils par le traité de Ryswick.

LOUVOIS (François-Michel Le Tellier, marquis de), 1639-1691. Fils du Chancelier Le Tellier, il entra à 15 ans dans les bureaux de son père, alors secrétaire d'Etat à la guerre et lui succéda en 1666. Il réorganisa puissamment l'armée et bâtit l'Hôtel des Invalides. D'un caractère entier, il assume la responsabilité de la plupart des fautes du règne de Louis XIV, y compris les Dragonnades. Administrateur quasi génial, sa partialité à l'encontre des généraux, sa jalousie, nuisent à son mérite.

Luxembourg (François-Henri de Montmorency-Boutteville, duc de), 1628-1695. Fils posthume du comte de Boutteville décapité pour avoir violé l'édit de Louis XIII sur les duels, il s'attacha à la fortune de Condé, combattit avec lui pendant la Fronde et épousa Madeleine-Charlotte, héritière du duché-pairie de Luxembourg. Il se distingua pendant la guerre de Hollande et battit Guillaume d'Orange à Cassel. Compromis dans l'affaire des poisons et innocenté, il reprit du service et fut notamment vainqueur à Steinkerque et Nerwinde. Surnommé « Le tapissier de Notre-Dame ».

Motteville (Françoise Bertaut, dame de), 1621-1689. Veuve de Nicolas Langlois, Sieur de Motteville, premier président de la Chambre des comptes de Normandie, Mme de Motteville, exilée par Richelieu, fut rappelée par la reine Anne d'Autriche après la mort de Louis XIII. Confidente de la reine et d'Henriette d'Angleterre, elle fut initiée à tous les secrets de la politique pendant la Fronde. Ses Mémoires embrassent la période entre le mariage d'Anne d'Autriche et sa mort.

Montpensier (Anne-Marie-Louise d'Orléans, duchesse de), dite « la Grande Mademoiselle », 1627-1693. Fille de Gaston d'Orléans, frère de Louis XIII, elle rêva d'épouser Louis XIV et divers souverains et princes. Frondeuse, elle sauva Condé au combat de la Porte Saint-Antoine. A 42 ans, elle s'éprit de Lauzun et ne put l'épouser en 1680 qu'en abandonnant une partie de ses biens au duc du Maine. Elle a laissé des Mémoires.

Orange (Guillaume, prince d'), 1650-1702. Fils posthume de Guillaume II, prince d'Orange et stathouder de Hollande, et d'Henriette-Marie Stuart, fille de Charles Iᵉʳ d'Angleterre, il fut nommé capitaine général de l'armée hollandaise en 1672, puis stathouder après la mort du pensionnaire Jean de Witt. Marié en 1677 à Marie d'York, fille du futur Jacques II, il détrôna son beau-père et fut roi d'Angleterre de 1688 à 1702.

Palatine (Charlotte-Elisabeth de Bavière, princesse), 1652-1722. Fille de Charles-Louis, Electeur palatin, fut la seconde femme de Monsieur, frère de Louis XIV. Mère du duc d'Orléans, futur régent de France. Epistolière intrépide et caustique, elle a laissé deux volumes de lettres.

Pomponne (Simon Arnauld, marquis de), 1618-1699. Fils d'Arnaud d'Andilly et neveu du Grand Arnaud, intendant militaire, conseiller d'Etat, ambassadeur, il succéda à Lionne comme ministre des affaires étrangères. C'était un janséniste convaincu.

Pontchartrain (Louis Phélypeaux, comte de), 1643-1727. Contrôleur général des finances après la retraite de Le Pelletier, Ministre de la Marine après la mort de Seignelay, puis chancelier, il brilla surtout par sa médiocrité.

Savoie, voir Victor-Amédée.

Seignelay (Jean-Baptiste Colbert), fils du grand Colbert, 1651-1690. Secrétaire d'Etat en 1676, il prit le Département de la Marine à la mort de son père. A sa mort, notre flotte comprenait 130 vaisseaux de haut bord, autant de frégates, une centaine de bâtiments auxiliaires.

Sourches (Louis-François du Bouchet, marquis de), 1639-1716. Fit plusieurs campagnes comme colonel d'infanterie et fut major général du maréchal de Luxembourg pendant la guerre de Hollande. Démissionnaire, il devint prévôt de l'Hôtel du roi, puis grand prévôt de France, conseiller d'Etat d'épée, gouverneur du Perche et du Maine. Il est l'auteur de Mémoires sur le règne de Louis XIV.

Torcy, voir Colbert.

TURENNE (Henri de la Tour-d'Auvergne, vicomte et prince de), 1611-1675. Fils du duc de Bouillon qui avait été mêlé à tous les complots contre Richelieu, il entra au service de la France et se comporta si brillamment qu'en 1643 il fut nommé maréchal de France. Adversaire de la régente et de Mazarin, il rentra ensuite dans le devoir et combattit le prince de Condé. Ses victoires hâtèrent la conclusion de la Paix des Pyrénées et il fut nommé maréchal général. Il joignait à une modestie peu commune d'exceptionnels talents de stratège.

VAUBAN (Sébastien Le Prestre, marquis de), 1633-1707. De petite noblesse provinciale, il s'enrôla à 17 ans, fut remarqué par Mazarin et fit carrière en qualité d'ingénieur. Spécialiste des fortifications, dont il révolutionna les structures, il travailla à 300 places fortes, en construisit plus de trente et prit part à tous les sièges importants du règne de Louis XIV, qui le nomma maréchal de France. Il est l'auteur de Mémoires (Mes oisivetés), de traités sur l'art militaire et de la Dîme royale.

VENDÔME (Louis-Joseph, duc de), 1654-1712. Il fit ses premières armes pendant la guerre de Hollande, servit sous Turenne et participa à toutes les campagnes du règne de Louis XIV. Sa victoire de Villaviciosa sauva le trône de Philippe V d'Espagne.

VICTOR-AMÉDÉE (II) de Savoie, 1666-1732. Il succéda à son père, duc de Savoie en 1675 et, bien qu'il eût épousé en 1684 Anne d'Orléans, nièce de Louis XIV, il adhéra à la Ligue d'Augsbourg. Battu par Catinat à Staffarde et à la Marsaille, il signa une paix séparée qui précipita celle de Ryswick. Allié de la France, il adhéra néanmoins à la Grande Alliance en 1703 et, sans les Autrichiens, eût perdu ses Etats sous les coups de Vendôme. La paix d'Utrecht lui donna le titre de roi, la Sicile et une partie du Milanais.

VILLARS (Louis-Hector de), 1653-1734. Entré au service à 19 ans, il finit sa carrière comme maréchal général sous Louis XV, titre naguère accordé au seul Turenne et équivalent de celui de connétable. Il se distingua particulièrement pendant la 3e coalition et remporta la victoire de Denain.

VILLEROI (François de Neufville, duc de), 1643-1730. Elevé avec Louis XIV et resté son ami pendant tout le règne de celui-ci, modèle des courtisans, surnommé « Le Charmant ». Créé duc en 1663, promu sans mérite maréchal de France en 1693, nommé commandant en chef après la mort de Luxembourg, il se signala par son incapacité et son outrecuidance. Vaincu à Ramillies, il perdit la Flandre. Nommé néanmoins gouverneur de Louis XV enfant, il poursuivit sa carrière de courtisan sous la Régence, mais fut exilé finalement dans ses terres par le duc d'Orléans.

BIBLIOGRAPHIE

ANDRÉ (Louis), *Louis XIV et l'Europe*. Paris, Albin Michel, 1950.

ARGENSON (Marc René d'), *Notes intéressantes sur l'histoire des mœurs et de la police à Paris à la fin du règne de Louis XIV*. Paris, Voitelain, 1866.

BAILLY (Auguste), *Mazarin*. Paris, Fayard, 1935.

BARRAULT (Serge), *Scènes et tableaux, le règne de Louis XIV*. Paris, Gautier-Languereau, 1938.

BARRES (H. de), *Les secours publics à Paris sous Louis XIV*. Paris, Larose et Ténin, 1909.

BAUDRILLART (Mgr Alfred), *Philippe V et la cour de France*. Paris, Didot, 1890 (5 vol.).

BAZIN (A.), *Histoire de France sous le ministère du cardinal de Mazarin*. Paris, Chamerot, 1842 (2 vol.).

BEAULIEU (de), *Plans, profils et vues des camps, places, sièges et batailles servant à l'histoire de Louis XIV*, Tome XIX de la collection des Estampes du Cabinet du roi. Paris, s.d. (5 volumes de planches).

BERTRAND (Louis), *Louis XIV*. Paris, Fayard, 1923.

BLET (Pierre), *Les assemblées du clergé et Louis XIV (1670-1693)*. Rome, Université grégorienne, 1972.

BOICHET (Gal), *Sur la deuxième enquête de la Franche-Comté par Louis XIV*. Blois, Revue des questions historiques, mars 1936.

BOISLILE (A. de), *Le grand hiver et la disette de 1709*. Paris, 1903.

BOISLILE, voir SAINT-SIMON.

BONDOIS (Paul M.), *La misère sous Louis XIV, la disette de 1662*. Poitiers, Imprimerie du Poitou, 1924.

BORDONOVE (Georges), *Molière, génial et familier*. Paris, Laffont, 1967.

BORDONOVE (Georges), *Foucquet, coupable ou victime ?* Paris, Pygmalion, 1976.

BORDONOVE (Georges), *Les rois qui ont fait la France* : tome I *Henri IV*, tome II *Louis XIII*. Paris, Pygmalion, 1980-1981.

BOULANGER (Jacques), *Le Grand Siècle*. Paris, Hachette, 1911.

BOURGEOIS (Emile), *Le Grand Siècle*, Paris, Hachette, 1896.

BOURELLY (Jules), *Cromwell et Mazarin*. Paris, Perrin, 1886.

BRIENNE (Henri Auguste Loménie de), *Mémoires*. Paris, Foucault, 1824 (2 vol.).

BROOYART (Liévin Bonaventure, abbé), *Vie du dauphin, père de Louis XV*. Paris, 1872 (2 vol.).

CARRÉ (Lt-Colonel Henri), *L'enfance et la première jeunesse de Louis XIV*. Paris, Albin Michel, 1944.

CHÉRUEL (Adolphe), *De l'administration de Louis XIV (1661-1672)*, d'après les Mémoires inédits d'Olivier d'Ormesson. Paris, Joubert, 1850.

CHÉRUEL (Adolphe), *Histoire de France pendant la minorité de Louis XIV*. Paris, Hachette, 1879 (4 vol.).

CHÉRUEL (Adolphe), *Histoire de France sous le ministère Mazarin (1651-1661)*. Paris, Hachette, 1882 (2 vol.).

CHÉRUEL (Adolphe), *Etude sur la valeur historique des Mémoires de Louis XIV*. Paris, Picard, 1886.

CHÉRUEL, voir Saint-Simon.

CHOISY (Abbé François de), *Mémoires*. Paris, Michaud et Poujoulat, 1839.

CLÉMENT (Pierre), *Le gouvernement de Louis XIV, ou la cour, l'administration, les finances et le commerce de 1683 à 1689*. Paris, Guillaumin, 1848.

CLÉMENT (Pierre), *Histoire de la vie et de l'administration de Colbert*. Paris, Guillaumin, 1873.

CLÉMENT (Pierre), *La police sous Louis XIV*. Paris, Didier, 1866.

LES ROIS QUI ONT FAIT LA FRANCE

COLBERT (Jean-Baptiste, Mis de Torcy), *Mémoire pour servir à l'histoire des négociations depuis le traité de Riswick jusqu'à la paix d'Utrecht.* La Haye, 1757 (3 vol.).

CORVISIER (A.), *La France de Louis XIV (1643-1715).* Paris, Sedes, 1957.

COSNAC (Gabriel Jules, cte de), *Souvenirs du règne de Louis XIV.* Paris, Renouard, 1866 (8 vol.).

DANGEAU (Philippe de Courcillon, Mis de), *Mémoire sur la mort de Louis XIV.* Paris, Didot, 1858.

DEPPING (Georges), *Correspondance administrative sous le règne de Louis XIV.* Collection de documents inédits sur l'histoire de France, Paris, 1850-1855 (4 vol.).

DOMART, voir Ledieu.

DORMON (CV), *La stratégie française et la conduite des opérations navales,* 1936-7.

DUCLOS (Charles P.), *Mémoires secrets sous les règnes de Louis XIV et de Louis XV.* Paris, Michaud et Poujoulat, 1839.

ENGEL (Claire-Eliane); *Autour du second mariage de Louis XIV.* Paris, Revue des Deux-Mondes, juillet 1959.

ERLANGER (Philippe), *Louis XIV.* Paris, Fayard, 1965.

FÉNELON, *Lettre de Fénelon à Louis XIV.* Paris, Renouard, 1825.

GAXOTTE (Pierre), *Le siècle de Louis XIV.* Paris, Fayard, 1933.

GAZIER (A.), *Mémoires de Godefroi Hermont sur l'histoire ecclésiastique du XVIIe siècle.* Paris, Plon, 1905-1910 (6 vol.).

GODARD (Charles), *Les pouvoirs des intendants sous Louis XIV.* Paris, Larose, 1901.

GOUBERT (Pierre), *Louis XIV et vingt millions de Français.* Paris, Fayard, 1966.

GOURVILLE (Jean Hérault de), *Mémoires.* Paris, Foucault, 1826.

GRAND MESNIL (Marie-Noëlle), *Mazarin, la Fronde et la presse (1647-1649).* Paris, A. Colin, 1967.

GUITTON (Georges), *Le Père La Chaize, confesseur de Louis XIV.* Paris, Beauchesne, 1959 (2 vol.).

HASTIER (Louis), *Louis XIV et Mme de Maintenon.* Paris, Fayard, 1957.

HAUTECOEUR (Louis), *Louis XIV, roi-soleil.* Paris, Plon, 1953.

HERMANT, voir GAZIER.

IMBERT DE SAINT-AMAND (Arthur), *Les femmes de Versailles, la cour de Louis XIV.* Paris, Dentu, 1875.

JACQUES II, roi d'Angleterre, *Mémoires du duc d'York.* Paris, Michaud et Poujoulat, s.d.

JANSEN (P.), *Le cardinal Mazarin et le mouvement janséniste français (1653-1659).* Paris, Vrin, 1967.

LA CHATRE (Cte Edmée de), *Mémoires.* Paris, Foucault, 1826.

LACOUR-GAYET (Georges), *L'éducation politique de Louis XIV.* Paris, Hachette, 1898.

LA FARE (Mis de), *Mémoires et réflexions.* Paris, Michaud et Poujoulat, 1839.

LA FAYETTE (Mme de), *Histoire de Mme Henriette d'Angleterre (et mémoires de la cour de France : 1688-1689).* Paris, Michaud et Poujoulat, 1839.

LAIR (Jules Auguste), *Louise de La Vallière et la jeunesse de Louis XIV,* d'après les documents inédits. Paris, Plon, 1881.

LA PORTE (P. de), *Mémoires.* Paris, Michaud et Poujoulat, 1839.

LARREY (Isaac de), *Histoire de France sous le règne de Louis XIV.* Rotterdam, Bohn, 1718.

LAVALLÉE (Théophile), *La famille d'Aubigné.* Paris, Plon, 1863.

LEDIEU (Alcius), *Le mémorial d'un bourgeois de Domart sur les guerres de Louis XIII et de Louis XIV (1634-1655).* Paris, A. Picard, 1893.

LEGENDRE (Louis), *Essai sur l'histoire du règne de Louis le Grand.* Paris, Guignard, 1967.

LE PESANT (Michel), *Arrêts du conseil du roi : règne de Louis XIV* (tome I, 1643-1661). Paris, Archives nationales, 1976.

LINIERS (Henri Philippe de), *Histoire du règne de Louis XIV*. Amsterdam, 1718 (7 vol.).

LOUIS XIV, *Edits, lettres patentes et arrêts du Conseil d'Etat, du Grand Conseil et du Parlement de Paris (1665-1666)*.

LOUIS XIV, *Œuvres*.

LOUVOIS, *Testament politique*. Cologne, 1706.

MADELIN (Louis), *La Fronde*. Paris, Flammarion, 1931.

MANDROU (Robert), *Louis XIV et son temps*. Paris, P.U.F., 1973.

MENTION (Léon), *Documents relatifs aux rapports du clergé avec la royauté (1692-1789)*. Paris, Picard, 1893-1903 (2 vol.).

MIGNET (M.), *Négociations relatives à la succession d'Espagne sous Louis XIV*. Paris, Imp. royale, 1835-1842 (4 vol.).

MITARD (Stanislas), *La crise financière en France à la fin du XVIIᵉ siècle, la première capitation (1695-1688)*. Rennes, Oberthur, 1954.

MONTGREDIEN (Georges), *Colbert*. Paris, Hachette, 1963.

MONTGLAT (François de Paule de Clermont, Marquis de), *Mémoires*. Paris, Foucault, 1825-1826 (4 vol.).

MONTPENSIER (Mlle de), *Mémoires*. Paris, Michaud et Poujoulat, 1838.

MOREAU (C.), *Choix de mazarinades*. Paris, Renouard, 1853 (2 vol.).

MORET (Ernest), *Quinze ans du règne de Louis XIV (1700-1715)*. Paris, Didier, 1859 (3 vol.).

MUHLSTEIN (Anka), *La femme-soleil, les femmes et le pouvoir, une relecture de Saint-Simon*. Paris, Denoël, 1976.

ORCIBAL (Jean), *Louis XIV et les protestants*. Paris, Vrin, 1951.

PAGES (Georges), *La monarchie administrative en France sous Louis XIV et Louis XV*. Paris, Centre de documentation universitaire, 1932-1933.

PALATINE (Elisabeth Charlotte, princesse), *Lettres (1672-1721)*. Paris, 10-18, s.d.

PEIGNOT (Gabriel), *Documents authentiques et détails curieux sur les dépenses de Louis XIV en bâtiments, etc...* Paris, Renouard, 1881.

PERREY (Lucien), *Le roman du grand roi : Louis XIV et Marie Mancini*. Paris, Calmann-Lévy, 1894.

PICAVET (C.G.), *La diplomatie française au temps de Louis XIV (1661-1715)*. Paris, Alcan, 1930.

PUYSEGUR (Jacques de Chastenet de), *Les guerres du règne de Louis XIII et la minorité de Louis XIV*. Paris, Société bibliographique, 1883 (2 vol.).

QUINCY (Marquis Charles Sevin de), *Histoire militaire du règne de Louis le Grand...*, suivie d'un traité de l'art militaire. Paris, Mariette, 1726 (6 vol.).

REBOULET (Simon), *Histoire du règne de Louis XIV*. Avignon, F. Girard, 1744 (3 vol.).

RETZ (cardinal de), *Mémoires*. Paris, Foucault, 1825 (3 vol.).

SAINT-GERMAIN (Jacques), *Les financiers sous Louis XIV*. Paris, Plon, 1950.

SAINT-HILAIRE (Armand de Mormès de), *Mémoires*. Amsterdam, 1766 (4 vol.).

SAINT-MAURICE (Henri Thomas Chabord, Marquis de), *Lettres sur la cour de Louis XIV (1666-1673)*. Paris, Calmann-Lévy, s.d. (2 vol.).

SAINT-PREST (de), *Histoire des traités de paix et autres négociations, depuis la paix de Vervins jusqu'à la paix de Nimègue*. Amsterdam, 1725 (2 vol.).

SAINT-SIMON, *Mémoires*. (On le choix entre l'édition Boislile en 41 volumes et 2 volumes de tables, Paris, Hachette, 1879-1928, et l'édition Chéruel en 21 volumes, Paris, 1881).

SALLE (Jacques Antoine), *L'esprit des ordonnances de Louis XIV*. Paris, Samson, 1758 (2 vol.).

SÉVIGNÉ (Marquise de), *Lettres*. Paris, Gallimard (La Pléiade), 1953-1955.

LES ROIS QUI ONT FAIT LA FRANCE

SIRTEMA DE GROVESTIUS (B.), *Histoire des luttes et rivalités politiques entre les puissances maritimes et la France, durant la seconde moitié du 17e siècle.* Paris, Amyot, 1851-3 (4 vol.).

SOURCHES (Marquis de), *Mémoires.* Paris, Hachette et Garnier, 1881-1912 (14 vol.).

SPANHEIM (Ezechiel), *Relation de la cour de France en 1690.* Paris, Renouard, 1882.

TEMPLE (Chev. Guillaume), *Mémoires de ce qui s'est passé dans la chrétienté (1672-1679).* Paris, Foucault, 1828.

THOMAS (Ernest), *Recherches historiques sur les droits du roi aux 17e et 18e siècles.* Paris, Dentu, 1863.

TOPIN (Marius), *L'Europe et les Bourbons sous Louis XIV.* Paris, Didier, 1868.

VALLOT (Antoine), *Journal de la santé du roi Louis XIV, de l'année 1647 à l'année 1711*, écrit par Vallot, d'Aquin et Fagon. Paris, Durand, 1862.

VAST (Henri), *Les grands traités du règne de Louis XIV (1648-1714).* Paris, Picard, 1893-1899.

VOLTAIRE, *Le siècle de Louis XIV.* Paris, Garnier-Flammarion, 1966.

VUITRY (Adolphe), *Les désordres des finances et les excès de la spéculation à la fin du règne de Louis XIV...* Paris, Calmann-Lévy, 1885.

TABLE DES MATIERES

Achevé d'imprimer
par Les Presses Bretoliennes
27160 Breteuil-sur-Iton

Dépôt légal : octobre 1984 — N° d'impression : 222